Peter James

Comme une tombe

Traduit de l'anglais
par Raphaëlle Dedourge

ÉDITIONS FRANCE LOISIRS

Titre original : *Dead Simple*

Éditions du Club France Loisirs,
avec l'autorisation des Éditions Panama

Éditions France Loisirs,
123, boulevard de Grenelle, Paris
www.franceloisirs.com

© Éditeur original : Macmillan an imprint of Pan Macmillan Ltd
© original : Really Scary Books/Peter James 2004
© Éditions du Panama, mars 2006, pour la traduction française
ISBN : 978-2-298-00668-1

Remerciements

On considère toujours l'écriture comme une activité solitaire. Pour moi, c'est un travail d'équipe et je me sens très redevable envers les nombreuses personnes qui m'ont généreusement offert leur temps et leur expertise dans de multiples domaines. Je tiens tout particulièrement à remercier le commissaire Dave Gaylor, de la police du Sussex, qui m'a fait de nombreuses suggestions pour ce roman, qui a lu et relu le manuscrit à différentes étapes de sa conception et m'a ouvert les portes de tous les services de la police du Sussex. Je n'aurais jamais pu écrire ce livre sans lui. J'aimerais aussi remercier les nombreux officiers qui m'ont accueilli et aidé, notamment le commandant Keith Hallett, de l'équipe Holmes, le commandant William Warner et Stuart Leonard, le chef des techniciens de scène de crime.

Je souhaiterais également remercier le docteur Nigel Kirkham, coroner, et toute son équipe de l'institut médico-légal de Brighton et Hove, où j'espère ne jamais entrer les pieds devant, mon cher ami James Simpson, Carina Coleman, ma

7

coscénariste, riste pour le cinéma et la télévision, qui a fait office d'éditrice informelle et m'a donné d'excellentes idées, Mike Harris, Peter Wingate Saul, Greg Shakleton et le docteur Peter Dean, médecin légiste. Sans oublier Helen Shenston, qui m'a accordé sa confiance et dont les encouragements m'ont permis de poursuivre vaillamment l'écriture de ce livre, même les jours sans. Je voudrais aussi remercier mon formidable et nouvel agent, Carole Blake, pour la foi qu'elle place en moi, ainsi que la fantastique équipe de Macmillan, ma nouvelle maison d'édition : David North, Geoff Duffield et Stef Bierwerth, mon éditrice, qui est une pure merveille. Sans oublier Geoffrey Barley et Tony Mulliken pour leur soutien et leur confiance infaillibles. Et, comme à chaque fois, mon fidèle chien Bertie, et mon nouvel ami à quatre pattes, Phoebe, qui ont toléré – à contrecœur, parfois – mes heures d'écriture, ennuyeux interludes entre deux promenades.

Peter James
Sussex, Angleterre
scary@pavilion.co.uk
www.peterjames.com

1

Jusque-là, à quelques détails près, le plan A fonctionnait à merveille. Ce qui tombait plutôt bien vu qu'ils n'avaient pas, à proprement parler, de plan B.

À huit heures et demie, un soir de mai, ils avaient compté sur un minimum de lumière. Ils en avaient eu à revendre la veille, à la même heure, quand ils avaient fait le trajet, à quatre, avec un cercueil vide et des pelles. Mais à présent, tandis que la fourgonnette verte filait à bonne allure sur une départementale du Sussex, un crachin insidieux tombait d'un ciel de plomb.

« Quand est-ce qu'on arrive ? » demanda Josh, assis à l'arrière, avec une voix de gosse.

« Grand Chef a dit : " On est là où on est " », répondit Robbo, qui, légèrement moins saoul que les autres, avait pris le volant. Après trois pubs écumés, et quatre à venir, il préférait rester fidèle au panaché. C'était du moins son intention de départ : il avait quand même réussi à descendre deux ou trois pintes de Harvey's, histoire d'être plus clair pour conduire, avait-il précisé.

« Voilà, on y est ! » lâcha Josh.

« C'est bien ce que je disais. »

Un panneau DANGER : TRAVERSÉE D'ANIMAUX SAU-VAGES surgit de l'obscurité et se volatilisa, tandis que les phares balayaient le revêtement noir et luisant qui s'enfonçait dans la forêt. Ils dépassèrent une petite ferme blanche.

Michael, affalé sur un plaid étendu à même le sol à l'arrière de la camionnette, la tête calée sur un cric qui lui servait d'oreiller, se sentait très agréablement parti. « Je crois que j'ai une petite foif », baragouina-t-il.

S'il avait eu toute sa tête, il aurait lu, sur les visages de ses amis, que quelque chose clochait. Lui qui ne buvait jamais beaucoup avait ce soir-là noyé ses esprits dans un nombre incalculable de bières et de vodkas frappées, dans plus de pubs que de raison.

Des six larrons qui traînaient ensemble depuis qu'ils étaient ados, Michael Harrison avait tou-jours été le leader. Si, comme ils aimaient à le dire, le secret, dans la vie, c'est de bien choisir ses parents, Michael avait coché un max de bonnes cases. Il avait hérité des traits agréables de sa mère, du charme et de l'esprit d'entreprise de son père, mais d'aucun des gènes autodestructeurs de sa famille qui auraient pu le conduire à sa perte.

À partir de douze ans, l'âge qu'il avait quand Tom Harrison s'était suicidé au gaz dans le garage familial, laissant derrière lui une montagne de dettes, Michael avait grandi vite, aidant sa mère à joindre les deux bouts en distribuant des journaux, puis en faisant des petits boulots pénibles l'été. Il avait appris sur le tas qu'il était plus difficile de gagner l'argent que de le claquer.

À présent, il avait vingt-huit ans. C'était un mec bien, malin, et le chef incontesté de la fine équipe. S'il avait un défaut, c'était celui d'accorder sa confiance trop facilement et, parfois, de pousser les blagues un peu trop loin. Mais ce soir, c'était lui qui allait déguster. Et comment...

Mais pour le moment, il n'en avait aucune idée.

Il flottait dans une stupeur extatique peuplée de pensées heureuses dans lesquelles revenait souvent Ashley, sa fiancée. La vie était belle. Sa mère avait rencontré un type sympa, son petit frère venait de rentrer à la fac, sa petite sœur Carly s'accordait une année pour visiter l'Australie sac au dos, et son cabinet se portait admirablement bien. Pour couronner le tout, il allait se marier dans trois jours avec la femme qu'il aimait. Qu'il adorait. Son âme sœur.

Ashley.

Il n'avait pas remarqué qu'une pelle cognait la carrosserie à chaque nid-de-poule, tandis que les roues martelaient l'asphalte détrempé et que la pluie tambourinait sur le toit du véhicule. Et il n'avait rien détecté dans les expressions de ses deux amis assis avec lui à l'arrière, qui chantaient – faux, d'ailleurs –, en se balançant, un vieux tube de Rod Stewart, *Sailing*, qui passait à la radio. D'un bidon de gasoil percé s'échappait une désagréable odeur d'essence.

« Je l'aime, bafouilla Michael. Ch'aime Ashley. »

« C'est une perle », confirma Robbo en se tournant vers lui, lèche-bottes, comme à son habitude.

Il était comme ça, bizarre avec les femmes, un peu maladroit, avec son visage rougeaud, ses cheveux ternes et plats et son ventre proéminent qui distendait ses T-shirts. Il s'accrochait aux basques de la bande et essayait en permanence de se rendre utile. Ce soir, une fois n'est pas coutume, ses potes avaient vraiment besoin de lui.

« Tu l'as dit. »

« On arrive », annonça Luke.

Robbo freina avant le croisement et, dans l'obscurité de la cabine, fit un clin d'œil à Luke, qui était assis à côté de lui. Les essuie-glaces balayaient le pare-brise en continu et étalaient consciencieusement l'eau sur toute sa surface.

« Je plaisante pas, je l'aime vraiment, tu vois ch'que j'veux dire? »

« On voit ce que tu veux dire », fit Pete.

Josh s'appuya contre le siège du conducteur, passa un bras autour de Pete, s'envoya une gorgée de bière et tendit la bouteille à Michael. De la mousse s'échappa du goulot quand le fourgon freina brutalement. Michael lâcha un rot. « Scusez-moi. »

« Qu'est-ce qu'elle aime, chez toi, Ashley? » demanda Josh.

« Ma bite. »

« Tu crois pas que c'est ton fric, ton look, ton charme? »

« Ça aussi, Josh, mais surtout ma bite. »

La fourgonnette pencha sensiblement vers la droite en s'engageant dans un virage serré, s'ébranla en passant sur une grille, puis une deuxième, et s'engagea sur un chemin en terre.

Robbo, le nez collé au pare-brise embué pour éviter les ornières, donna un coup de volant. Un lapin détala devant eux, puis plongea dans le sous-bois. Les phares obliquèrent à droite et à gauche, colorant furtivement la dense forêt de conifères qui bordait le chemin, avant de disparaître dans l'obscurité du rétroviseur. Robbo changea de vitesse, Michael changea de ton, sa voix soudain très légèrement teintée d'inquiétude.

« Où on va ? »

« Dans un autre pub. »

« OK. Super. » Puis, quelques secondes plus tard. « Ch'avais promis à Ashley de trop pas – de pas trop boire. »

« Tu vois, dit Pete, t'es pas encore marié que tu lui obéis déjà. Tu es encore libre. Pour trois jours. »

« Trois et demi », corrigea Robbo, sourcilleux.

« Vous avez pas organisé un truc avec des filles, au moins ? » demanda Michael.

« T'as la trique ? » demanda Robbo.

« Je veux rester fidèle. »

« Compte sur nous. »

« Bande de saligauds ! »

Coup de frein, arrêt, petite marche arrière, nouveau virage à droite, la camionnette s'immobilisa définitivement, Robbo éteignit le contact et Rod Stewart rendit l'âme. « Arrivés !, annonça-t-il. Prochain rade : Le Fils du Père Fouettard ! »

« J'aurais préféré La Fille du Père Noël », plaisanta Michael.

« Elle est là aussi. »

Quelqu'un ouvrit la portière arrière du Ford Transit. Impossible, pour Michael, de dire qui. Des mains invisibles le saisirent aux chevilles. Robbo prit l'un de ses bras, Luke l'autre.

« Eh ! »

« T'es putain de lourd ! » s'écria Luke.

Deux secondes plus tard, il était allongé par terre, son plus beau jean et sa veste de sport préférée dans la boue. Une petite voix dans sa tête lui disait que ce n'était pas particulièrement malin de les avoir mis pour son enterrement de vie de garçon. L'obscurité n'était émaillée que par les feux arrière rouges du véhicule et le faisceau blanc d'une torche. Une pluie de plus en plus forte lui piquait les yeux et plaquait ses cheveux sur son front.

« Mes fringues... »

Quelques instants plus tard, on le saisit par les bras, il eut l'impression que ses épaules allaient littéralement se déboîter, il fut projeté en l'air, puis atterrit brutalement dans quelque chose de sec, recouvert de satin blanc, qui le pressait de chaque côté.

« Eh ! » cria-t-il.

Penchés sur lui, quatre visages de gars bourrés, grimaçant comme des spectres, le mataient. On lui colla un magazine entre les mains. Dans le faisceau de la torche, il entr'aperçut une rousse nue avec des seins énormes. Une bouteille de whisky, une petite lampe de poche, allumée, et un talkie-walkie atterrirent sur son ventre.

« Qu'est-ce que vous fou... ? »

Un tube en caoutchouc au goût écœurant fut enfoncé dans sa bouche. Michael le recracha, entendit un frottement, et quelque chose s'interposa

14

entre les visages et lui, bloquant tous les sons par la même occasion. Des odeurs de bois, de tissu neuf et de colle remplirent ses narines. L'espace d'un instant, il se sentit bien au chaud. Puis il paniqua.

« Eh, les gars, qu'est-ce que vous... »

Robbo attrapa un tournevis, tandis que Pete orientait la lampe vers le cercueil.

« Tu vas pas le visser ? » dit Luke.

« Bien sûr que si ! » répondit Pete.

« Tu es sûr ? »

« Il risque rien, ajouta Robbo, il a le tube pour respirer. »

« À mon avis, on devrait pas le visser. »

« Bien sûr que si, sinon, il serait capable de s'échapper ! »

« Eh ! » cria Michael.

Mais plus personne ne pouvait l'entendre à présent. Et lui n'entendait plus rien, à part quelques craquements assourdis au-dessus de lui.

Robbo s'affaira sur chacune des quatre vis. C'était un cercueil en tek haut de gamme, fait main, avec des poignées estampées en laiton, qu'il avait emprunté à l'entreprise de pompes funèbres de son oncle, où, après de multiples virages à 180° dans sa carrière, il était actuellement apprenti embaumeur. Les vis étaient du même alliage, bien solide, et s'enfonçaient facilement.

Michael regarda en l'air, son nez touchait presque le couvercle. Dans le faisceau de la lampe, rien d'autre qu'une tenture enveloppante de satin ivoire. Il essaya de bouger les jambes : impossible. D'écarter les bras : idem.

Dégrisé l'espace d'un instant, il comprit soudain dans quoi il était allongé.

« Écoutez les gars, je suis claustrophobe. Ça me fait pas rire ! Eh ! » Sa voix lui revint, bizarrement étouffée.

Pete ouvrit la portière, se pencha dans le fourgon et alluma les phares. Quelques mètres devant eux se trouvait la tombe qu'ils avaient creusée la veille, un petit tas de terre et des sangles, déjà en place. Une grande tôle ondulée et deux des bêches qu'ils avaient utilisées se trouvaient à proximité.

Les quatre amis marchèrent jusqu'au bord de la tombe et se penchèrent pour regarder à l'intérieur. Et soudain, ils réalisèrent que, dans la vie, rien ne se passe vraiment comme prévu. Le trou semblait à présent plus profond, plus sombre, plus comme... une tombe, justement.

La lampe éclairait faiblement le fond.

« Il y a de l'eau », fit remarquer Josh.

« C'est juste un peu d'eau de pluie », répliqua Robbo.

Josh fronça les sourcils. « Il y en a trop, c'est pas la pluie. On a dû atteindre la nappe phréatique. »

« Merde », lâcha Pete. Pete vendait des BMW et il avait la gueule de l'emploi, que ce soit pendant ou en dehors des heures de service. Cheveux en brosse, costard impeccable, toujours sûr de lui – enfin là, plus trop.

« C'est rien, dit Robbo. Quelques centimètres, pas plus. »

« On a vraiment creusé aussi profond ? » s'étonna Luke, avocat fraîchement diplômé, jeune marié, pas tout à fait prêt à faire une croix sur sa

16

jeunesse, mais commençant à accepter les responsabilités de la vie.

« C'est une tombe, non ? dit Robbo. On était tombé d'accord sur une tombe, que je sache ? »

Josh regarda le ciel et plissa les yeux sous une pluie de plus en plus diluvienne. « Et si l'eau monte ? »

« Putain, mec, fit Robbo, on l'a creusée hier. En vingt-quatre heures, il n'y a eu que quelques centimètres, pas de quoi flipper. »

Josh acquiesça, pensif. « Et si on n'arrive pas à le sortir ? »

« Bien sûr qu'on arrivera à le sortir, dit Robbo. Il suffira de dévisser le couvercle. »

« Bon, on termine, OK ? » trancha Luke.

« Il le mérite bien, dit Pete pour encourager ses potes. Tu te souviens de ce qu'il t'a fait pour ton enterrement de vie de garçon, Luke ? »

Luke n'était pas prêt d'oublier. Il s'était réveillé comateux dans un train de nuit à destination d'Édimbourg. Résultat : quarante minutes de retard à l'église le lendemain.

Pete non plus n'était pas prêt d'oublier. Le week-end précédant son mariage, il s'était retrouvé menotté à un pont suspendu, en petite tenue affriolante, un gode-ceinture autour de la taille, et avait dû être secouru par les pompiers. Les deux blagues étaient signées Michael.

« Ça, c'est Mark tout craché, lâcha Pete. Quel bâtard. C'est lui qui organise le truc et il est même pas là... »

« Il arrive. Il sera là au prochain pub, il connaît l'itinéraire. »

« Ah ouais ? »

« Il a appelé. Il est en route. »

« Coincé à Leeds à cause du brouillard. Trop fort... », fit Robbo.

« Il sera au Royal Oak avant nous. »

« Quel enfoiré, dit Luke. C'est pas lui qui se tape tout le boulot. »

« Mais c'est pas lui qui s'amuse non plus ! » souligna Pete.

« Tu appelles ça s'amuser ? répliqua Luke. Traîner au milieu d'une pauvre forêt sous une pluie battante ? Tu t'amuses ? Tu me fais pitié ! Il a intérêt à être là pour nous aider à sortir Michael. »

Ils soulevèrent le cercueil, piétinèrent jusqu'au bord de la tombe et le déposèrent sans ménagement sur les sangles. Ils ricanèrent en entendant un « aïe » étouffé.

Un coup sourd retentit.

Michael cognait contre le couvercle. « Eh, ça suffit ! »

Pete, qui avait le talkie-walkie dans la poche de son manteau, le sortit et l'alluma. « Test, test ! »

À l'intérieur du cercueil, la voix de Pete retentit. « Test, test ! »

« On arrête de jouer ! »

« Relax, Michael ! susurra Pete. Amuse-toi bien ! »

« Bande d'enfoirés, faites-moi sortir, j'ai envie de pisser ! »

Pete éteignit le talkie-walkie et l'enfonça dans la poche de son Barbour. « Bon, on fait quoi ensuite ? »

« On tire sur les sangles, expliqua Robbo. On en prend une chacun. »

Pete ressortit le talkie-walkie et l'alluma. « On s'occupe des sangles, Michael ! » Et il l'éteignit.

Tous les quatre éclatèrent de rire.

« Un... deux... trois ! » compta Robbo.

« Putain, c'est lourd ! » s'écria Luke. Lentement, maladroitement, tanguant comme un navire en perdition, le cercueil s'enfonça dans les profondeurs de la tombe.

Une fois au fond, il était à peine visible. Pete dirigea la torche. Dans le faisceau lumineux, les compères pouvaient distinguer le tube respiratoire qui sortait mollement du trou de la taille d'une paille qu'ils avaient fait dans le couvercle.

Robbo saisit le talkie-walkie. « Eh, Michael, il y a ta bite qui dépasse. C'est le magazine qui te fait cet effet ? »

« OK, ça suffit. Sortez-moi de là ! »

« On va dans une boîte de strip-tease. Dommage que tu puisses pas venir ! » Robbo éteignit l'appareil avant que Michael ait eu le temps de répondre. Puis, après l'avoir mis dans sa poche, il prit une bêche, jeta de la terre dans la tombe et éclata de rire en l'entendant rebondir sur le cercueil.

Dans un cri d'enthousiasme, Pete saisit une pelle et se mit au travail. Pendant quelques minutes, tous deux s'activèrent jusqu'à ce qu'il ne reste plus que quelques endroits visibles, qui disparurent à leur tour. Surexcités par l'alcool, ils continuèrent jusqu'à ce que le cercueil soit recouvert de cinquante bons centimètres de terre. Le tube respiratoire émergeait à peine.

« Eh, cria Luke, arrêtez ! Plus vous le recouvrez, plus il y aura de terre à enlever quand on le sortira de là dans deux heures ! »

« C'est une tombe, hurla Robbo. Pour faire une tombe, il faut enterrer le cercueil ! »

Luke lui arracha la bêche des mains. « Ça suffit, lui dit-il fermement. Je veux passer la nuit à boire, pas à donner des putain de coups de pelle, OK ? »

Robbo hocha la tête. Il ne voulait jamais contrarier qui que ce soit dans le groupe. Pete, qui transpirait comme un bœuf, jeta sa pelle. « Je suis pas sûr de vouloir faire carrière là-dedans », souffla-t-il.

Ils placèrent la tôle ondulée au-dessus du trou, reculèrent et gardèrent le silence quelques instants. La pluie tintait contre le métal.

« Allez, on s'arrache », déclara Pete.

Luke enfonça ses mains dans ses poches, dubitatif. « On est sûrs de notre coup ? »

« On était d'accord pour lui donner une bonne leçon », rétorqua Robbo.

« Et s'il s'étouffe dans son vomi ou quelque chose comme ça ? »

« T'inquiète pas pour lui, il n'est pas si bourré, répliqua Josh. Allez, on y va. »

Josh grimpa à l'arrière de la camionnette et Luke ferma les portes. Pete, Luke et Robbo s'entassèrent sur le siège avant et Robbo démarra. Ils crapahutèrent sur le chemin pendant un petit kilomètre et tournèrent à droite pour rejoindre la route principale.

Robbo alluma le talkie-walkie. « Comment ça va, Michael ? »

« Écoutez les gars, ça ne m'amuse pas du tout. »

« Ah bon ? s'étonna Robbo. Nous oui ! »

Luke s'empara de l'émetteur. « C'est ce qu'on appelle un plat qui se mange froid, Michael ! »

Les quatre lascars éclatèrent de rire. Josh ajouta son grain de sel. « Eh, Michael, on va dans cette boîte d'enfer, où les plus belles filles de la planète glissent, à moitié à poil, le long des barres. Tu dois être furax de rater ça... »

Michael bafouilla, la voix un tantinet plaintive. « On peut pas arrêter, s'il vous plaît ? Ça ne m'amuse pas du tout. »

À travers le pare-brise, Robbo distingua, au loin, une zone de travaux et un feu vert. Il accéléra.

Luke cria, au-dessus de l'épaule de Josh : « Eh, Michael, détends-toi, on revient dans deux heures ! »

« Comment ça, dans deux heures ? »

Le feu passa au rouge. Pas le temps de s'arrêter. Robbo écrasa l'accélérateur. « File-moi le truc, dit-il en attrapant le talkie-walkie, tout en négociant un long virage d'une seule main. Il baissa les yeux vers l'appareil qui était faiblement éclairé par la lumière du tableau de bord et appuya sur le bouton *talk*.

« Eh, Michael... »

« Robbo ! » C'était la voix de Luke. Il hurlait.

Des phares, aveuglants, droit devant.

Puis un bruit de Klaxon, violent, appuyé, impérieux, féroce.

« Robbbbboooooo ! » hurla Luke.

Pris de panique, Robbo écrasa la pédale de frein et lâcha le talkie-walkie. Le volant trépidait entre ses mains tandis qu'il cherchait désespérément où aller. Des arbres à droite, un hangar à gauche. Des phares, qui incendiaient le pare-brise et lui brûlaient les yeux, fonçaient vers lui, comme un train, à travers le rideau de pluie.

2

Michael, le cerveau embrumé, entendit un cri, puis un violent son mat, comme si quelqu'un avait fait tomber le talkie-walkie.

Puis plus rien.

Il appuya sur le bouton *talk*. « Allô ? »

Seuls des grésillements lui parvinrent.

« Allô ? Eh, les gars ! »

Toujours rien. Il observa l'appareil de plus près. C'était un truc carré, en plastique noir, dur, avec une petite antenne et une plus longue, et le « M » de « Motorola » gravé sur la grille de la zone micro. Il y avait aussi un bouton marche-arrêt, une molette pour le volume, une pour le choix de la fréquence et une petite lumière verte, grosse comme une tête d'épingle, qui brillait intensément. Michael fixa le satin blanc, qui était tendu à quelques centimètres de ses yeux, lutta contre une crise de panique, tandis que sa respiration s'accélérait. Il avait une envie impérieuse, voire irrépressible, de pisser.

Où était-il, nom de Dieu ? Et où étaient Josh, Luke, Pete et Robbo ? Au-dessus de lui, à ricaner ? Les salauds étaient-ils vraiment allés en boîte ?

Puis il se calma, l'alcool faisant de nouveau son effet. Ses idées s'assombrirent, s'embrouillèrent. Ses yeux se fermèrent et il fut presque happé par le sommeil.

Lorsqu'il les rouvrit, son regard se posa immédiatement sur le satin, flou, puis net. Un haut-le-cœur le souleva, pour mieux l'écraser. Nouveau haut-le-cœur, nouvelle descente. Il avala sa salive, referma les yeux, eut l'étrange sensation que le cercueil flottait, tanguait, dérivait. Son envie de pisser s'éloigna, puis la nausée diminua également. C'était douillet là-dedans. Confortable. Comme dans un grand lit !

Il ferma les yeux et plongea dans un sommeil de plomb.

3

Assis au volant de son Alfa Romeo, qui n'était plus toute jeune, Roy Grace était pris dans un embouteillage. Il faisait nuit, la pluie tambourinait sur le toit, ses doigts tambourinaient sur le volant, et Roy n'écoutait guère le CD de Dido qui tournait dans l'autoradio. Il était tendu. Impatient. Maussade.

Super mal.

Le lendemain, il était convoqué au tribunal, et il savait que ce ne serait pas une partie de plaisir.

Il avala une gorgée d'Évian, revissa le bouchon et balança la bouteille dans le vide-poche de sa portière. « Allez, allez ! » bougonna-t-il, en tapant, plus fort, sur son volant. Il avait déjà quarante minutes de retard à son rendez-vous. Il ne supportait pas d'arriver en retard. Il avait toujours trouvé que c'était impoli, comme si ça voulait dire : *Mon temps est plus précieux que le vôtre, vous pouvez bien m'attendre...*

S'il avait quitté le bureau ne serait-ce qu'une minute plus tôt, il n'aurait pas été en retard : quelqu'un d'autre aurait décroché le téléphone et cette histoire de bijouterie, à Brighton, défoncée à la voiture bélier par deux voyous défoncés à Dieu sait quoi serait devenue le problème d'un de ses collègues. Pas le sien. C'était l'un des joyeux impondérables du métier de policier : les délinquants n'avaient pas l'amabilité de s'en tenir aux heures de bureau.

Il n'aurait pas dû sortir ce soir, il le savait pertinemment. Il aurait dû rester chez lui, se préparer pour le lendemain. Il attrapa la bouteille d'eau et descendit une nouvelle gorgée. Sa bouche était sèche comme du parchemin. Des insectes en plomb papillonnaient dans son estomac.

Ces dernières années, ses amis lui avaient arrangé une kyrielle de rendez-vous galants et, immanquablement, il avait un trac monstrueux avant d'y aller. Ce soir, c'était pire. N'ayant même pas eu le temps de prendre une douche et de se changer, il n'était pas du tout sûr d'être présentable : les deux voyous l'avaient, *de facto*, dispensé de toute stratégie vestimentaire.

L'un d'eux avait tiré avec une carabine à canon scié sur un flic en civil qui s'était approché – mais, heureusement, pas assez – de la bijouterie. Roy avait pu constater, plus souvent qu'à son tour, les effets d'un calibre 12 sur un être humain. Cette arme pouvait soit arracher un membre, soit faire, dans la poitrine, un cratère de la taille d'un ballon de foot. Le flic, un dénommé Bill Green que Grace connaissait pour avoir joué au rugby avec lui une paire de fois, avait été allumé à une trentaine de mètres. À cette distance, les plombs auraient pu tuer un faisan ou un lièvre, mais pas un demi de mêlée de quatre-vingt-dix kilos en veste en cuir. Bill Green avait été relativement chanceux : sa veste l'avait protégé, mais il avait reçu plusieurs grenailles au visage, dont une dans l'œil gauche.

Le temps que Grace arrive sur place, les voyous avaient réussi à faire quelques tonneaux et à planter la Jeep qui leur avait servi à prendre la fuite. Ils se trouvaient désormais en garde à vue. Grace était décidé à les poursuivre non seulement pour vol à main armée, mais aussi pour tentative de meurtre. Il trouvait insupportable qu'en Grande-Bretagne de plus en plus de délinquants soient armés, et que de plus en plus de flics, de leur côté, soient obligés d'avoir une arme à portée de main. Du temps de son père, cela aurait été inimaginable. Aujourd'hui, dans certaines villes, c'était devenu une habitude : les policiers gardaient une arme dans leur coffre. Grace n'était pas violent de nature, mais, à son humble avis, quiconque utilisait une arme contre un officier de police – ou toute personne innocente – méritait d'être pendu.

La situation ne se débloquait pas. Il jeta un coup d'œil à l'horloge du tableau de bord, à la pluie, à l'horloge de nouveau, et aux phares arrière rouges de la voiture de devant. L'imbécile avait allumé ses feux de brouillard : Roy était quasiment aveuglé. Il regarda l'heure à sa montre, espérant que celle de l'horloge soit fausse. Mais non. Dix minutes s'étaient écoulées sans qu'il ait avancé d'un millimètre. Sans qu'aucune voiture ne soit passée en sens inverse, d'ailleurs.

Une nuée de lumières bleues traversa ses rétroviseurs intérieur et extérieur. Il entendit une sirène. Une voiture de police le dépassa en hurlant. Puis une ambulance. Suivie d'une autre voiture de police, à tombeau ouvert, et de deux camions de pompiers.

Merde. Il y avait des travaux, quand il était passé là, deux jours auparavant, et il s'était dit qu'ils étaient à l'origine du bouchon. Mais à présent, il comprenait qu'il devait y avoir eu un accident. À en juger par la présence des pompiers, ça ne devait pas être du joli.

Un autre véhicule de pompiers le dépassa. Suivi d'une deuxième ambulance – gyrophare, sirène – et d'une dépanneuse.

Il regarda de nouveau l'horloge : 9:15. Il aurait dû être passé la prendre trois quarts d'heure auparavant, à Tunbridge Wells, et Tunbridge Wells se trouvait à vingt bonnes minutes de là, sans compter l'accident.

Terry Miller, un commandant récemment divorcé qui travaillait dans le même bureau que Grace, le régalait de croustillantes anecdotes sur les conquêtes qu'il avait faites grâce à des sites de rencontres, et l'avait vivement encouragé à s'inscrire. Roy avait résisté, mais après avoir reçu, sur sa messagerie, un certain nombre de mails suggestifs signés de divers prénoms féminins, il avait compris, à sa grande colère, que Terry Miller l'avait inscrit sur un site baptisé Toi & Moi sans le prévenir.

Solitude ? Curiosité ? Désir ? Il ne savait pas trop pourquoi il avait fini par donner suite à l'un de ces messages. Ces huit dernières années, il avait enfilé les journées comme des perles, une à une, imperturbablement. Un jour, il essayait d'oublier, le lendemain, il culpabilisait de ne pas penser à elle.

Sandy.

Tout à coup, il se sentit coupable d'aller à ce rendez-vous.

Elle avait l'air superbe – en photo, du moins. Et son nom lui plaisait. Claudine. Ça sonnait français, un brin exotique. Et sur la photo, qu'est-ce qu'elle était sexy ! Cheveux dorés, joli visage, chemisier cintré révélant un décolleté avantageux, elle se tenait au bord d'un lit, sa minijupe était suffisamment relevée pour laisser entrevoir le haut, en dentelle, de ses bas, et suggérer qu'il était *fort probable* qu'elle ne porte pas de culotte !

Ils n'avaient eu qu'une seule conversation téléphonique, au cours de laquelle elle l'avait ouvertement dragué. Un bouquet de fleurs acheté dans une station-service reposait sur le siège passager. Des roses rouges. Ringard, on est d'accord, mais il était, sous certains aspects, un indécrottable romantique. Les gens avaient raison : d'une manière ou d'une autre, il fallait qu'il passe à autre chose. Il pouvait compter les rencontres qu'il avait faites les huit dernières années (et dix mois) sur les doigts d'une main. Il ne pouvait tout simplement pas croire qu'il existe une autre princesse charmante sur cette planète. Qu'une femme puisse arriver à la cheville de Sandy.

Peut-être allait-il changer d'avis ce soir ?

Claudine Lamont. Joli nom, jolie voix.

Éteins ces putains de feux de brouillard !

Les fleurs embaumaient. Lui priait pour ne pas sentir trop mauvais.

Dans la pénombre de son Alfa, faiblement éclairée par le tableau de bord et par les feux arrière de la voiture de devant, il se hissa jusqu'au rétroviseur sans trop savoir ce qu'il allait y découvrir. Une incarnation de la tristesse le dévisagea.

Passer à autre chose.

Il avala une gorgée d'eau. Ouais.

Dans un peu plus de deux mois, il aurait trente-neuf ans. Dans un peu plus de deux mois se profilait un autre anniversaire. Le 26 juillet, cela ferait neuf ans que Sandy était partie. Elle s'était évaporée le jour de son trentième anniversaire. Sans un mot. En laissant toutes ses affaires, sauf son sac à main.

Au bout de sept ans, il est possible, juridiquement, de déclarer une personne comme morte. Sa mère, sur son lit d'hôpital, quelques jours avant de mourir d'un cancer, sa sœur, ses amis les plus proches, son psy, tout le monde lui disait que c'était ce qu'il avait de mieux à faire.

Pas question.

John Lennon avait dit : « La vie, c'est le truc qui passe pendant qu'on multiplie les projets. » C'était on ne peut plus vrai.

Il avait toujours pensé qu'avant trente-six ans, Sandy et lui auraient fondé une famille. Il rêvait d'avoir trois enfants, dans l'idéal deux garçons et une fille, et de passer ses week-ends à faire des trucs avec eux. Vacances en famille. Plage. Excursions dans des endroits sympas. Matchs de volley, de foot. Bricolage. Le soir : devoirs, bain...

28

Toutes ces choses banales qu'il avait faites avec ses propres parents.

Au lieu de ça, il était dévoré par des démons intérieurs qui lui laissaient rarement un instant de répit, même quand il avait la chance de trouver le sommeil. Était-elle vivante? Était-elle morte? Il avait passé huit ans et dix mois à chercher et n'en savait pas plus qu'au premier jour.

En dehors du travail, sa vie était un vide intersidéral. Il ne pouvait – ou ne voulait – pas essayer de s'engager dans une autre relation. Toutes les rencontres qu'il avait faites s'étaient soldées par un fiasco. Il avait parfois l'impression que le seul être qui partageait sa vie était son poisson rouge, Marlon. Il l'avait gagné sur un stand de tir, dans une fête foraine, neuf ans auparavant, et Marlon avait toujours férocement refusé de partager son aquarium. Marlon était une créature caractérielle, asociale. Peut-être était-ce pour ça qu'ils s'appréciaient tant, se disait Roy. Qui se ressemble s'assemble.

Parfois, il se demandait s'il serait plus heureux s'il n'était pas policier, s'il avait un travail moins prenant : quitter le bureau à cinq heures, aller au pub, rentrer chez soi et mettre les pieds devant la télé. Une vie normale. Mais il n'y pouvait rien. Un gène ou plutôt un bouquet de gènes le poussaient – comme ils avaient poussé son père avant lui – à passer sa vie à traquer les faits, à poursuivre inlassablement la vérité. Ces mêmes gènes lui avaient permis de gravir, un à un, les échelons, jusqu'à cette promotion, relativement récente, au poste de commissaire de police judiciaire. Mais ils ne lui avaient jamais apporté la moindre tranquillité.

Le miroir du rétroviseur lui renvoya un regard absent. Grace grimaça en découvrant son propre reflet, ses cheveux en brosse, presque ras, son nez écrasé, tordu, cassé dans une bagarre, à l'époque où il était dans la police de proximité, ce nez qui lui donnait un faux air d'ex-boxeur.

Le soir où ils s'étaient rencontrés, Sandy lui avait dit qu'il avait les yeux de Paul Newman. Ça lui avait beaucoup plu. C'était l'une des mille et une choses qu'il appréciait, avec elle. Le fait qu'elle aimait tout, chez lui, de façon inconditionnelle.

Roy Grace savait qu'il n'était pas particulièrement impressionnant, physiquement parlant. Avec son mètre soixante-quinze, il n'avait que cinq centimètres au-dessus de la taille réglementaire pour entrer dans la police, quand il avait postulé, il y avait dix-neuf ans de ça. Mais malgré une bonne descente et un combat très personnel contre la cigarette, il avait, grâce à une fréquentation assidue de la salle de gym, développé un physique puissant, et il se maintenait en forme en courant trente kilomètres par semaine, et en jouant de temps en temps au rugby – habituellement au poste d'ailier.

Neuf heures vingt.

Bordel de merde.

Il n'avait pas envie de se coucher tard. N'avait vraiment pas besoin de ça. Ne pouvait tout simplement pas se le permettre. Il était convoqué au tribunal le lendemain et avait besoin d'engranger un maximum d'heures de sommeil. La perspective d'être passé à la moulinette activait une foule de pensées négatives.

Un océan de lumière s'abattit soudain sur lui et il entendit le claquement assourdissant d'un hélicoptère. Le faisceau se déplaça et il distingua l'engin.

Il composa un numéro sur son portable. On décrocha presque immédiatement.

« Allô, ici le commissaire Grace. Je suis coincé dans un bouchon sur l'A26 au sud de Crowborough. J'ai l'impression qu'il y a eu un accident. Vous avez des infos ? »

On lui passa l'état-major. Une voix masculine répondit : « Bonjour commissaire. Il y a eu un grave accident. Il y a des morts et des personnes encore prisonnières des tôles. La route va être bloquée un bon moment. Je vous conseille de faire demi-tour et de prendre un autre itinéraire. »

Roy Grace le remercia et raccrocha. Puis il sortit son Blackberry de la poche de sa chemise, chercha le numéro de Claudine et lui envoya un texto.

Elle lui répondit quasiment immédiatement de ne pas se faire de souci, de faire au mieux.

Sa réaction ne la rendait que plus aimable.

Et l'aida à oublier ce qui l'attendait le lendemain.

4

Des rodéos comme celui-là, c'était pas tous les jours, mais quand ça arrivait, nom de Dieu, qu'est-ce qu'il aimait ça, Davey ! Attaché sur le siège passager à côté de son père, suivant de près la voiture de police qui ouvrait la route à grand renfort de gyrophare et de *pin-pon pin-pon*, il jubilait de doubler, à contresens, une file interminable de voitures immobilisées. Nom de Dieu, ça valait toutes les montagnes russes de la Terre, même celles d'Alton Towers, où son père l'avait accompagné, et qui étaient pourtant les meilleures du monde !

« Yiha ! », hurla-t-il, déchaîné. Davey était accro aux séries policières américaines : il adorait les expressions américaines et parlait quasiment tout le temps en imitant un accent. Parfois, c'était celui de New York. Parfois celui du Missouri. Parfois celui de Miami. Mais la plupart du temps, c'était celui de LA.

Phil Wheeler, taillé comme une armoire à glace, doté d'une belle brioche, en tenue de travail – salopette marron, bottes usées et bonnet noir –, sourit à son fils, à côté de lui. Ça faisait des années que sa femme avait craqué et l'avait abandonné avec Davey, qui nécessitait une attention de tous les instants. Depuis dix-sept ans, il élevait seul son fils.

La voiture de police ralentit pour dépasser une file de véhicules de terrassement. Sur les deux côtés de la dépanneuse, on pouvait lire WHEELER, DÉPANNAGE et des gyrophares jaunes tournoyaient sur le toit du véhicule. Derrière le pare-brise, Davey vit la batterie de phares et de projecteurs éclairer d'abord le devant inidentifiable de la fourgonnette, dont une partie était toujours encastrée sous le pare-choc avant de la bétonnière, puis le reste du véhicule, qui, écrasé comme une vulgaire canette de Coca, gisait contre une glissière de sécurité défoncée.

Des flashes de lumière bleue glissaient sur le macadam détrempé et l'herbe brillante. Il y avait des camions-citernes, des voitures de police, une ambulance, des pompiers et des policiers, pour la plupart vêtus de gilets réfléchissants. Un flic balayait les débris de verre sur la route.

Un photographe de la police faisait crépiter son flash. Deux experts en accidentologie prenaient des mesures. Des débris métalliques et des morceaux de verre étincelaient partout. Phil Wheeler distingua un cric, une basket, un tapis, une veste.

« C'est une vraie boucherie, daddy ! » Ce soir, c'était l'accent du Missouri.

« Tu l'as dit. »

Phil Wheeler s'était endurci avec les années, et plus rien, pour ainsi dire, ne le choquait. Il avait vu tous les accidents possibles et imaginables. Il avait notamment un souvenir très vivace de cet homme d'affaires décapité, impeccable dans son costume-cravate, toujours attaché à la place du conducteur, dans ce qui restait de sa Ferrari.

Davey, qui venait d'avoir vingt-six ans, portait sa tenue fétiche : casquette de base-ball des New York Yankees à l'envers, veste en polaire, chemise de bûcheron, jean, bottes de travail. Il aimait s'habiller comme les Américains qu'il voyait à la télé. Il avait l'âge mental d'un garçon de six ans et ce serait comme ça toute sa vie. Mais il avait une force surhumaine, ce qui était pratique dans certains cas. Il était, par exemple, capable de plier une feuille de métal à mains nues. Une fois, il avait soulevé, seul, l'avant d'une voiture et dégagé une moto coincée dessous.

« Une vraie boucherie, répéta-t-il. Dis, papa, tu crois qu'il y en a qui sont morts ? »

« J'espère pas, Davey. »

« T'as pas le feeling qu'il y a des morts ? »

Un agent de la circulation avec un képi et un gilet fluorescent s'approcha de la vitre du conducteur. Phil la baissa et reconnut le policier.

« Bonsoir, Brian. C'est pas beau à voir. »

« Un engin avec un bras de levage est en route pour dégager le camion. Tu peux t'occuper du Transit ? »

« Pas de problème. Qu'est-ce qui s'est passé ? »

« Choc frontal, camionnette et bétonnière. Il faut évacuer le Ford Transit à la fourrière. »

« C'est comme si c'était fait. »

Davey prit sa torche et descendit de la dépanneuse. Pendant que son père discutait avec le flic, il inspecta les lieux avec sa lampe, éclairant les flaques d'huile et la mousse carbonique qui maculaient la chaussée. Il jeta ensuite un œil inquisiteur à l'ambulance carrée, imposante, qui était éclairée de l'intérieur, se demandant ce qui pouvait bien se passer derrière les rideaux tirés de la vitre arrière.

Il fallut presque deux heures pour charger toutes les pièces du Ford Transit et les attacher sur le plateau de la dépanneuse. Son père s'éloigna avec l'agent de la circulation, Brian. Phil alluma une cigarette avec son briquet-tempête. Davey les suivit, s'en roula une d'une main et l'alluma avec son Zippo. L'ambulance était partie, ainsi que la plupart des véhicules de secours. Une grue imposante treuillait la bétonnière, essayait de soulever les roues avant. Le pneu côté conducteur avait explosé, la roue elle-même était pliée.

La pluie s'était calmée et une pleine lune brillait entre deux nuages. Son père et Brian parlaient pêche. Du meilleur appât pour la carpe en cette saison. Davey avait envie de pisser et la conversation ne l'intéressait guère. Tirant sur sa clope, il fit quelques pas en contrebas, les yeux rivés au ciel, guettant les chauves-souris. Il aimait les chauves-souris, les souris, les rats, les campagnols, ce genre de bêtes. En fait, il aimait tous les animaux. Jamais un animal ne s'était moqué de lui, contrairement aux autres, à l'époque où il allait encore à l'école. En rentrant, il irait peut-être au terrier des blaireaux ; il aimait s'asseoir et les regarder jouer au clair de lune.

Balayant le sol de sa torche, il fit quelques mètres dans les fourrés, ouvrit sa braguette et vida sa vessie contre un buisson d'orties. Il venait de finir quand une voix s'éleva, juste devant lui, lui foutant une trouille pas possible.

« Allô, allô ? »

Une voix métallique, désincarnée.

Davey fit un bond.

Puis il réentendit la voix.

« Allô ? »

« Merdouille ! » Il dirigea la lampe vers les buissons, mais ne vit personne. « Y'a quelqu'un ? » demanda-t-il. Quelques secondes plus tard, il réentendit la voix.

« Allô ? Eh, répondez ! Josh ? Luke ? Pete ? Robbo ? »

Davey dirigea le faisceau vers la gauche, vers la droite, puis devant lui. Bruissement. Une queue de lapin jaillit dans la lumière et disparut. « Qui est là ? »

Silence.

Crissements électrostatiques. Craquements. Puis, à quelques mètres à sa droite, il réentendit la voix. « Allô ? Allô ? Allô ? »

Quelque chose brillait dans les buissons. Il se baissa. C'était un émetteur avec une antenne. L'observant de plus près, non sans curiosité, il constata qu'il s'agissait d'un talkie-walkie.

Il fixa la lampe sur l'objet, l'étudia quelques secondes, presque nerveux à l'idée de le toucher. Puis il le ramassa. C'était plus lourd que ça en avait l'air. C'était froid, humide. Sous un gros bouton vert, il lut le mot : *talk*.

Il appuya dessus et dit : « Allô ! »

Une voix lui sauta immédiatement dessus. « Qui c'est ? »

Puis une autre voix, un peu plus loin, cria : « Davey ! »

Son père.

« J'arrive ! » répondit-il.

En remontant vers la route, il appuya de nouveau sur le bouton vert. « C'est Davey ! dit-il. Et toi ? »

« Daveeeeeeyyyyy ! »

Son père, impatient.

Pris de panique, Davey lâcha l'appareil, qui tomba lourdement sur le bitume. Le boîtier s'ouvrit, éjectant les piles.

« J'arrive ! » hurla-t-il. Il se baissa, ramassa le talkie-walkie et le fourra dans la poche de sa veste. Puis il ramassa les piles et les cacha dans une autre poche.

« J'arrive, papa ! répéta-t-il. J'ai juste été faire un pissou ! »

La main dans sa poche, pour que la bosse ne se voie pas trop, il remonta en courant jusqu'au camion.

5

Michael appuya sur le bouton *talk*. « Davey ? » Silence.

Il recommença. « Davey ? Allô ? Davey ? »

Silence de satin blanc. Un silence soyeux, absolu, parfait, l'étouffait de haut en bas, de droite à gauche. Il essaya de bouger les bras. Il avait beau appuyer de toutes ses forces, les parois poussaient plus fort que lui. Il essaya également d'allonger les jambes, mais se heurta aux mêmes murs invincibles. Reposant le talkie-walkie sur sa poitrine, il poussa de nouveau le plafond satiné à quelques centimètres seulement de ses yeux. Autant essayer de déplacer un mur en béton.

Puis, levant la tête au maximum, il attrapa le tube en caoutchouc rouge, plaça son œil à l'extrémité, mais ne vit absolument rien. Il le porta à la bouche et essaya de siffler à l'intérieur. Il émit un son ridicule.

Il se laissa retomber en arrière. Il avait la tête lourde et une irrésistible envie d'uriner. Il appuya de nouveau sur le bouton. « Davey ! Davey ! J'ai envie de pisser. Davey ! »

Même silence.

Grand amateur de voile depuis des années, il possédait une excellente connaissance des émetteurs-récepteurs. *Essaie une autre fréquence*, se dit-il. Il trouva la mollette, mais n'arriva pas à la tourner. Il força, sans succès. Il comprit pourquoi : elle avait été bloquée à la super glue. Il ne pouvait pas se mettre sur la fréquence 406 025 MHz, la fréquence internationale de détresse.

« Eh, ça suffit, espèces d'enfoirés, j'en peux plus ! »

Économisant ses mouvements, il plaça le talkie-walkie près de son oreille et écouta.

Rien.

Il posa l'appareil sur sa poitrine et lentement, avec grande difficulté, réussit à descendre sa main droite jusqu'à la poche de sa veste en cuir et à sortir le portable waterproof, particulièrement résistant, qu'Ashley lui avait offert pour faire du bateau. Il l'aimait bien, car il ne ressemblait pas au portable de Monsieur Tout-le-Monde. Il appuya sur un bouton et le téléphone s'alluma. Il reprit espoir, mais pas longtemps. Pas de réseau.

« Merde. »

Il parcourut son répertoire jusqu'au nom de son associé, Mark.

Mark Port.

Malgré l'absence de réseau, il appuya sur le bouton d'appel.

Rien.

Il essaya Robbo, Pete, Luke, Josh, tour à tour, de plus en plus désespéré.

Puis il appuya de nouveau sur le bouton du talkie-walkie. « Eh, les gars, vous m'entendez ? Putain, je sais que vous m'entendez ! »

Toujours rien.

L'écran de son Ericsson indiquait 11:13.

Il souleva son bras gauche pour regarder sa montre. 11:14.

Il essaya de se souvenir de la dernière fois qu'il avait regardé l'heure. Deux bonnes heures s'étaient écoulées. Il ferma les yeux, réfléchit quelques instants à ce qui pouvait bien se passer exactement. Dans la lumière presque aveuglante de la lampe, il voyait la bouteille, coincée à côté de son cou, et le magazine en papier glacé. Il le posa sur son torse, se débrouilla pour le placer au-dessus de son visage et fut presque étouffé par les énormes seins brillants, tellement proches de ses yeux qu'il loucha.

Quelle bande de branleurs !

Il attrapa le talkie-walkie et appuya sur *talk* une nouvelle fois. « Très drôle. Laissez-moi sortir, maintenant ! »

Rien.

Mais qui était ce Davey ?

Il avait la gorge sèche. Se serait damné pour un verre d'eau. Il se sentait vaseux. Il aurait voulu être chez lui, au lit avec Ashley. Ils allaient revenir dans quelques minutes. Il suffisait d'être patient. Demain, il se vengerait.

La nausée qui l'avait submergé quelques heures

auparavant revenait. Il ferma les yeux. Haut-le-cœur. Malaise. Il retomba dans les bras de Morphée.

6

Après un vol pénible, l'atterrissage fut tout aussi pénible. Les roues heurtèrent bruyamment le tarmac détrempé, cinq heures trente exactement après l'heure prévue. Tandis que le pilote freinait violemment, Mark Warren, lessivé et exaspéré, coincé dans son siège, le ventre comprimé par une ceinture de sécurité au taquet, des excès de bretzels de compagnie aérienne et une moussaka douteuse qu'il regrettait d'avoir ingérée, jeta un dernier coup d'œil à la Ferrari 360 qui avait fait l'objet d'un test dans *Auto Magazine*.

J'ai envie de toi, chantonnait-il. *Terriblement envie de toi, ma chérie !*

Les lumières de la piste d'atterrissage, floutées par une pluie torrentielle, éclairaient par inter-mittence son hublot, tandis que l'avion adoptait une vitesse de véhicule terrestre. Le pilote prit la parole, d'une voix mielleuse, pour s'excuser une nouvelle fois du retard, accusant le brouillard.

Saloperie de brouillard. Mark détestait le climat anglais. Il rêvait d'une Ferrari rouge, d'une maison à Marbella, d'une vie au soleil et de quelqu'un avec qui la partager. Quelqu'un d'exceptionnel. Une lady. Si l'affaire immobilière qu'il avait négo-ciée à Leeds marchait, il ne serait plus très loin de la maison et de la Ferrari. Pour la femme de sa vie, ce n'était pas aussi simple.

Épuisé, il décrocha sa ceinture, extirpa la mallette enfouie sous son siège et y enfonça le magazine. Il se leva, se mêla à la meute, la cravate en berne, et sortit son imper du coffre à bagages, trop fatigué pour se soucier de son apparence.

Contrairement à son associé, qui s'habillait toujours négligemment, Mark prêtait une grande attention à son allure. Mais, à l'instar de sa coupe de cheveux blonds impeccable, ses vêtements étaient trop conservateurs pour ses vingt-huit ans, et ils étaient habituellement tellement nets qu'ils avaient l'air neuf. Il aimait penser que les gens le considéraient comme l'entrepreneur idéal, mais tous ceux à qui il s'adressait avaient invariablement l'impression qu'il avait quelque chose à leur vendre.

Sa montre indiquait 11:48. Il alluma son portable, mais avant qu'il ait eu le temps de passer un coup de fil, le signal de la batterie bipa et le téléphone s'éteignit. Il le replaça dans sa poche. Il était tard, bien trop tard. Il n'avait qu'une envie : rentrer chez lui et se coucher.

Une heure plus tard, il garait sa BMW X5 gris métallisé à la place qui lui était réservée, au sous-sol de son immeuble, le Van Alen. Il prit l'ascenseur jusqu'au quatrième étage et entra dans son appartement.

Il s'était saigné pour acheter ce loft, mais ça lui faisait une carte de visite prestigieuse. L'immeuble était imposant – style Arts déco revu et corrigé –, donnant directement sur la baie de Brighton, et il y avait une brochette de célébrités parmi les résidents. L'endroit avait de la classe. Habiter Van Alen, ça voulait dire être quelqu'un. Être *quelqu'un*, ça voulait dire être riche. Et Mark n'avait jamais eu qu'un seul but dans la vie : être riche.

En se dirigeant vers son grand salon, un open space, il vit que son répondeur clignotait. Il décida de l'ignorer pour le moment, lâcha son attaché-case, brancha le chargeur de son portable, se dirigea directement vers le bar et se servit deux doigts de Balvenie. Puis il alla vers la fenêtre, regarda la promenade, en contrebas, très fréquentée malgré l'heure et le temps. Plus loin, il pouvait voir les lumières du Palace Pier et l'océan, encre de Chine.

Son portable émit soudain un son aigu. Message. Il s'approcha et regarda l'écran. *Merde*. Quatorze nouveaux messages !

Sans le débrancher, il appela sa boîte vocale. Le premier message était de Pete, à dix-neuf heures, lui demandant où il était. Le second était de Robbo, à dix-neuf heures quarante-cinq, qui, voulant se rendre utile, l'informait qu'ils allaient dans un autre pub, The Lamb, à Ripe. Sur le troisième, à vingt heures trente, il reconnut les voix de Luke et de Josh, passablement éméchés, et celle de Robbo, en fond sonore. Ils allaient dans un nouveau pub, The Dragon, sur Uckfield Road.

Les deux messages suivants étaient de l'agent immobilier, à propos de l'affaire, à Leeds, et de leur avocat.

Le sixième, à vingt-trois heures cinq, était d'Ashley. Elle semblait désespérée. Sa voix l'alarma. Ashley était habituellement calme, imperturbable.

« Mark, je t'en prie, je t'en prie, rappelle-moi dès que tu as ce message », le pressait-elle avec un accent nord-américain qui n'appartenait qu'à elle.

Il hésita, puis écouta le message suivant. Il était, lui aussi, d'Ashley. Paniquée. Les suivants, à dix minutes d'intervalle, étaient d'elle. Le dixième message était de la mère de Michael. Elle aussi avait l'air affolée.

« Mark, je vous ai laissé un message sur le répondeur de votre téléphone fixe. Rappelez-moi dès que vous avez celui-ci, quelle que soit l'heure. »

Mark appuya sur pause. *Qu'avait-il bien pu se passer ?*

L'appel suivant était d'Ashley. Elle était au bord de la crise de nerfs ! « Mark, il y a eu un terrible accident. Pete, Robbo et Luke sont morts. Josh est en soins intensifs. Personne ne sait où est Michael. Mon Dieu, Mark, rappelle-moi dès que tu as ce message. »

N'en croyant pas ses oreilles, Mark réécouta et se laissa tomber sur l'accoudoir de son canapé. « Mon Dieu. »

Puis il écouta les derniers messages. Toujours Ashley et la mère de Michael. Même chose. *Appelle-moi. Rappelez. Rappelle, je t'en prie.*

Il descendit son whisky, s'en versa un nouveau – trois doigts – et marcha jusqu'à la fenêtre. Perdu dans ses pensées, il fixa de nouveau la promenade, la rue, puis l'océan. Au loin, il distingua deux minuscules points lumineux. Un cargo ou un pétrolier faisait route vers la Manche.

Il réfléchissait.

Lui aussi aurait eu cet accident si son avion avait été à l'heure.

Mais il pensait plus loin que ça.

Il sirota son whisky, puis s'assit dans le canapé. Le téléphone se mit à sonner. Il s'approcha et regarda le numéro affiché. C'était celui d'Ashley. Quatre sonneries, puis plus rien. Quelques secondes plus tard, son portable sonna. C'était encore elle. Il hésita, puis appuya sur la touche *fin d'appel*, la transférant directement vers sa boîte vocale. Il éteignit son téléphone, s'assit, posa les pieds sur un tabouret et prit son verre des deux mains.

Les glaçons tintaient. Il constata qu'il tremblait, qu'il tremblait de tout son corps. Il se dirigea vers sa chaîne Bang et Olufsen et mit une compilation de Mozart. Mozart l'avait toujours aidé à réfléchir. Et pour le coup, il allait devoir réfléchir, plutôt deux fois qu'une.

Il se rassit, plongea son regard au fond de son verre et observa attentivement les glaçons comme s'il s'agissait de runes habilement choisies. Plus d'une heure passa avant qu'il décroche le téléphone pour composer un numéro.

7

Les spasmes se rapprochaient. En serrant les cuisses, en retenant sa respiration et en fermant les yeux très fort, Michael arrivait à grand-peine à se retenir de faire dans son pantalon. Il ne pouvait pas se le permettre. Il ne supporterait pas de les voir rire, ces tapettes, en découvrant qu'il s'était fait dessus.

Mais sa claustrophobie le rendait de plus en plus nerveux. Il avait l'impression que le satin blanc l'oppressait, s'approchait de plus en plus de son visage.

Dans la lumière de la torche, il distingua l'heure à sa montre : 02:47.

Merde.

À quoi ils jouaient, putain ? Deux heures quarante-sept. Où est-ce qu'ils pouvaient bien être ? En boîte, bourrés comme des coings ?

Ses yeux fixaient le satin blanc, ses jambes tremblaient ; il avait mal à la tête, la gorge sèche et essayait d'oublier la douleur lancinante que lui infligeait sa vessie. Il ne savait pas combien de temps il pourrait se retenir.

De frustration, il tambourina contre le couvercle et hurla : « Bande de salauds ! »

Il regarda son portable. Pas de réseau. Ignorant l'affichage, il parcourut son répertoire jusqu'au numéro de Luke et appuya sur la touche appel. L'appareil émit un bruit strident et annonça *pas de connexion.*

Puis, à l'aveugle, il chercha le talkie-walkie, l'alluma et cria le nom de ses amis. Et ce nom dont il se souvenait vaguement.

« Davey ! Allô, Davey ? »

Le crépitement des parasites lui répondit.

Il avait vraiment besoin d'eau. Sa bouche était aride, presque duveteuse. Lui avaient-ils laissé une bouteille ? Il leva la nuque de quelques centimètres – sa tête heurta le couvercle –, vit une bouteille briller et l'attrapa. Famous Grouse. Whisky.

Déçu, il cassa la bague d'aluminium, dévissa le bouchon et avala une gorgée. Sur l'instant, la sensation de liquide l'apaisa. Puis il eut l'impression d'avoir avalé du feu, dans sa bouche, puis dans sa gorge. Presque immédiatement, il se sentit un peu mieux. Il avala une deuxième rasade. Se sentit encore un peu mieux. En avala une troisième, longue, avant de revisser le bouchon.

Il ferma les yeux. Son mal de tête s'était légèrement estompé. Et il avait moins envie de faire pipi.

« Salauds... », murmura-t-il.

8

Ashley ressemblait à un fantôme. Ses longs cheveux bruns encadraient un visage aussi pâle que celui des patients alités dans cette forêt de perfusions, de ventilateurs et de moniteurs, dans la salle derrière elle. Elle était appuyée à la réception du bureau des infirmières dans l'unité de soins intensifs de l'hôpital régional du Sussex. Sa vulnérabilité la rendait encore plus belle aux yeux de Mark.

L'esprit embrouillé par une nuit blanche, dans un costume impeccable et des chaussures noires Gucci immaculées, il s'avança vers elle et passa ses bras autour de sa taille. Hagard, il posa les yeux sur un distributeur de friandises, une fontaine à eau et une cabine téléphonique avec un dôme en plexi. Les hôpitaux lui foutaient systématiquement les jetons. Depuis qu'il avait vu son père après la crise cardiaque qui avait failli lui être fatale, depuis qu'il avait vu cet homme autrefois si fort devenir si fragile, carrément ridicule et inutile, depuis qu'il avait lu la peur sur le visage de son père, il craignait les hôpitaux. Il serra Ashley autant pour la rassurer que pour se rassurer. Juste à côté de son visage, un curseur clignotait sur un écran d'ordinateur vert.

Elle s'agrippa à lui comme une bouée dans un océan ravagé par la tempête. « Mon Dieu, Mark, Dieu merci, tu es là. »

Une infirmière était au téléphone. Elle parlait visiblement à un proche d'une personne hospitalisée. Une autre, assise derrière le comptoir, pas loin d'eux, tapait quelque chose sur un clavier.

« C'est horrible, dit Mark. C'est incroyable. »

Ashley acquiesça, la gorge nouée. « Si tu n'avais pas eu ta réunion, tu aurais... »

« Je sais. Je n'arrête pas d'y penser. Comment va Josh ? »

Ashley venait de se laver les cheveux. Ils sentaient bon le propre. Son haleine trahissait un soupçon d'ail, qu'il remarqua à peine. Des copines avaient organisé, la veille, son enterrement de vie de jeune fille dans un resto italien.

« Mal. Zoë est avec lui. » Elle tendit son doigt à travers la jungle bruissante des ventilateurs, les clignotements d'écrans numériques, et, tout au bout de la salle, il entrevit la femme de Josh, assise sur une chaise. Elle portait un T-shirt blanc, une veste de survêtement et un pantalon large. Elle était prostrée. Des boucles blondes retombaient sur son visage.

« Michael ne s'est toujours pas manifesté. Où est-ce qu'il est, Mark ? C'est pas possible que tu ne le saches pas, quand même... »

« Je n'en ai aucune idée, lui assura-t-il. Absolument aucune idée. »

Elle lui jeta un regard dur. « Mais vous prépariez cette soirée depuis des semaines. Lucy dit que vous vouliez vous venger de tous les coups tordus qu'il avait faits pour leurs enterrements de vie de garçon. » Elle recula d'un pas, écarta une mèche de son front, et Mark remarqua que son mascara avait coulé. Elle sécha ses yeux avec sa manche.

« Peut-être que les gars ont changé de plan à la dernière minute, dit-il. Bien sûr, ils avaient parlé de verser un truc dans son verre et de le mettre dans un avion, mais j'avais réussi à les en dissuader. Enfin, je croyais. »

Elle esquissa un pâle sourire de reconnaissance.

Il haussa les épaules. « Je savais que tu avais peur que l'on fasse une connerie. »

« Ça, c'est sûr, j'avais tellement peur... » Elle jeta un regard à l'infirmière, puis renifla. « Alors, où est-il ? »

« On est sûr qu'il n'était pas dans le Transit ? »

« C'est certain. J'ai appelé les policiers. Ils disent... Ils disent... » Elle se mit à pleurer.

« Qu'est-ce qu'ils disent ? »

De colère, elle explosa en sanglots. « Ils ne veulent rien faire. »

Ses larmes coulèrent quelques instants – elle luttait pour faire bonne figure. « Ils disent qu'ils ont

48

cherché autour du lieu de l'accident, qu'il n'y a aucune trace de lui, qu'il est certainement en train de cuver quelque part. »

Mark attendait qu'elle retrouve son calme, mais elle n'arrêtait pas de pleurer. « C'est peut-être vrai. »

Elle secoua la tête. « Il m'avait promis de ne pas se saouler. » Mark la regarda d'un air entendu. Elle hocha la tête. « Tu veux dire que c'était son enterrement de vie de garçon, c'est ça ? C'est ce que vous faites, les hommes : vous vous bourrez la gueule... »

Mark regardait fixement les carreaux gris du sol. « Viens, on va voir Zoë », dit-il.

Ashley le suivit dans la salle, quelques mètres derrière lui. Zoë était une belle femme très mince. Mark la trouva encore plus maigre quand il posa une main sur son épaule et sentit l'os sous le tissu léger de son haut de survêtement tendance.

« Mon Dieu, Zoë, je suis désolé. »

Elle haussa imperceptiblement les épaules.

« Comment va-t-il ? » Mark espérait que l'anxiété qu'il mettait dans sa voix ne sonnait pas faux.

Zoë tourna la tête et leva son visage vers lui. Ses yeux étaient rougis, ses joues, presque translucides sans maquillage, sillonnées de larmes. « Ils ne peuvent rien faire, dit-elle. Ils l'ont opéré, maintenant, il n'y a plus qu'à attendre. »

Mark ne répondit rien. Il observait Josh. Celui-ci avait les yeux fermés, son visage était lacéré, couvert de bleus, et son lit entouré d'une armée de machines. Une perfusion était enfoncée dans sa main, une canule opaque fichée dans ses narines et un large tube respiratoire, alimenté par des soufflets noirs, lui déformait la bouche. Des câbles sortaient des draps et de son crâne, alimentant des écrans numériques et des graphiques accidentés. Le peu de chair visible était albâtre. Son ami ressemblait à un cobaye.

Mais ce n'était pas Josh que Mark regardait : c'était les écrans, et il essayait de les déchiffrer, de comprendre ce qu'ils disaient. Il s'était déjà trouvé dans une pièce similaire, à côté de son père mourant. À présent, il tentait de se souvenir quel graphe correspondait à l'électrocardiogramme, au taux d'oxygène dans le sang, à la tension artérielle, et ce que tout cela pouvait bien vouloir dire.

Et il réfléchissait. Josh était né avec une cuillère en argent dans la bouche. Il était beau garçon, ses parents étaient riches. Employé dans les assurances, il faisait un excellent expert. Sa vie, il la planifiait et parlait sans arrêt de ses plans sur cinq ans, sur dix ans, de ses buts. Il avait été le premier de la bande à se marier. Il voulait avoir des enfants tôt pour être encore jeune quand ils seraient adultes, pour profiter de la vie une deuxième fois. Il avait épousé une femme parfaite, Zoë, adorable petite fille riche, fertile à souhait, qui lui avait permis d'atteindre ses premiers objectifs. Elle lui avait offert deux bébés tout aussi parfaits, à intervalle rapproché.

Mark embrassa la salle d'un regard circulaire, repérant les positions des infirmières, des médecins, puis ses yeux se posèrent sur les perfusions enfoncées dans le dos de la main de Josh, juste derrière le bracelet en plastique qui portait son nom. Puis il observa le ventilateur. L'électrocardiogramme. Des alarmes sonneraient si le rythme cardiaque, ou le taux d'oxygène dans le sang, tombait trop bas.

Si Josh survivait, ce serait un problème. Cette hypothèse l'avait empêché de dormir la majeure partie de la nuit et il était, presque malgré lui, parvenu à la conclusion qu'elle n'était tout bonnement pas envisageable.

9

Roy Grace avait toujours eu la sensation que la salle d'audience numéro un du tribunal de Lewes avait été délibérément conçue pour intimider, pour impressionner. Elle n'était pas plus importante que les autres, mais c'était tout comme. De style géorgien, elle avait un plafond haut, voûté, un premier balcon réservé au public, des murs couverts de panneaux de chêne, des bancs, dont celui des accusés, en chêne sombre, et une balustrade pour les témoins appelés à la barre. Aujourd'hui, elle était présidée par le juge Driscoll, emperruqué – qui aurait dû être à la retraite depuis des lustres –, assis, ou plutôt assoupi, dans un fauteuil à dossier rouge vif placé sous les armoiries légendées « Dieu et mon droit ». L'endroit s'apparentait à la fois au théâtre et à la vieille salle de classe.

Debout à la barre, appelé comme témoin, élégamment habillé comme il le faisait à chaque fois qu'il avait à comparaître – costume bleu, chemise blanche, cravate sombre et chaussures noires à lacets, impeccablement cirées –, Roy faisait bonne impression, mais intérieurement, il était au plus bas. Il y avait deux bonnes raisons à ça : le manque de sommeil – son rendez-vous avait été un cauchemar – et la nervosité. Tenant la Bible d'une main, il se lança bon gré mal gré dans le sermon, jetant des regards autour de lui, pour bien s'imprégner de la scène, en jurant de dire la vérité, toute la vérité, et rien que la vérité.

Les jurés avaient des têtes de jurés, à savoir des allures de touristes échoués dans une gare routière. Formant un groupe dépareillé, une bande vêtue de pulls de mauvais goût, chemises ouvertes, chemisiers pas repassés, visages blafards, tous blancs, ils avaient été placés sur deux rangs, derrière des bouteilles d'eau, des verres et des tonnes de notes sur papier volant. Amassés dans le plus grand désordre à côté du juge se trouvaient un magnétoscope, un rétroprojecteur et un énorme magnétophone. En dessous de lui, une sténodactylo pincée fixait une batterie d'équipements électroniques. Un ventilateur électrique posé sur une chaise oscillait de droite à gauche, sans rien changer à l'atmosphère moite de cette fin d'après-midi. Les bancs réservés au public étaient envahis par les journalistes et les badauds. Rien de tel qu'un procès pour meurtre pour attirer les curieux. À l'échelle locale, c'était le procès de l'année.

Le grand triomphe de Roy Grace.

Suresh Hossain était assis sur le banc des accusés. Ventripotent, visage vérolé, cheveux gominés en arrière, costume marron à fines rayures blanches et cravate en satin pourpre, il observait la procédure d'un air blasé, comme s'il était le maître des lieux et que le procès avait été organisé pour son bon plaisir. Ce type était un propriétaire foncier véreux, une ordure, un rebut de la société, un bâtard, une traînée. Il avait été intouchable ces dix dernières années, mais Roy Grace avait fini par réussir à faire appliquer la loi. Complicité de meurtre. Sa victime ? Un autre propriétaire, un rival, tout aussi détestable : Raymond Cohen. Si tout se passait comme prévu, Hossain en prendrait pour suffisamment d'années pour ne sortir de prison que les pieds devant, et des centaines de citoyens honnêtes, de Brighton et Hove, pourraient profiter de la vie et de leur maison, sans que les hommes de main de Hossain leur fassent vivre un enfer.

Son esprit divagua vers la nuit qu'il venait de passer. *Claudine. Satanée Claudine Lamont.* OK : arriver avec une heure quarante-cinq de retard, ça n'avait pas joué en sa faveur. Mais elle n'aurait pas dû mettre sur Toi & Moi une photo prise dix ans auparavant. Ni oublier de signaler qu'elle était contre l'alcool, qu'elle détestait les flics, qu'elle était végétarienne pour ne rien gâcher, et que son seul intérêt dans la vie était les neuf chats qu'elle avait recueillis.

Grace aimait les chiens. Il n'avait rien contre les chats, mais n'en avait jamais rencontré un avec

lequel le courant passe aussi bien, et aussi instantanément, qu'avec n'importe quel chien. Après
deux heures et demie de cours magistral, dans un
restaurant végétarien miteux de Guildford, où elle
l'avait tanné sur l'esprit d'indépendance des chats,
les pratiques brutales de la police britannique et
les hommes qui considèrent les femmes uniformement comme des objets sexuels, il avait été heureux de rentrer chez lui – seul.

À présent, après une nuit agitée de sommeil
sporadique et une journée à attendre que le procès
commence, il savait qu'il allait, de nouveau, passer
à la moulinette. Il pleuvait toujours, mais l'air de
cette fin d'après-midi était plus chaud, plus poisseux. Grace sentait des gouttes de sueur couler
dans le bas de son dos.

La parole était à l'avocat de la défense, qui, à la
surprise générale, l'avait appelé comme témoin.
Allure arrogante, petite perruque grise, robe noire,
lèvres pincées dans un rictus qui se voulait engageant, il s'appelait Richard Charwell QC. Grace
avait eu affaire à lui et, à l'époque déjà, l'expérience n'avait pas été concluante. Il détestait les
avocats. Pour eux, le procès n'était qu'un jeu.
Jamais ils n'avaient eu à remonter leurs manches
pour arrêter les méchants. Et ils se moquaient bien
de savoir quel crime avait été commis.

« Êtes-vous le commissaire Roy Grace, officier
de police judiciaire au siège de la PJ du Sussex,
Sussex House, Hollingbury, Brighton ? » demanda
l'avocat.

« Oui », répondit Grace, qui, alors qu'il avait
habituellement une voix assurée, venait d'émettre
un son insolite : un croassement.

« Et êtes-vous, d'une façon ou d'une autre, intervenu dans cette affaire ? »

« Oui. » Nouveau son étranglé, sec.

« Je me permettrai alors de poser quelques questions au témoin. »

Il fit une courte pause. Silence. Richard Charwell QC avait à sa disposition toute l'attention du tribunal. Acteur patenté à l'allure distinguée, il marquait expressément un temps d'arrêt pour faire son petit effet. Sur un ton qui laissait supposer qu'il était soudain le nouveau meilleur ami de Roy Grace, il reprit.

« Commissaire, je me demandais si vous pourriez nous éclairer sur un certain point. Avez-vous eu connaissance d'une chaussure liée à la présente ? Un mocassin en peau de crocodile marron, avec une chaînette en or ? »

Grace le fixa quelques instants avant de répondre. « Oui, effectivement. » Puis soudain, il paniqua. Avant même que l'avocat n'ait repris la parole, il eut un horrible pressentiment sur la direction que risquait de prendre l'interrogatoire.

« Allez-vous nous dire à qui vous avez montré cette chaussure, commissaire, ou préférez-vous que je vous le fasse dire ? »

« Maître, je ne suis pas tout à fait sûr de saisir où vous voulez en venir. »

« Commissaire, je pense que vous savez très bien où je veux en venir. »

Le juge Driscoll, avec l'humeur d'un homme que l'on vient de déranger en pleine sieste, intervint : « Monsieur Charwell, je vous serais reconnaissant d'en venir au fait, nous n'allons pas y passer la journée. »

D'une voix mielleuse, l'avocat répondit : « Fort bien, Votre Honneur. » Et, se tournant vers Grace. « Commissaire, avouez-vous avoir subtilisé une pièce à conviction essentielle à l'enquête, à savoir cette chaussure ? »

L'avocat la saisit et la leva pour la montrer au tribunal, comme s'il venait de remporter un trophée.

« Je ne dirais pas que j'ai subtilisé quoi que ce soit », répondit Grace, énervé par l'arrogance du bonhomme, mais conscient qu'il ne devait pas entrer dans le jeu du juriste, qui entendait le déstabiliser, le pousser à bout.

Charwell baissa la chaussure, pensif. « Oh, je vois. Vous ne pensez pas l'avoir subtilisée ? » Sans laisser à Grace la possibilité de répondre, il poursuivit. « J'affirme devant ce tribunal que vous avez abusé de votre position, que vous avez subtilisé une pièce à conviction et l'avez montrée à un pseudo-professionnel de sciences occultes. »

Se tournant vers le juge Driscoll, il poursuivit. « Votre Honneur, j'ai l'intention de prouver que l'ADN prélevé sur cette chaussure n'est pas valable dans la mesure où le commissaire Grace a interrompu sa traçabilité et probablement vicié cette pièce essentielle à l'enquête. »

Puis, se tournant vers Grace. « Ai-je tort ou ai-je raison, commissaire, d'affirmer que le jeudi 9 mars de cette année, vous avez apporté cette chaussure à une prétendue voyante de Hasting dénommée madame Stempe ? Et je présume que vous allez nous dire à présent que cette chaussure est allée dans un autre monde ? Un monde – voyons voir – irréel ? »

« J'ai beaucoup de respect pour madame Stempe, dit Grace. C'est une femme... »

« Nous ne sommes pas ici pour parler de vos sentiments, commissaire, mais des faits. »

Mais la curiosité du juge semblait piquée. « Je pense qu'il est parfaitement opportun de recueillir le sentiment du témoin dans cette affaire. »

Après quelques secondes d'affrontement silencieux entre le juge et l'avocat de la défense, Charwell céda à contrecœur.

Grace reprit. « Elle m'a aidé dans un certain nombre d'enquêtes, par le passé. Il y a trois ans, Mary Stempe m'a fourni suffisamment d'informations pour me permettre de mettre un nom sur une personne suspectée de meurtre. Ce qui a mené directement à son arrestation et à sa condamnation. »

Il hésita, conscient des regards braqués sur lui par toute l'assemblée, et s'adressa à l'avocat. « Permettez-moi de calmer vos inquiétudes quant à la traçabilité de la pièce à conviction, maître. Si vous aviez étudié le dossier et vérifié le scellé – ce que vous êtes en droit de faire –, vous auriez constaté que l'étiquette était signée et datée quand j'ai emprunté la pièce et quand je l'ai rapportée. La défense a été, dès le début, avertie de l'existence de cette pièce, qui a été retrouvée dans le jardin de monsieur Cohen la nuit de sa disparition. Et elle n'a jamais demandé à l'examiner. »

« Si je comprends bien, vous avez régulièrement recours aux sciences occultes dans le cadre de vos fonctions. C'est bien ça, commissaire Grace ? »

Un rire à peine réprimé parcourut la salle d'audience.

« Je ne parlerai pas de *sciences occultes*, corrigea Grace, mais de source alternative. La police se doit d'utiliser tous les moyens dont elle dispose pour retrouver les criminels. »

« Pourrait-on, sans exagération, dire que vous êtes un adepte de l'occulte ? Que vous croyez aux forces surnaturelles ? » demanda l'avocat.

Grace regarda le juge Driscoll, qui le fixait comme si c'était lui l'accusé. Cherchant désespérément une réponse appropriée, il jeta un œil vers le jury, puis vers le public, avant de faire face à l'avocat. Et soudain, il trouva.

La voix de Grace monta d'un cran, se fit plus véhémente, plus confiante. « Quelle est la première chose que ce tribunal m'a demandé de faire quand je suis venu à la barre ? » demanda-t-il.

Avant que l'avocat ait eu le temps de répondre, Grace lança : « De jurer *sur la Bible*. » Il marqua un temps d'arrêt pour poser sa voix. « Dieu est un être surnaturel. L'être surnaturel *suprême*. Dans un tribunal qui accepte que les témoins jurent sur un être surnaturel, il serait étrange que moi-même, et quiconque dans cette salle, ne croie pas au surnaturel. »

« Je n'ai plus de questions », dit l'avocat en se rasseyant.

Le représentant du ministère public, qui portait également la perruque et la robe, se leva et déclara, s'adressant au juge Driscoll : « Votre Honneur, c'est une question que je souhaite soulever dans votre bureau. »

« C'est plutôt inhabituel, répondit le juge Driscoll, mais je suis content qu'on en ait parlé convenablement. Cependant, et il se tourna vers Grace,

58

je préférerais que les affaires présentées devant mon tribunal soient fondées sur des preuves concrètes plutôt que sur les prédictions de Nostradamus. »

La salle entière éclata de rire.

On appela un autre témoin de la défense, un certain Rubiro Valiente, homme de main de Suresh Hossain. Roy Grace resta pour écouter cet Italien de bastringue débiter ses mensonges, qui furent tous rapidement démontés par la partie plaignante. Quand arriva la suspension d'audience de l'après-midi, la cour était tellement émoustillée par l'invraisemblance des arguments de ce pantin que Roy Grace crut pouvoir espérer que l'histoire de la chaussure passe au second plan.

Ses espoirs furent balayés quand il sortit sur High Street pour prendre l'air et acheter un sandwich. Dans le kiosque, sur le trottoir d'en face, la une de *L'Argus*, le journal local, était barrée d'un énorme titre, à l'adresse du monde entier :

UN OFFICIER DE POLICE ADMET AVOIR RECOURS À DES PRATIQUES ÉSOTÉRIQUES

Grace eut soudain très envie d'un verre et d'une clope.

10

Michael avait beau essayé de l'ignorer, la faim ne voulait pas le lâcher. Son estomac se rappelait à son bon souvenir par une douleur continue, lancinante, comme si quelque chose le rongeait à l'intérieur. Sa tête flottait, ses mains tremblaient. Il n'arrêtait pas de penser à la nourriture : il imaginait l'odeur d'un hamburger juteux, servi avec des frites coupées au couteau et du ketchup. Quand il parvenait à la repousser, elle était remplacée par celle de homards grillés. Puis par celle de maïs au barbecue. De champignons poêlés à l'ail. D'œufs au plat. De saucisses. De bacon frémissant.

Il fut pris d'un nouvel accès de panique. Le couvercle l'oppressait, il happait l'air, le gobait goulûment. Il ferma les yeux, essaya de penser que tout allait bien, qu'il était dans un endroit chaud, sur son yacht, en Méditerranée. Voilà. Au beau milieu de la mer, des mouettes au-dessus de la tête, caressé par la douceur d'un air méridional. Mais les parois du cercueil poussaient, le compressaient. Il chercha à tâtons la torche posée sur son ventre et l'alluma. Les piles faiblissaient. Elles étaient sur le point de rendre l'âme. Il dévissa précautionneusement le bouchon de la bouteille de whisky – ses mains tremblaient – et porta le goulot à ses lèvres. Il prit une misérable gorgée, enduisit soigneusement sa bouche desséchée et pâteuse, savourant chaque seconde. La panique céda et sa respiration ralentit.

Quelques minutes après la gorgée de whisky, après que la sensation de brûlure dans son gosier et dans son ventre ait disparu, il se concentra pour revisser le bouchon. Plus qu'une demi-bouteille. Une gorgée par heure. À heure fixe.

Routine.

Il éteignit la torche pour économiser ce qu'il restait de batterie. Chaque mouvement lui coûtait.

Ses membres, raidis, tremblaient tantôt de froid, tantôt de fièvre. Sa tête était prise dans un étau qui se resserrait. Il aurait tué père et mère pour un cachet d'aspirine, se serait damné pour entendre du bruit, des éclats de voix, au-dessus de lui, mourait d'envie de sortir.

Et de manger.

Par un petit miracle, les piles du talkie-walkie étaient les mêmes que celles de la lampe. Il avait au moins celles-là en réserve. Enfin une bonne nouvelle. La seule d'ailleurs. Enfin, il y en avait une autre : dans une heure, il s'accorderait une nouvelle gorgée de whisky.

La routine prévenait les crises de panique.

On ne sombre pas dans la folie, quand on s'accroche à la routine. Cinq ans auparavant, il avait traversé l'Atlantique, en équipage, de Chichester à la Barbade, sur un voilier de trente-huit pieds. Vingt-sept jours en mer, dont quinze force sept, voire dix ou onze. Quinze jours de vent de face. Quinze jours en enfer. Quatre heures sur le pont, quatre heures de repos. À chaque vague, c'est la carcasse qui s'ébranle. Et les vagues, elles déferlent sans répit, s'élèvent pour mieux s'écraser. Dans un bruit de chaînes qu'on secoue, les cordages cognent furieusement contre les gréements, les couverts et les assiettes claquent dans les casiers... Ils s'en étaient sortis grâce à la routine. En saucissonnant les journées en tranches horaires et en s'accordant régulièrement de menus plaisirs – des barres chocolatées, une gorgée d'alcool, quelques pages d'un livre, un coup d'œil au compas. En pompant l'eau au fond de la cale à tour de rôle.

La routine structure. La structure ouvre une perspective. La perspective un horizon.

Et quand on regarde l'horizon, on se sent plus calme.

À présent, il rythmait les heures à coups de whisky. Une demi-bouteille. Son horizon, c'était sa montre. La montre qu'Ashley lui avait offerte, une Longines en argent avec un affichage lumineux en chiffres romains. C'était la première fois qu'il avait une montre aussi classe. Il faut dire qu'Ashley avait un goût très sûr, et de la classe. Tout, chez elle, était classe : les ondulations de ses longs cheveux bruns, sa façon de marcher, la confiance qu'elle inspirait quand elle parlait, ses traits réguliers, classiques. Il adorait entrer dans une pièce avec elle. Où que ce soit, les têtes se tournaient, les gens la dévisageaient. Dieu, qu'il aimait ça ! Cette fille dégageait quelque chose de particulier. D'unique.

Même sa mère était d'accord, qui avait pourtant désapprouvé ses précédentes conquêtes. Ashley n'était pas comme les autres. Elle avait apprivoisé sa mère, l'avait charmée. Il l'aimait aussi pour ça, pour cette faculté qu'elle avait de charmer tous ceux qu'elle rencontrait, le moindre client, par exemple. Il était tombé amoureux d'elle le jour où elle était entrée dans le bureau qu'il partageait avec Mark, pour un entretien d'embauche. Six mois plus tard, ils allaient se marier.

Son entrejambe le démangeait terriblement. Urticaire géant. Vingt-six heures s'étaient écoulées et il avait, depuis longtemps, renoncé à sa dignité.

Il avait dû se passer quelque chose, mais quoi ? Vingt-six heures qu'il hurlait dans ce maudit talkie-walkie, composait des numéros sur son portable, pour obtenir le même message : *pas de réseau.*

Mardi. Ashley avait insisté pour que l'enterrement de vie de garçon ait lieu bien avant le mariage. *Tu vas rentrer bourré, malade comme un chien. Je ne veux pas que tu aies l'estomac à l'envers le jour de notre mariage. Fête ton enterrement de vie de garçon en début de semaine pour pouvoir récupérer.*

Il essaya de soulever le couvercle pour la centième fois. La deux centième ? La millième ? Ça ne changeait rien. Il avait déjà essayé de faire un trou dans le couvercle avec le seul instrument tranchant qu'il avait, à savoir la coque du talkie-walkie – le téléphone et la lampe étaient en plastique. Mais la coque non plus n'était pas assez résistante.

Il ralluma le talkie-walkie. « Allô ? Il y a quelqu'un ? Allô ? »

Friture sur toute la ligne.

Une idée noire lui traversa l'esprit. Et si Ashley était dans le coup ? Et si c'était pour ça qu'elle avait insisté pour qu'il fasse cette soirée en début de semaine, dès mardi ? Pour qu'il puisse être enfermé là – où ça ? – pendant vingt-quatre heures sans que ça pose problème ?

Jamais. Elle savait qu'il était claustrophobe et elle n'aurait jamais fait de mal à une mouche. Elle pensait toujours aux autres avant de penser à elle, aux besoins des autres, plutôt qu'aux siens. Il était bouleversé par le nombre de cadeaux qu'elle leur avait faits, à sa mère et à lui. Et tous étaient parfaitement choisis. À sa mère, elle avait offert son parfum favori, un disque de son chanteur préféré, Robbie Williams, et le pull en cachemire dont elle rêvait. À lui, la chaîne hi-fi Bose qu'il avait repérée. Comment faisait-elle? Elle avait un truc, un don. C'était un des multiples talents qui la lui rendaient si chère.

Et qui faisaient de lui l'homme le plus heureux du monde.

L'intensité de la torche faiblit sensiblement. Pour économiser les piles, il éteignit et demeura dans l'obscurité. Il entendit sa respiration s'accélérer. Et si jamais?

Si jamais ils ne revenaient pas?

Il était presque onze heures et demie. Il attendait, l'oreille tendue, les éclats de voix de ses amis qui annonceraient leur retour.

Putain, il allait leur faire payer. Il regarda sa montre. Minuit moins vingt-cinq. Ils n'allaient plus tarder. Seraient là d'une minute à l'autre.

Ils n'avaient pas le choix.

11

Sandy se tenait au-dessus de lui. Tout sourire, bloquant le soleil, elle le provoquait effrontément. Ses cheveux blonds se balançaient de part et d'autre de son visage couvert de taches de rousseur et lui caressaient les joues.

« Eh! Il faut que je lise ce rapport! Il faut que... »

« T'es pas drôle, Grace, t'as toujours un truc à lire! » Elle l'embrassa sur le front. « Lire, lire, lire, travailler, travailler, travailler! » Elle l'embrassa de nouveau sur le front. « Je ne te plais plus? »

Elle portait une minuscule robe d'été, ses seins débordaient presque. Il entrevit ses longues jambes bronzées, sa robe remontée à hauteur de cuisses et eut soudain très envie d'elle.

Il tendit les bras pour prendre son visage entre ses mains, l'attira vers le sien, plongea dans ses yeux bleus, confiants, et il se sentit incroyablement, profondément, immensément amoureux d'elle.

« Je t'adore », dit-il.

« Vraiment ? fit-elle d'un ton badin. Tu veux dire que tu me préfères à ton travail ? » Elle s'éloigna un peu en faisant une moue ironique.

« Je t'aime plus que tout au... »

Obscurité totale. Comme si quelqu'un avait éteint la lumière.

Grace entendit l'écho de sa voix dans la pièce vide et froide.

« Sandy ! » cria-t-il. Mais le son resta dans sa gorge.

La clarté du soleil se mua en une vague lueur orangée – les lumières de la rue filtraient à travers les rideaux de la chambre.

L'écran du réveil affichait 3:02.

Il était en nage, avait les yeux grands ouverts et son cœur tanguait dans sa poitrine comme une bouée dans la tempête. Il entendit le claquement d'une poubelle qu'on renverse – un chat ou un renard. Puis le cliquetis d'un diesel – sans doute celui du voisin, trois portes plus loin, qui était taxi et travaillait de nuit.

Il resta immobile quelques instants, ferma les yeux et essaya de calmer sa respiration, désespéré de retourner dans son rêve. Comme toutes les fois où il rêvait de Sandy, c'était tellement vrai... C'était comme s'ils étaient toujours ensemble, mais dans une autre dimension. S'il trouvait un moyen de localiser la porte, de passer le pont, ils seraient de nouveau ensemble... Ils seraient bien, ils seraient heureux.

Heureux, nom de Dieu.

Une immense vague de tristesse le submergea. Qui se transforma en effroi quand il reprit ses esprits. Le journal. Ce putain de titre dans *L'Argus*, la veille au soir. Tout lui revint. Mon Dieu. Qu'allaient dire les journaux du matin? La critique, il pouvait concevoir. Mais le ridicule... Il s'était déjà fait chambrer par un certain nombre de collègues pour son faible pour le paranormal. Le précédent commissaire divisionnaire, qui était lui-même franchement intrigué, l'avait prévenu qu'avouer s'y intéresser pouvait nuire à sa carrière.

« Tout le monde sait que vous êtes un cas à part, Roy, ayant perdu Sandy. Et personne ne vous reprochera de remuer ciel et terre pour la retrouver. Nous ferions la même chose si nous étions à votre place. Mais n'ouvrez pas la boîte de Pandore : cette quête doit rester strictement personnelle. »

Parfois, il s'en sortait plutôt bien, il se sentait fort. Parfois, comme maintenant, il se rendait compte qu'il avait à peine progressé. Tout ce qu'il voulait, c'était passer un bras autour de ses épaules, se blottir contre elle, faire le tour du problème avec elle. Elle voyait toujours les choses du bon côté : elle était optimiste, pleine de bon sens. Elle l'avait aidé à se sortir d'un procès au tribunal disciplinaire où il avait été convoqué par l'Inspection générale des services pour avoir fait un usage excessif de la force au cours d'une arrestation. C'était à ses débuts dans la police et cette affaire aurait pu mettre un terme à sa carrière. Il avait été blanchi en grande partie parce qu'il avait suivi les conseils de Sandy. Et elle aurait parfaitement su ce qu'il fallait faire dans le cas présent.

Il se demandait parfois si ces rêves étaient des tentatives, de la part de Sandy, de communiquer avec lui. D'où qu'elle soit.

Jodie, sa sœur, lui avait dit qu'il était temps pour lui de passer à autre chose. Qu'il fallait qu'il accepte que Sandy était morte, qu'il remplace sa voix sur le répondeur, qu'il sorte ses habits de la chambre, qu'il enlève ses produits de la salle de bains, en bref – et Jodie pouvait être très brève –, qu'il arrête de vivre dans une sorte de sanctuaire dédié à Sandy, qu'il refasse sa vie.

Mais comment pouvait-il passer à autre chose ? Et si Sandy était vivante ? Et si elle était détenue par un maniaque ? Il devait continuer à la chercher, garder le dossier ouvert, continuer à mettre à jour les photos qui montraient à quoi elle pouvait ressembler à présent, continuer à scanner tous les visages qu'il croisait dans la rue. Il continuerait jusqu'à ce que...

Jusqu'à.

Complétude.

Le matin de son trentième anniversaire, Sandy l'avait réveillé avec un plateau sur lequel se trouvait un minuscule gâteau avec une seule bougie, un verre de champagne et une carte d'anniversaire très explicite. Il avait ouvert ses cadeaux et ils avaient fait l'amour. Il était parti plus tard que d'habitude, à neuf heures et quart, et était arrivé au bureau de police de Brighton peu après neuf heures et demie, en retard pour un briefing sur un meurtre. Il lui avait promis de rentrer tôt, d'aller fêter ça dans un restaurant avec un couple d'amis, Dick Pope, son meilleur ami à l'époque, qui était lui aussi policier, et sa femme Leslie, avec laquelle Sandy s'entendait bien. Mais il avait eu une journée chargée et il était rentré presque deux heures après l'heure fixée. Et Sandy avait disparu.

Il s'était d'abord dit qu'elle lui en voulait d'être en retard et qu'elle était sortie en signe de protestation. La maison était rangée, sa voiture et son sac n'étaient plus là, il n'y avait aucune trace de lutte.

Sa voiture avait été retrouvée vingt-quatre heures plus tard dans un parc de stationnement de courte durée à l'aéroport de Gatwick. Deux transactions avaient été effectuées avec sa carte de crédit le matin de sa disparition : une de 7,50 £ chez Parashop, l'autre de 16,42 £ dans une station-service. Elle n'avait pris aucun vêtement, aucun objet.

Les voisins, dans cette rue résidentielle tranquille pas loin du bord de mer, n'avaient rien vu. D'un côté vivait une famille grecque exagérément accueillante qui possédait quelques cafés en ville, mais ils étaient en vacances. De l'autre habitait une veuve d'un certain âge qui avait un problème auditif et dormait avec la télévision à fond. À présent, à trois heures quarante-cinq, il pouvait presque suivre un film policier américain à travers la cloison qui séparait les maisons mitoyennes – coups de feu, crissements de pneus, sirènes américaines, *youp ! youp !* Elle n'avait rien vu.

Noreen Grinstead, qui vivait en face, aurait, elle, dû voir quelque chose. Avec ses yeux de lynx, cette dynamique sexagénaire savait absolument tout sur tout le monde dans le quartier. Quand elle ne s'occupait pas de son mari, Lance, qui allait de mal en pis à cause d'Alzheimer, elle s'affairait devant sa maison avec des gants en plastique jaunes, lavant leur Nissan gris métallisé, arrosant et brossant l'allée, astiquant les fenêtres ou quoi que ce soit qui avait, ou n'avait pas, besoin de l'être. Il lui arrivait même de sortir des objets de sa maison pour les laver dehors.

Très peu de choses lui échappaient. Mais, curieusement, la disparition de Sandy faisait exception.

Il alluma la lumière, se leva et marqua un temps d'arrêt devant une photo de Sandy et lui posée sur la coiffeuse. Elle avait été prise dans un hôtel, à Oxford, au cours d'une conférence sur l'identification génétique, quelques mois avant sa disparition. Lui était affalé, en costume-cravate, dans une chaise longue. Sandy, dans une robe de soirée, était à moitié allongée contre lui. Elle avait remonté ses boucles blondes et mitraillait, de son irrésistible sourire, le serveur qu'ils avaient kidnappé pour prendre la photo.

Il s'approcha, saisit la photo, l'embrassa et la reposa avant d'aller uriner. Se lever au milieu de la nuit pour aller aux toilettes était un désagrément récent, une conséquence de cette nouvelle manie qu'il avait prise de boire les huit verres d'eau recommandés par jour. Vêtu uniquement du T-shirt dans lequel il dormait, il descendit l'escalier à pas de loup.

Sandy avait vraiment bon goût. Leur maison, comme toutes celles du voisinage, était modeste, avec son style imitation Tudor. De ce simple trois-pièces construit dans les années 1930, Sandy avait fait une petite merveille. Elle adorait feuilleter les suppléments des journaux du dimanche, les magazines féminins et ceux de design, déchirer les pages et partager ses idées avec lui. Ils avaient passé des heures ensemble, à arracher le papier peint, à poncer le sol, à vernir, à peindre.

Sandy s'était piquée de feng shui et avait construit un petit plan d'eau dans le jardin. Elle aimait remplir la maison de bougies. Elle achetait bio à chaque fois qu'elle le pouvait. Elle pensait à tout, réfléchissait sur tout, s'intéressait à tout, et il adorait ça. C'était le bon temps, celui où ils construisaient leur avenir, cimentaient leur vie à deux, faisaient de grands projets.

Elle se débrouillait bien en jardinage, en plus de ça. Elle s'y connaissait en fleurs, en plantes, en arbustes, en buissons, en arbres. Savait quand planter, comment tailler. Grâce aimait tondre la pelouse, mais c'était à peu près tout ce qu'il savait faire. Il avait laissé le jardin à l'abandon. Il se sentait coupable et se demandait parfois ce qu'elle dirait si elle revenait.

Sa voiture était toujours dans le garage. Les médecins légistes l'avaient passée au peigne fin quand il l'avait retrouvée, puis il l'avait ramenée chez eux et l'avait mise au garage. Depuis toutes ces années, il faisait en sorte que la batterie ne soit jamais complètement à plat, au cas où. Tout comme il laissait ses chaussons devant la chambre, son peignoir suspendu à sa patère, sa brosse à dents dans son gobelet.

En attendant qu'elle revienne.

Parfaitement réveillé, il se servit deux doigts de Glenfiddich, puis s'assit dans le fauteuil blanc, dans son salon entièrement blanc, parqueté, et appuya sur la télécommande. Il zappa sur trois films, puis sur quelques chaînes du câble, mais rien ne retenait son attention plus de quelques minutes. Il alluma la chaîne hi-fi, hésita, sans trouver son bonheur, entre les Beatles, Miles Davis et Sophie Ellis-Bextor. Puis il l'éteignit. Silence.

Il attrapa l'un de ses livres préférés, *The Occult*, de Colin Wilson, parmi ceux sur le surnaturel qui remplissaient sa bibliothèque. Il se rassit et tourna mollement les pages, en sirotant son whisky, incapable de se concentrer plus de deux paragraphes.

Ce satané avocat de la défense qui avait pavané devant la cour, la veille, lui était monté au cerveau et c'était désormais dans sa tête qu'il faisait son show. Richard Charwell. Hâbleur au rabais. Pire. Grace savait que le gars avait joué au plus malin et avait gagné. Lui s'était fait manipuler, coincer et ça le cuisait.

Il attrapa la télécommande et fit défiler les informations en télétexte. Rien de neuf. Les titres, les mêmes que la veille et l'avant-veille, commençaient à sentir le rassis. Pas de scandale politique majeur, pas d'attentat, pas de séisme, pas de crash aérien. Il ne souhaitait la mort de personne en particulier, mais avait espéré que quelque chose soit arrivé pour faire les gros titres des journaux. Quelque chose d'autre que le procès de Suresh Hossain.

Ce n'était vraiment pas son jour.

12

Deux tabloïds nationaux et un journal sérieux faisaient leur une sur le procès pour meurtre de Suresh Hossain et tous les autres journaux britanniques en parlaient dans leurs pages intérieures.

Ce n'était pas tant le procès lui-même, qui retenait l'attention, que les remarques du commissaire Roy Grace, qui, à huit heures trente, devant sa supérieure, Alison Vosper, avait l'impression d'être retourné trente ans en arrière, à l'époque où il lui arrivait d'être convoqué, tremblant, par la directrice.

L'un de ses collègues avait un jour surnommé Alison Vosper N° 27, et ça lui était resté. N° 27 était un plat aigre-doux qui figurait sur le menu du chinois du coin. Quand ce nom de code revenait dans les conversations, c'était pour désigner Alison Vosper. Elle était exactement comme ça : aigre et douce.

La petite quarantaine, cheveux blonds, fins, coupe courte, conservatrice, visage dur, mais attirant, le commissaire principal Alison Vosper était tout sauf douce ce matin-là. Même le puissant parfum fleuri qu'elle portait avait des relents âcres.

Dans son uniforme de femme d'affaires – tailleur noir, chemisier plus blanc que blanc –, elle était assise derrière une immense table en bois de rose poli, dans son bureau immaculé, au rez-de-chaussée du bâtiment principal de la PJ Queen Anne, à Lewes, qui donnait sur une pelouse tondue de près. Son bureau était vide, à part un vase en cristal longiligne qui contenait trois tulipes pourpres, des photos encadrées de son mari (un officier de police nettement plus âgé qu'elle, mais trois fois moins gradé) et de leurs deux enfants, un porte-stylo en ammonite et une sélection des journaux du matin, disposés en éventail, comme une main de poker gagnante.

Grace s'était toujours demandé comment ses supérieurs faisaient pour garder leur bureau impeccable. Depuis toujours, son propre espace de travail était proche du chaos : dossiers étalés, lettres sans réponse, stylos perdus, facturettes pour note de frais, courrier fait depuis longtemps écrasé par le courrier à faire... Il en avait conclu, une fois pour toutes, que pour accéder au sommet de la hiérarchie, il fallait disposer d'un don pour l'administratif qui ne figurait pas au sommaire de son patrimoine génétique.

Une rumeur courait selon laquelle Alison Vosper s'était fait opérer d'un cancer du sein trois ans auparavant. Mais Grace savait que ce ne serait jamais qu'une rumeur : le commissaire principal avait bâti un mur autour d'elle. Cependant, derrière sa

carapace de flic dur, il y avait une certaine vulnérabilité avec laquelle Roy connectait parfois. À la
vérité, il lui arrivait de la trouver séduisante, et
quand ses yeux sombres, menaçants, pétillaient
d'humour, on aurait presque dit qu'elle flirtait
avec lui. Ce matin, c'était loin d'être le cas.

Pas de poignée de main. Pas de bonjour. Juste
un bref hochement de tête pour lui signifier de
s'asseoir sur l'une des deux chaises à haut dossier
placées devant son bureau. Puis elle entra directement dans le vif du sujet, avec une expression
hésitant entre le reproche et la colère pure et
simple.

« Qu'est-ce qui vous a pris, Roy ? »

« Je suis désolé. »

« *Désolé* ? »

Il hocha la tête. « Je... Écoutez, c'est sorti du
contexte... »

Elle l'interrompit avant qu'il ait pu aller plus
loin. « Vous vous rendez compte que ce que vous
avez dit peut non seulement faire échouer le procès, mais se retourner contre nous ? »

« Je pense qu'on peut limiter les dégâts. »

« Rien que ce matin, j'ai déjà eu une douzaine de
coups de fil de la presse nationale. On est la risée
générale. Vous nous faites passer pour une bande
d'imbéciles. Mais qu'est-ce qui vous a pris ? »

Grace garda le silence quelques instants. « C'est
une femme extraordinaire, cette voyante. Elle nous
a aidés dans le passé. Je n'aurais jamais imaginé
que quelqu'un découvre... »

Vosper, appuyée contre le dossier de son fauteuil, les yeux rivés sur Grace, secouait la tête de

droite à gauche. « J'avais placé beaucoup d'espoir en vous. C'est à moi que vous devez votre promotion. J'ai engagé ma responsabilité pour vous. Vous le savez, n'est-ce pas ? »

Ce n'était pas la stricte vérité, mais ce n'était pas le moment de pinailler. « Je sais, dit-il, et je vous en suis reconnaissant. »

Elle désigna les journaux. « Et c'est comme ça que vous me le prouvez ? En me livrant ça ? »

« Attendez, Alison, j'ai livré Hossain. »

« Et vous avez offert à la défense un boulevard aussi large que les Champs-Élysées ! »

« Non, enchaîna-t-il sur le même ton qu'elle. Cette chaussure avait déjà été examinée par les experts. J'ai signalé quand je l'ai prise et quand je l'ai rendue. Ils ne peuvent pas m'accuser d'avoir vicié la pièce à conviction. Ils vont peut-être essayer de s'en prendre à moi, mais ça n'aura aucune conséquence sur le procès. »

Elle leva ses ongles manucurés et les observa. Roy remarqua que ses doigts étaient légèrement maculés d'encre de journal. Il avait l'impression que son parfum devenait de plus en plus fort, comme si, tel un animal, elle fabriquait du venin. « Vous êtes en charge de cette affaire. Si vous les laissez vous discréditer, ça aura d'énormes conséquences sur la suite du procès. Mais qu'est-ce qui vous a pris ? »

« On a un procès pour meurtre et on n'a pas de cadavre. On *sait* que Hossain s'est débarrassé de Raymond Cohen, n'est-ce pas ? »

Elle acquiesça. Les preuves que Grace avait amassées étaient impressionnantes, et persuasives.

« Mais quand on n'a pas de cadavre, il y a toujours un maillon faible. » Il haussa les épaules. « On a eu des résultats avec des médiums dans le passé. Toutes les unités de police ont, un jour ou l'autre, eu recours à eux. Leslie Whittle, vous vous souvenez ? »

L'affaire Leslie Whittle était bien connue. En 1975, une héritière de dix-sept ans avait été kidnappée et s'était évanouie dans la nature. Incapable de la localiser, la police avait fini par consulter un voyant qui pratiquait l'hypnose. Il les avait conduits à un puits de drainage où ils avaient retrouvé la malheureuse au bout d'une laisse, morte.

« Leslie Whittle ne représente pas, à proprement parler, un triomphe de la police, Roy. »

« Il y a eu d'autres cas depuis », répliqua-t-il.

Elle l'observa sans mot dire. Une fossette apparut, comme pour indiquer qu'elle était touchée, mais sa voix demeurait froide et autoritaire. « On pourrait compter le nombre de succès obtenus grâce à des voyants sur les doigts d'une main. »

« Ce n'est pas vrai, et vous le savez. »

« Roy, ce que je sais, c'est que vous êtes intelligent. Je sais que vous avez étudié le paranormal, et que *vous*, vous y croyez. J'ai vu vos livres, dans votre bureau, et je respecte les policiers qui *sortent des sentiers battus*. Mais nous avons un devoir envers la société. Notre cuisine interne, c'est une chose, l'image que l'on donne, c'en est une autre. »

« Mais les gens *croient*, Alison. Une enquête a été faite, en 1925, auprès des scientifiques qui croient en Dieu. Ils étaient 43 %. La même étude a été faite en 1998, et vous savez quoi? Ils étaient toujours 43 %. Le seul changement, c'est qu'il y avait moins de biologistes, plus de mathématiciens et plus de physiciens. Ils ont mené une autre enquête, l'année dernière, sur les gens qui ont vécu des expériences paranormales. Ils étaient 90 %! » Il se pencha en avant. « 90 %! »

« Roy, Monsieur Tout-le-Monde veut croire que la police dépense l'argent des contribuables pour résoudre des crimes et pour arrêter des voyous par des méthodes établies. Ils veulent croire qu'on passe au peigne fin le pays à la recherche d'empreintes génétiques, que nos labos sont pleins de scientifiques qui font des analyses, que l'on ratisse les champs, les bois, les lacs, que l'on frappe aux portes des gens et qu'on interroge les témoins. Ils ne veulent pas penser que l'on discute avec Madame Soleil au bout de la jetée, que l'on se plonge dans des boules de cristal, ou que l'on fait tourner les tables! Ils ne veulent pas penser qu'on passe notre temps à convoquer les morts. Ils ne veulent pas croire que leurs policiers montent sur les remparts des châteaux, comme Hamlet pour parler au fantôme de son père. Vous voyez ce que je veux dire? »

« Je vois, je vois. Mais je ne suis pas de votre avis. Notre boulot, c'est de résoudre des crimes. Nous devons utiliser tous les moyens dont nous disposons. »

Elle secoua la tête. « Nous ne résoudrons pas tous les crimes et nous le savons très bien. Ce que nous devons faire, c'est inspirer confiance. Faire en sorte que les gens se sentent en sécurité chez eux, dans la rue. »

« Ça, ce sont des foutaises, dit Grace, et vous le savez très bien ! Vous savez parfaitement qu'on peut maquiller les statistiques de la délinquance comme on veut. » À peine avait-il terminé sa phrase qu'il la regrettait déjà.

Elle esquissa un sourire glacial. « Demandez au gouvernement de nous donner cent millions de livres de plus et nous éradiquerons la délinquance dans le Sussex. Sans ça, tout ce que nous pouvons faire, c'est répartir nos maigres ressources aussi stratégiquement que possible. »

« Les voyants ne coûtent pas cher », rétorqua Grace.

« Ils coûtent cher quand ils ruinent notre crédibilité. » Elle baissa les yeux vers les journaux. « Et quand ils mettent en péril nos chances de remporter un procès, ils coûtent les yeux de la tête, vous entendez ? »

« Je vous entends, à défaut de vous comprendre. » Il n'avait pas pu s'en empêcher, son insolence le dépassait. Elle l'énervait. Prisonnier d'un sentiment machiste, il avait, presque malgré lui, plus de mal à accepter les remontrances d'une femme que celles d'un homme.

« Je vais être claire : vous avez de la chance d'avoir encore du boulot ce matin. Le boss n'est pas un gai luron. Il est tellement remonté qu'il menace de vous mettre au placard pour toujours et de vous enchaîner à vie à un bureau. C'est ça que vous voulez ? »

« Non. »

« Alors redevenez un flic, pas un illuminé. »

13

Pour la première fois de sa vie, Roy avait récemment commencé à se demander s'il avait bien fait d'entrer dans la police. Enfant, il n'avait jamais imaginé faire autre chose, et, adolescent, aucune autre profession ne l'avait vraiment tenté.

Son père, Jack, avait fini sa carrière commandant et certains anciens continuaient à parler de lui avec affection. Grace l'avait vénéré. Quand il était petit, il adorait ses histoires et aimait être avec lui, que ce soit pour patrouiller en voiture de police ou pour traîner au poste. Et il avait l'impression que la vie de son père était bien plus excitante, bien plus glamour, que celle des pères de ses copains.

Grace avait été accro aux séries américaines, aux romans policiers, de Sherlock Holmes à Ed McBain. Il avait une mémoire quasi photographique, adorait les puzzles et avait une sacrée force physique. Et d'après ce qu'il avait entendu dire par son père, il devait y avoir, dans la police, une camaraderie et un esprit d'équipe qui lui parlaient vraiment.

Mais un jour comme aujourd'hui, il se rendait compte que le métier de policier consistait moins à faire son maximum qu'à se maintenir à un niveau préétabli de médiocrité. Dans ce monde moderne, politiquement correct, vous pouviez être un policier au sommet de votre carrière un jour, un pion sur l'échiquier politique le lendemain.

Sa promotion récente, qui faisait de lui l'un des plus jeunes commissaires du Sussex de tous les temps, l'avait galvanisé à peine trois mois auparavant. Aujourd'hui, c'était presque un cadeau empoisonné.

Il avait dû quitter le poste de police de Brighton, qui se trouvait en plein centre-ville, dans le quartier qu'habitaient la plupart de ses amis, pour atterrir dans une zone industrielle relativement calme, en périphérie, dans une ancienne usine récemment reconvertie en siège de la PJ.

Un policier pouvait prendre sa retraite après trente ans de service. Quelle que soit l'énergie qu'il déployait, s'il s'accrochait, il était assuré de partir avec un petit pactole. Ce n'était pas sa vision du job. Pas en temps normal.

Mais aujourd'hui, il voyait les choses différemment. Aujourd'hui, il était vraiment déprimé. C'était un de ces jours où la réalité s'impose. Les circonstances avaient changé, se disait-il, voûté sur son bureau, ignorant les bips des mails entrants, mastiquant un sandwich pain complet, œuf et cresson, parcourant les minutes du procès Hossain. La vie ne s'arrêtait jamais. Les changements étaient parfois agréables, parfois franchement douloureux. Dans un peu plus d'un an, il aurait quarante ans. Il commençait à avoir des cheveux blancs.

Et son nouveau bureau était trop petit.

Les trois douzaines de briquets vintage qui constituaient sa collection privée – et primée – se serraient sur le rebord de la fenêtre qui, contrairement à celle d'Alison Vosper, ne donnait pas sur un jardin, mais sur un parking et le bloc de détention. Accrochée au mur d'en face, une imposante horloge ronde, qui avait servi d'accessoire dans le décor de la série anglaise *The Bill*, dominait la pièce. Sandy la lui avait offerte pour son vingt-sixième anniversaire.

En dessous se trouvait une truite empaillée de trois kilos six, qu'il avait pêchée en Irlande quelques années auparavant. Il la gardait près de l'horloge pour pouvoir sortir aux collègues moins gradés une blague sur la patience et les gros poissons.

De chaque côté se trouvaient un certain nombre de diplômes encadrés, une photo de groupe légendée « École de police de Bramshill, police judiciaire, 1997 » et deux caricatures de lui réalisées par un collègue de l'état-major qui avait raté sa vocation. Le mur d'en face était couvert d'étagères débordant de livres sur l'occultisme, sous lesquels étaient installés des meubles de rangement.

Sur son bureau en L trônaient son ordinateur, des bannettes pleines à ras bord de courrier entrant et sortant, son Blackberry, des piles de lettres, certaines classées, d'autres moins, ainsi que le dernier numéro d'*Empreinte digitale profonde*, un magazine au titre douteux. Du magma émergeait une citation, sous verre : « Nous ne nous élevons pas au niveau de nos aptitudes, nous nous abaissons à celui de nos excuses. »

Le reste de l'espace était occupé par une télévision, un magnétoscope, une table ronde, quatre chaises, des piles de dossiers, des feuilles volantes et son sac d'intervention en cuir. Sa mallette était ouverte sur son bureau. À côté d'elle, son portable, son dictaphone et une liasse de minutes qu'il avait emportées chez lui la veille au soir.

Il jeta la moitié de son sandwich à la poubelle. Pas d'appétit. Il sirota son café, parcourut ses derniers mails, puis, se reconnectant au site de la police du Sussex, fixa la liste des dossiers dont il avait hérité avec sa promotion.

Chacun d'eux contenait les détails d'un crime non résolu. Cela représentait une vingtaine de caisses remplies de dossiers, peut-être plus, stockées dans un bureau, tombées des étagères ou enfermées dans un garage humide, moisissant dans le poste de police le plus proche du lieu du crime. Les dossiers comprenaient des photos de la scène de crime, le rapport du médecin légiste, des pièces à conviction sous scellé, des déclarations de témoins, des comptes rendus d'audience, le tout regroupé en liasses entourées par des rubans de différentes couleurs. Ça faisait partie de ses nouvelles obligations : replonger dans les crimes non résolus, se remettre en contact avec les policiers en charge du dossier, chercher ce qui aurait pu suffisamment changer, entre-temps, pour justifier la réouverture de l'enquête.

Grace à sa mémoire photographique qui lui avait permis de remporter, sans effort, diplômes et distinctions, il connaissait ces dossiers par cœur. Pour lui, chaque affaire représentait plus qu'une victime décédée et un criminel en liberté : elle symbolisait quelque chose qui lui tenait à cœur. Derrière chaque dossier se terrait une famille incapable de faire table rase du passé, parce qu'un mystère n'était pas résolu, parce que justice n'avait pas été faite. Et il savait que pour certains de ces crimes, qui remontaient à plus de trente ans, il représentait, pour la victime et ses proches, le dernier espoir.

Richard Ventnor, un vétérinaire gay battu à mort dans son cabinet douze ans auparavant. Susan Downey, une superbe fille violée et étranglée, abandonnée derrière une église il y a quinze ans. Pamela Chisholm, une riche veuve, retrouvée morte dans une voiture accidentée, mais portant des blessures incompatibles avec un accident de la route. Les restes de Pratap Gokhale, un garçon indien de neuf ans retrouvé sous le plancher d'un supposé pédophile en fuite. Des exemples parmi tant d'autres, que Grace connaissait bien.

Même s'ils avaient été enterrés, même si leurs cendres avaient été dispersées depuis des années, la situation avait évolué. Les progrès de la médecine permettaient d'affiner les analyses génétiques, qui apportaient de nouvelles preuves, de nouveaux suspects. Internet offrait de nouveaux moyens de communication. Les sensibilités avaient changé. De nouveaux témoins étaient sortis du bois. Des gens avaient divorcé. Certains s'étaient disputés avec leurs amis. Deux personnes qui n'auraient pas témoigné l'une contre l'autre vingt ans auparavant se détestaient aujourd'hui. Ces dossiers pour crimes n'étaient jamais bouclés. Des *cold case*, comme ils disent dans les séries télévisées.

Le téléphone sonna : c'était l'assistante personnelle qu'il partageait avec son supérieur immédiat, le commissaire principal, qui lui demandait s'il souhaitait prendre un appel d'un collègue. Les procédures politiquement correctes, qui faisaient florès dans la police, l'irritaient de plus en plus. Il y a peu, on les appelait *secrétaires*, pas *assistantes personnelles*.

Il lui demanda de lui passer l'appel et ne tarda pas à entendre une voix familière, celle de Glenn Branson, un commandant particulièrement doué avec lequel il avait travaillé plusieurs fois dans le passé, férocement ambitieux, tranchant comme une lame de rasoir, et une encyclopédie cinématographique ambulante, pour ne rien gâcher. Il l'aimait beaucoup. C'était sans doute son meilleur ami.

« Roy ? Comment ça va ? Je t'ai vu dans le journal, aujourd'hui. »

« Si c'est pour ça que tu appelles, tu peux aller te faire foutre. Qu'est-ce que tu veux ? »

« Ça ne va pas fort, on dirait... »

« C'est le moins qu'on puisse dire. »

« Tu es occupé, là ? »

« Ça dépend ce que tu entends par occupé. »

« Tu as déjà réussi à répondre sans poser une question ? »

Grace sourit. « Et toi ? »

« Écoute, je suis harcelé par une femme. Son fiancé a disparu. Ça ressemble à un enterrement de vie de garçon qui aurait très mal tourné. Il ne s'est pas manifesté depuis mardi soir. »

Grace dut faire un effort pour trouver la date du jour. On était jeudi après-midi. « Vas-y, raconte. »

« Je croyais que tu étais au tribunal. J'ai essayé de te joindre sur ton portable, il est éteint. »

« Je suis en train de déjeuner. Le procès est suspendu. Le juge Driscoll examine les arguments de la défense dans son bureau. »

84

L'un des principaux inconvénients à pourvoir les affaires en justice était la perte de temps. Grace, en tant que responsable de l'affaire, se devait d'être au tribunal ou joignable pendant toute la durée du procès. Il en avait pour trois bonnes semaines, sachant que, la plupart du temps, il ne se passait rien.

« J'ai l'impression que ce n'est pas une banale affaire de disparition. J'aimerais te mettre à contribution. Tu es libre cet après-midi ? » demanda Branson.

À tout autre que lui, Grace aurait répondu par la négative, mais il savait que Glenn n'était pas du genre à lui faire perdre son temps. Et que diable, à ce moment précis, il était content d'avoir une excuse pour sortir de son bureau, même par un temps pareil.

« Pas de problème, je peux me libérer. »

« Cool. » Glenn Branson marqua une pause avant de dire : « On n'a qu'à se retrouver à l'appartement du gars. Ce serait bien que tu le voies. Je vais chercher les clés et on se rejoint là-bas. » Branson lui dicta l'adresse.

Grace regarda sa montre, puis son Blackberry. « Qu'est-ce que tu dirais de quatre heures et demie ? On pourra prendre un verre après. »

« Il faut pas trois heures pour... Oh, j'oubliais qu'un homme de ton âge doit commencer à ralentir. À tout à l'heure ! »

Grace grimaça. Il n'aimait pas les allusions à son entrée prochaine dans la grande et belle quarantaine. Il n'aimait pas l'idée d'avoir quarante ans, l'âge où les gens font le bilan. Il avait lu quelque part que c'était à ce moment-là que la vie prenait sa forme définitive. D'une certaine manière, trente-huit ans, ça allait encore. Mais trente-neuf, ça voulait dire qu'on allait irrémédiablement vers les quarante. Il y a peu, il considérait les gens de quarante ans comme des vieux. Merde.

Il regarda de nouveau la liste des dossiers à l'écran. Il lui arrivait de se sentir plus proche de ces gens que de n'importe qui. Vingt victimes qui attendaient de lui qu'il traduise leurs assassins en justice. Vingt fantômes qui hantaient la plupart de ses pensées – et parfois ses rêves.

14

Il disposait d'une voiture de fonction, mais préféra prendre son Alfa Romeo 147 Saloon. Il aimait sa voiture, ses sièges durs, sa conduite abrupte, son intérieur presque spartiate, le chuintement de son pot d'échappement, l'impression de précision et les cadrans larges, façon voiture de sport, du tableau de bord. Cette voiture respirait l'exactitude : elle lui correspondait.

Les gros essuie-glaces balayaient bruyamment le pare-brise, les pneus crissaient sur l'asphalte, une chanson très rock d'Elvis Costello passait à la radio. Il gravit un col et s'enfonça dans la vallée. À travers les gouttes de pluie, il voyait les immeubles du front de mer de Brighton et Hove s'étaler à perte de vue et, derrière l'unique cheminée de l'ancienne centrale électrique de Shoreham, une bande grise, floue, se mêler au ciel : la Manche.

Il avait grandi dans cette ville, connaissait ses voyous. Son père avait pour habitude de lui réciter en boucle le nom des dealers, des salons de massage, des trafiquants d'antiquités chic, qui refilaient des bijoux volés, des meubles, le nom des revendeurs qui casaient des télés, des lecteurs de CD...

Brighton avait été un village de contrebandiers. Puis George V avait fait construire un palace à quelques mètres de la demeure de sa maîtresse. Mais la ville n'avait jamais tout à fait réussi à se débarrasser de ses activités illégales, ni de sa réputation de lieu de villégiature pour les couples adultérins. Cette renommée contribuait à différencier Brighton et Hove des autres villes de province, se dit-il en mettant son clignotant pour quitter la route principale.

La résidence Grassmere Court était formée d'un ensemble de bâtiments en briques rouges construits une trentaine d'années auparavant, dans un quartier chic de Hove, un quartier très comme il faut. Elle longeait une artère importante et surplombait un court de tennis. Les résidents étaient des jeunes célibataires qui faisaient carrière – la vingtaine, la trentaine –, et des personnes âgées aisées. Sur une brochure immobilière, elle aurait été estampillée luxe.

Un grand Black emmitouflé dans une grosse parka, glabre comme une météorite, plongé dans une discussion téléphonique, attendait sous le porche : c'était Glenn Branson. Pour le coup, il ressemblait davantage à un dealer qu'à un flic. Grace sourit. Le physique impressionnant de son collègue, obtenu après des années de musculation, lui rappela une remarque du présentateur Clive James, qui avait un jour dit de Schwarzenegger qu'il ressemblait à un préservatif rempli de noix.

Branson le gratifia d'un « Yo, vieux sage ! ».

« Arrête ton char, je n'ai que sept ans de plus que toi. Un jour, tu auras mon âge et tu ne trouveras pas ça drôle. » Il sourit.

Ils se claquèrent dans la main, puis Branson, fronçant les sourcils, dit : « Tu as vraiment une sale gueule, je ne plaisante pas. »

« La célébrité ne me va pas bien au teint. »

« J'ai cru comprendre que tu faisais quelques unes ce matin. »

« Tu n'es pas le seul. Des milliards d'individus sont au jus... »

« Pour un vieux singe, je t'ai pas trouvé malin, sur le coup. »

« Pas malin ? »

« Tu parles sans réfléchir. Continue à la ramener et, un jour, on ne la verra plus du tout, ta belle gueule. Il y a des fois où je me dis que tu es le mec le plus con que je connaisse. »

Il ouvrit la porte d'entrée de la résidence et entra.

Grace le suivit. « Merci, tes compliments me vont droit au cœur. » Puis il fronça le nez. Il pouvait dire, à l'odeur, l'âge du bâtiment. Il connaissait par cœur les relents de moquette moisie, de peinture écaillée, de légumes en train de bouillir derrière quelque porte fermée. « Comment va madame ? » demanda-t-il tandis qu'ils attendaient l'ascenseur.

« Très bien. »

« Et les gosses ? »

« Sammy est une flèche, mais Rémi est en train de devenir un monstre. » Il appuya sur le bouton de l'étage.

Quelques secondes plus tard, Grace dit : « Il ne faut pas croire ce que disent les journaux, Glenn. »

« Je sais bien, parce que je te connais. Les journalistes ne te connaissent pas, et même s'ils te connaissaient, ils s'en foutraient royalement. Ce qu'ils veulent, c'est des histoires à raconter, et tu as été assez con pour leur en apporter une sur un plateau. »

Ils sortirent de l'ascenseur au sixième étage. L'appartement se trouvait au bout du couloir. Branson ouvrit la porte et ils entrèrent.

L'endroit était petit, avec une salle à manger-salon, une cuisine étroite avec un plan de travail en granit et un évier rond en inox, et deux chambres, l'une d'elles servant de bureau, avec un iMac et une table de travail. Le reste de la pièce était rempli d'étagères couvertes de livres de poche.

En contraste avec les parties communes, ternes et jaunies, l'appartement paraissait moderne et lumineux. Les murs étaient blancs, avec une pointe de gris, et les meubles étaient design, japonisants. Les canapés étaient bas, aux murs étaient accrochées des peintures minimalistes, il y avait un téléviseur à écran plat, un lecteur de DVD et une chaîne hi-fi sophistiquée flanquée d'enceintes longilignes. Dans la chambre se trouvait un futon défait, une armoire avec des portes à claire-voie, un deuxième écran plat et des commodes basses sur lesquelles se trouvaient des lampes avant-gardistes. Une paire de Nike traînait par terre.

Grace et Glenn échangèrent un regard. « Sympa », fit Grace.

« Hum, *La vie est belle* », dit Branson.

Grace l'interrogea du regard.

« Je l'avais raté en salles, je l'ai chopé sur le câble. Un film incroyable. Tu l'as pas vu ? »

Grace secoua la tête.

« Toute l'action se passe dans un camp de concentration. Un père fait croire à son fils que c'est un jeu : s'ils gagnent, ils décrochent le gros lot. Ça m'a fait plus d'effet que *La Liste de Schindler* et *Le Pianiste* réunis, je te jure. »

« Jamais entendu parler. »

« Parfois, je me demande sur quelle planète tu vis. »

Grace observa une photo encadrée près du lit. On y voyait un bel homme, vingt-huit ans, coupe de cheveux sympa, T-shirt noir et jean, le bras sur les épaules d'une très jolie femme, même âge, longs cheveux noirs.

« C'est lui ? »

« Et elle. Michael Harrison et Ashley Harper. Joli couple, n'est-ce pas ? »

Grace hocha la tête sans les quitter des yeux.

« Ils se marient samedi. C'est du moins ce qui était prévu. »

« C'est-à-dire ? »

« Ils se marient s'il refait surface. Mais ça ne se présente pas bien. »

« Tu dis qu'on l'a pas vu depuis mardi soir ? » Grace regarda par la fenêtre. Elle donnait sur une avenue balayée par la pluie, très fréquentée. Un bus entra dans son champ de vision. « Qu'est-ce que tu sais sur lui ? »

« C'est un gars du coin qui a fait du chemin. Il est dans l'immobilier et se débrouille plutôt très bien. Sa boîte s'appelle *Double-M Properties*. Il a un associé : Mark Warren. Ils ont fait un gros coup il n'y a pas longtemps : réhabilitation d'un vieil entrepôt sur le port de Shoreham. Trente-deux appartements – tous vendus avant la fin des travaux. Ils bossent ensemble depuis sept ans, ils ont fait pas mal d'affaires dans la région, des reconversions, du neuf. La fille, c'est la secrétaire de Michael. Très belle, très futée. »

« C'est pas possible qu'il ait pris le large ? »

Branson secoua la tête. « Impossible. »

Grace prit la photo et l'observa de plus près. « Nom de Dieu, je veux bien l'épouser. »

« C'est ce que je viens de dire. »

Grace fronça les sourcils. « Désolé, j'ai le cerveau lent, j'ai eu une longue journée. »

« Tu veux bien l'épouser ! Si j'étais célibataire, je l'épouserais moi aussi. *Tout le monde voudrait l'épouser*, tu vois ce que je veux dire ? »

« Elle est vraiment sublime. »

« Sublimissime, on est d'accord. »

Grace lui jeta un regard absent.

Branson, faussement exaspéré, lui lança : « Eh, mon vieux, tu as perdu ta langue ou quoi ? »

« Peut-être, concéda Grace d'une voix blanche. Qu'est-ce que tu essaies de me dire ? »

Brandon secoua la tête. « Ce que j'essaie de te dire, c'est que si tu étais sur le point d'épouser cette nana samedi prochain, tu te ferais pas la malle. »

« Sauf si j'étais maboule. »

« Donc, s'il ne s'est pas tiré, où est-il ? »

Grace réfléchit quelques instants. « Au téléphone, tu parlais d'un enterrement de vie de garçon qui aurait mal tourné ? »

« C'est ce que sa fiancée m'a dit. C'était ma première idée. Un enterrement de vie de garçon, ça peut être brutal. Hier, je me disais que ça pouvait encore être ça. Mais ne pas rentrer deux nuits de suite... »

« La trouille ? Il aurait une autre nana ? »

« Tout est possible, mais j'aimerais te montrer quelque chose. »

Grace le suivit dans la pièce principale. Branson s'assit devant l'ordinateur et tapa quelques lettres sur le clavier. C'était un magicien de l'informatique. Grace n'était pas fâché avec la science, il se tenait au courant des avancées technologiques, mais Branson avait des années-lumière d'avance sur lui.

Une demande de mot de passe s'afficha à l'écran. Branson s'excita sur le clavier et, quelques secondes plus tard, l'écran se couvrit de données.

« Comment tu as fait ? demanda Grace. Comment as-tu deviné le mot de passe ? »

Branson lui jeta un regard en biais. « Il n'y avait pas de mot de passe. La plupart du temps, quand on leur demande d'entrer un mot de passe, les gens pensent qu'il y en a un. Mais pourquoi en aurait-il créé un s'il était le seul utilisateur de cette machine ? »

« Je suis impressionné. Tu es vraiment le fils caché de Bill Gates. »

Ignorant la remarque, Branson dit : « J'aimerais que tu regardes ça de près. »

Grace lui obéit et s'assit devant l'écran.

15

À quelques kilomètres de là, Mark Warren était lui aussi scotché devant son ordinateur. L'horloge, à l'écran, indiquait 6:10. Il avait remonté ses manches. Un cappuccino Starbucks patientait à ses côtés – la mousse s'était transformée en une peau ridée. Son bureau, dans la pièce qu'il partageait depuis sept ans avec Michael, d'habitude impeccablement rangé, croulait sous des piles de documents.

Double-M Properties se trouvait au troisième étage d'une bâtisse étroite de cinq étages en mitoyenneté, style Régence, pas loin de la gare de Brighton. Ç'avait été leur premier investissement immobilier ensemble. En plus du bureau dans lequel il se trouvait, il y avait une salle de conférence pour recevoir les clients, une petite réception et une kitchenette. La décoration était moderne, fonctionnelle. Sur les murs, il y avait des photos des trois voiliers qu'ils avaient achetés ensemble et qui reflétaient bien leur ascension. Le premier yacht était un Nicholson 27, le deuxième, plus impressionnant, un Contessa 33, et le troisième, leur joujou actuel, ostensiblement haut de gamme, un Oyster 42.

Il y avait également des photos de leur parc immobilier. L'usine en bord de mer, à Shoreham, dans laquelle ils avaient créé trente-deux appartements. Un vieil hôtel Régence, à Kemp Town, avec vue sur la mer, qu'ils avaient reconverti en dix appartements et deux grands lofts à l'arrière. Et leur dernier projet, le plus ambitieux, un dessin représentant un site de plus de deux hectares de forêt pour lequel ils venaient de décrocher le permis de construire vingt maisons.

Ses yeux étaient secs de deux nuits sans sommeil. Les détachant de l'écran pour les reposer, il regarda par la fenêtre. Juste en face se trouvaient un cabinet d'avocats et un magasin de literie bon marché. Les jours où il faisait beau, c'était l'endroit rêvé pour mater les jolies filles dans la rue. Mais à présent, sous une pluie battante, les gens se pressaient, se serraient sous leur parapluie, emmitouflés dans leur manteau, col remonté, les mains dans les poches. Et Mark ne pouvait penser à rien d'autre qu'à la tâche qu'il s'était fixée.

À intervalles réguliers, comme il l'avait fait toute la journée, il composait le numéro de portable de Michael. Mais à chaque fois, il tombait directement sur la boîte vocale. À moins que le téléphone n'ait été éteint, ou que la batterie soit à plat, cela voulait dire que Michael était toujours

94

enfermé. Personne n'avait entendu quoi que ce soit. Vu l'heure à laquelle ils avaient eu l'accident, ils avaient dû l'enterrer vers neuf heures, il y avait deux jours de ça maintenant.

Le téléphone du bureau se mit à sonner. Mark entendit un discret gazouillis et vit un voyant lumineux clignoter. Il décrocha, essayant de ne pas chevroter, comme à chaque fois qu'il ouvrait la bouche.

« *Double-M Properties.* »

Voix masculine. « Bonjour, je vous appelle à propos de votre projet immobilier à Ashdown Field. Auriez-vous une brochure, un tarif ? »

« Pas encore, monsieur, je suis désolé, répondit Mark. Nous n'en aurons pas avant plusieurs semaines. Il y a quelques informations sur notre site... Ah, vous les avez déjà vues. Vous voulez bien me laisser votre nom ? Je ferai en sorte qu'on vous tienne au courant. »

En temps normal, il aurait été heureux d'être sollicité au tout début d'un projet, mais le business était la dernière de ses préoccupations actuelles.

Surtout, ne pas paniquer, se répétait-il. Il avait lu suffisamment de romans noirs et vu suffisamment de films policiers pour savoir que c'était quand le gars paniquait qu'il se faisait coincer. Reste calme.

Continue à effacer les mails.

Boîte de réception. Éléments envoyés. Corbeille. Vérifie partout.

Il savait qu'il était impossible d'effacer complètement les mails. Qu'ils se trouveraient toujours quelque part, dans un serveur, dans le cyberspace.

Mais personne n'irait fouiller aussi loin, n'est-ce pas ?

Il entrait les mots clés les uns après les autres, faisait des recherches avancées pour chacun d'eux. *Michael. Enterrement. Garçon. Nuit. Josh. Pete. Robbo. Luke. Ashley. Opération vengeance. Revanche.* Relire chaque mail. Jeter tous ceux qui doivent disparaître. Tout vérifier.

Josh était en soins intensifs, sa situation était critique, il avait à coup sûr des lésions cérébrales. S'il survivait, ce serait sans doute à l'état de légume. Mark avala sa salive, il avait la gorge sèche. Il connaissait Josh depuis l'âge de treize ans, depuis le collège – la Varndean School. Luke et Michael aussi, bien sûr.

Pete et Robbo les avaient rejoints plus tard : ils s'étaient rencontrés lors d'une nuit arrosée, dans un pub de Brighton, vers dix-neuf ans. Comme Mark, Josh était méthodique et ambitieux. Et bel homme. Les femmes papillonnaient autour de lui comme elles tournaient autour de Michael. Certains avaient des facilités, d'autres, comme lui, devaient se battre pour avancer dans la vie, petit à petit. Mais malgré son jeune âge – vingt-huit ans –, Mark savait que rien ne durait très longtemps. Avec de la patience, en plaçant bien ses pions, tôt ou tard, on finit toujours par avoir de la chance. Les meilleurs prédateurs sont les plus patients.

Mark n'avait jamais oublié ce documentaire animalier, filmé dans une grotte à chauves-souris, en Amérique du Sud. De minuscules micro-organismes se nourrissaient des excréments des chauves-souris, un asticot mangeait ces micro-organismes, un scarabée mangeait l'asticot, une araignée mangeait le scarabée et la chauve-souris mangeait l'araignée. La chaîne alimentaire était parfaite. La chauve-souris était maligne : tout ce qu'elle avait à faire, c'était déféquer – et attendre.

Son portable sonna. C'était la mère de Michael, qui appelait pour la troisième fois de l'après-midi, la énième fois de la journée. Il demeura impeccablement poli et amical. Non, il n'avait toujours pas de nouvelles de Michael. C'était terrible, mais il n'avait aucune idée de ce qui avait pu lui arriver. Ils avaient prévu de faire une tournée des pubs, tout simplement, et il ne savait pas où Michael pouvait se trouver.

« Croyez-vous qu'il puisse être avec une autre femme ? » demanda timidement Gill Harrison de sa voix éraillée. Mark s'était toujours bien entendu avec elle, même si elle n'était pas particulièrement démonstrative. Son mari s'était suicidé au gaz avant qu'il ne rencontre Michael, et Michael disait qu'elle s'était refermée sur elle-même depuis. D'après les nombreuses photos d'elle dans la maison, elle avait dû être belle quand elle était jeune – une vraie blonde, une bombe. Mais Mark ne l'avait jamais connue que les cheveux prématurément gris, la peau sèche et ridée à cause d'un tabagisme maladif, l'esprit aussi aride que son visage.

« Il ne faut écarter aucune piste, madame Harrison », répondit Mark. Il réfléchit quelques secondes pour choisir ses mots. « Ce qui est sûr, c'est qu'il adorait Ashley. »

« Elle est adorable. »

« C'est vrai et, en ce moment, ce serait bon de l'avoir à nos côtés. Nous n'avons jamais eu une aussi bonne secrétaire. » Il joua avec la souris quelques instants, déplaçant le curseur au hasard sur l'écran. « Mais vous savez, quand ils boivent, les hommes ne savent plus ce qu'ils font... »

Il regretta immédiatement ce qu'il venait de dire. Michael ne lui avait-il pas confié que son père avait bu, avant de se suicider ?

Il y eut un long silence, puis elle dit, très calmement : « Je pense qu'il a eu amplement le temps de dessaouler, depuis. Michael est un garçon loyal et droit. Quoi qu'il ait fait, sous alcool, il ne ferait jamais de mal à Ashley. Quelque chose a dû lui arriver, sinon, il aurait téléphoné. Je connais mon fils. » Elle hésita. « Ashley est en état de choc. Vous voulez bien garder un œil sur elle ? »

« Bien sûr. »

Nouveau silence. « Comment va Josh ? »

« État stationnaire. Zoë reste à l'hôpital. Je vais la rejoindre dès que j'aurai fini ce que j'ai à faire ici. »

« Vous m'appelez dès qu'il y a du nouveau ? »

« Bien sûr. »

Il raccrocha, regarda fixement son bureau, souleva un papier et quelque chose attira son attention. Son Palm.

Une vague d'effroi le submergea. *Merde. Bordel de merde.*

Après avoir quitté le commissaire Grace, Glenn Branson retourna au centre-ville dans la voiture de service qu'il avait empruntée, une Vauxhall bleue qui puait le désinfectant – quelqu'un avait dû vomir ou saigner la dernière fois qu'elle avait été utilisée. Il se gara sur sa place de parking, derrière le bâtiment blafard du poste de police de Brighton. Il passa par la porte de derrière, monta l'escalier en pierre et entra dans le bureau qu'il partageait avec dix autres policiers.

Il était six heures vingt. Officiellement, il finissait à six heures, cette semaine-là, mais il avait été envahi par la paperasse à la suite d'une importante saisie de drogue, le lundi précédent, et avait obtenu l'autorisation de faire des heures sup. Un peu d'argent de poche lui ferait le plus grand bien. Mais il avait prévu de ne rester qu'une heure de plus, jusqu'à sept heures. Ari sortait, elle avait un de ses nombreux cours de développement personnel. Le lundi, elle étudiait la littérature, le jeudi, l'architecture. Depuis la naissance de leur fille, Remi, elle s'en voulait de ne pas avoir fait plus d'études. Elle avait peur de ne pas pouvoir répondre aux questions de ses enfants, quand ils grandiraient.

La plupart des ordinateurs étaient éteints, mais aucun des bureaux n'était rangé. Chaque box donnait l'impression, comme d'habitude, que son propriétaire l'avait abandonné à la hâte et qu'il allait revenir d'une minute à l'autre.

Il ne restait que deux collègues : le lieutenant Nick Nicholl, la petite trentaine, une grande perche, un officier zélé, doublé d'un avant rapide au foot, et le commandant Bella Moy, trente-cinq ans, visage souriant sous une tignasse brune.

Aucun ne le salua. Il passa à côté de Nick Nicholl, qui, plongé dans un formulaire, appuyait de toutes ses forces sur son stylo-bille, se mordant les lèvres comme un enfant qui veut réussir son contrôle. Bella semblait fascinée par son écran, tandis que sa main gauche piochait, avec la régularité d'un métronome, dans un sachet de Malteser. Elle était mince, mais Glenn Branson n'avait jamais vu quelqu'un manger autant.

Il s'assit à son bureau. Le voyant lumineux de son téléphone clignotait, signe qu'il avait des messages, comme d'habitude. Ari, sa femme, Sammy, son fils de huit ans, et Remi, sa fille de trois ans, lui souriaient depuis leur photo encadrée.

Il jeta un œil à sa montre – il fallait qu'il surveille l'heure. Ari devenait folle quand il arrivait en retard et lui faisait rater le début de son cours. D'ailleurs, il n'avait pas à se forcer pour rentrer : il adorait passer du temps avec ses gosses. Son téléphone sonna.

C'était l'accueil. Une femme l'attendait depuis une heure et elle refusait de partir. Ça ne le dérangeait pas de la recevoir ? Les autres étaient occupés.

« Comme si moi, je ne l'étais pas ? répondit Glenn à la réceptionniste, sans cacher son irritation. Qu'est-ce qu'elle veut ? »

« C'est en rapport avec l'accident de mardi. Le fiancé qui a disparu. »

100

Sa voix s'adoucit immédiatement. « OK, j'arrive. »

Malgré sa pâleur, Ashley Harper était aussi belle, en vrai, que sur la photo qu'il avait vue d'elle dans l'appartement de Michael Harrison. Elle portait un jean couture, une ceinture clinquante et un sac à main très classe. Il la fit entrer dans une salle d'interrogatoire, apporta deux cafés, ferma la porte et s'assit en face d'elle. Comme toutes les pièces de ce type, elle était petite, sans fenêtre, peinte en vert fané, avec une moquette marron, des chaises et une table en métal, et des relents de tabac froid.

Elle posa son sac par terre. Ses magnifiques yeux gris, le mascara qui avait coulé et son teint blême trahissaient sa douleur. Une mèche brune barrait son front. Le reste de sa chevelure, encadrant parfaitement son visage, reposait délicatement sur ses épaules. Ses ongles étaient faits, comme si elle sortait d'une manucure. Elle avait une allure impeccable, ce qui était quelque peu surprenant. En général, les gens qui étaient dans son état se souciaient peu de leur apparence, mais elle était belle à tomber.

D'un autre côté, il savait que les femmes étaient imprévisibles. Un jour, alors que leur couple battait de l'aile, Ari lui avait offert *Les hommes viennent de Mars, les femmes viennent de Vénus*, et ça l'avait aidé à mesurer – en partie seulement – le gouffre qui sépare les hommes des femmes.

« Vous êtes un homme difficile à joindre, dit-elle en secouant la tête pour chasser la mèche brune de ses yeux. Je vous ai laissé quatre messages. »

« Hum, je suis désolé. » Il leva les mains en signe d'impuissance. « Deux de mes gars sont malades, deux autres sont en vacances. J'imagine dans quel état vous êtes. »

« Vous imaginez dans quel état je suis ? Je dois me marier samedi et mon fiancé a disparu depuis mardi soir. L'église est réservée, le couturier vient faire les dernières retouches demain, j'attends deux cents personnes, les cadeaux de mariage commencent à arriver... Est-ce que vous avez essayé, *une seconde*, d'imaginer dans quel état je suis ? » Des larmes roulèrent sur ses joues. Elle renifla, fouilla dans son sac à main et en sortit un mouchoir.

« Écoutez, je suis désolé. J'ai travaillé sur votre... sur la disparition de Michael, votre fiancé, depuis que nous nous sommes parlé, ce matin. »

« Et alors ? » Elle s'essuya les yeux.

Il prit son gobelet de café à deux mains. Il était encore trop chaud, il fallait le laisser refroidir. « Je suis désolé, je n'ai rien de nouveau pour le moment. » Ce n'était pas la stricte vérité, mais il voulait l'entendre dire ce qu'elle avait à lui dire.

« Vous avez fait quoi, au juste ? »

« Comme je vous ai dit ce matin au téléphone, quand une personne disparaît, d'habitude... »

Elle le coupa. « Ce n'est pas un cas *habituel*, nom de Dieu ! Michael a disparu depuis mardi. Quand on ne se voit pas, il m'appelle cinq fois, dix fois par jour. Ça fait deux jours qu'il ne m'a pas appelée. Deux jours, putain ! »

Branson étudiait son visage attentivement, cherchait des indices. Mais il n'en trouvait pas. Ce qu'il avait devant lui, c'était une jeune femme qui voulait désespérément des nouvelles de son fiancé disparu. Soit elle est vraiment affectée, soit c'est une *excellente actrice*, se dit-il, ne pouvant s'empêcher d'être cynique. « Laissez-moi finir, d'accord ? Deux jours, en temps normal, ça ne suffit pas à tirer la sonnette d'alarme. Mais je suis d'accord avec vous : dans le cas présent, c'est bizarre. »

« Il lui est arrivé quelque chose, OK ? Ce n'est pas une disparition comme les autres. Ses amis lui ont fait quelque chose, ils l'ont caché, l'ont envoyé quelque part, je ne sais pas ce qui leur est passé par la tête, mais je... » Elle baissa son visage comme pour cacher ses pleurs, fouilla dans son sac, sortit un nouveau Kleenex et, secouant la tête, s'essuya les yeux.

Glenn était ému. Elle ne le savait pas et ce n'était pas le moment de le lui dire.

« Nous faisons tout notre possible pour retrouver Michael », dit-il gentiment.

« Comme quoi, par exemple ? Qu'est-ce que vous faites ? »

Son chagrin se dissipa momentanément, comme un nuage. Puis elle fondit de nouveau en larmes et sanglota en hoquetant.

« Nous avons mené des recherches à proximité de l'accident. Des hommes sont encore sur les lieux. Il arrive que les personnes accidentées soient désorientées. Nous couvrons toute la zone et nous avons transmis l'alerte partout : toutes les polices ont été informées, les aéroports, les ports... »

Elle lui coupa brutalement la parole. « Parce que vous pensez qu'il puisse s'agir d'une fugue ? Mon Dieu. Pourquoi est-ce qu'il s'enfuirait ? »

Utilisant une technique subtile qu'il tenait de Roy pour savoir si quelqu'un mentait ou pas, il lui demanda : « Qu'avez-vous mangé à midi ? »

Elle le considéra avec surprise. « Ce que j'ai mangé à midi ? »

« Oui. » Il observa attentivement ses yeux. Ils se dirigèrent légèrement vers la droite. Mode *mémoire*.

Le cerveau humain est divisé en deux hémisphères. Le droit et le gauche. L'un contient les souvenirs, l'autre l'imagination. Quand on leur pose une question, les gens bougent invariablement les yeux du côté de l'hémisphère qu'ils utilisent. Chez certains, le stockage des souvenirs se fait à droite, chez d'autres à gauche. Dans tous les cas, le processus créatif a lieu dans l'hémisphère opposé.

Quand les gens disent la vérité, leurs yeux oscillent vers l'hémisphère *mémoire*. Quand ils mentent, ils partent de l'autre côté. Branson avait appris à repérer l'hémisphère *mémoire* en posant une question simple, comme celle-là, pour laquelle il était inutile de mentir.

« Je n'ai rien mangé à midi. »

Il estima que c'était le moment de passer la vitesse supérieure. « Que savez-vous sur les activités professionnelles de votre fiancé, mademoiselle Harper ? »

« Je suis sa secrétaire depuis six mois. Je pense pouvoir affirmer que je suis au courant de tout, vous ne croyez pas ? »

« Vous êtes donc au courant pour la société aux îles Caïmans ? »

Son visage exprima une sincère surprise. Ses yeux se dirigèrent vers la gauche. Mode *imagination*. Elle mentait. « Les îles Caïmans ? »

« Lui et son associé – il fit une pause, feuilletant rapidement ses notes –, Mark Warren, ont... Connaissez-vous l'existence de cette compagnie : *HW Properties International* ? »

Elle le fixait en silence. « *HW Properties International* ? » répéta-t-elle.

« Oui oui. »

« Non, je n'en ai jamais entendu parler. »

Il hocha la tête. « OK. »

« Que pouvez-vous me dire de plus ? » demanda-t-elle. Son ton était légèrement différent, mais grâce à la technique de Roy, il savait pourquoi.

« Je n'en sais guère plus, j'espérais que vous pourriez m'éclairer. »

Ses yeux se déplacèrent de nouveau vers la gauche. Mode *imagination*. « Non, dit-elle. Je suis désolée. »

« Ça n'a probablement pas d'importance de toute façon, dit-il. Personne n'aime se faire plumer par le fisc, n'est-ce pas ? »

« Michael est astucieux. C'est un excellent homme d'affaires, mais il ne ferait jamais rien d'illégal. »

« Je ne dis pas ça, mademoiselle Harper. Je cherche seulement à vous dire que, peut-être, vous ne savez pas tout de l'homme que vous allez épouser. C'est tout. »

« Ce qui veut dire ? »

Il leva de nouveau les mains en l'air. Il était sept heures moins cinq. Il devait y aller. « Ça ne veut peut-être rien dire. Mais pensez-y. » Il lui sourit.

Elle ne lui sourit pas en retour.

17

Dans sa chambre, un préfabriqué Portakabin accolé à la maison de son père, sur les hauteurs de Lewes, au fond d'un parc de voitures accidentées, régnait le plus grand désordre. Davey regardait la série policière américaine *New York District* sur un écran instable. Son personnage préféré, un flic superintelligent dénommé Reynaldo Curtis, tenait fermement un voyou au collet. « Je t'ai à l'œil ! » aboya le policier.

Davey, jean baggy, casquette de base-ball vissée sur la tête, affalé dans son canapé défoncé, dévorait un Twinkie, ce biscuit typiquement américain qu'il recevait chaque semaine des États-Unis par la Poste. « Ouais, enflure ! Je t'ai à l'œil, tu vois ce que je veux dire ? »

Les détritus du double hamburger et des frites qu'il avait ingurgités au dîner avaient rejoint les piles de déchets qui jonchaient le sol recouvert de moquette frisée. La pièce, du sol au plafond, en passant par la table et les étagères, était remplie de trucs ramassés à la casse et sur les accidents.

Les restes du talkie-walkie qu'il avait trouvé quelques jours auparavant traînaient pas loin. Il avait eu l'intention de le réparer, mais n'en avait pas encore eu l'occasion. Il attrapa négligemment l'appareil et l'observa.

Le boîtier était méchamment cassé. Un morceau de plastique avec des encoches s'était détaché, ainsi que deux piles LR03, qu'il avait récupérées sur le bitume. Il avait vraiment prévu de l'assembler, mais pour une raison ou pour une autre, ça lui était sorti de la tête. Beaucoup de choses lui sortaient de la tête. Des trucs arrivaient, d'autres repartaient.

Juste des trucs.

Plein d'idées qui ne menaient nulle part.

La vie était un puzzle, mais il manquait toujours des pièces. Les pièces principales. Le talkie-walkie, par exemple, était formé de quatre parties. Le boîtier cassé, deux piles et un morceau de plastique qui ressemblait à un cache.

Il termina son Twinkie, lécha l'emballage et le jeta par terre.

« Tu vois ce que je veux dire ? » répéta-t-il. Puis il se pencha en avant, attrapa la boîte en polystyrène du hamburger et étala sauvagement le ketchup avec son doigt. « Ouais, je t'ai à l'œil, tu vois ce que je veux dire ? »

Il ricana. C'était la page de pub. Un expert à la con parlait de tarifs préférentiels pour les professionnels. De plus en plus impatient, Davey lâcha : « Allez, allez, la série, la suite ! »

Une autre publicité commença. On voyait un bébé ramper et parler avec une voix d'adulte. Davey regarda quelques instants, bluffé. Il se demandait comment le bébé faisait pour parler comme ça. Puis son attention se porta de nouveau sur le talkie-walkie. Il déplia au maximum l'antenne télescopique et la replia complètement. « Zioup ! » fit-il. Il la ressortit. « Zioup ! »

Il la dirigea vers l'écran et mit son œil dans l'axe, comme avec une carabine. Puis la série reprit.

Il regarda la montre toute neuve que son père lui avait offerte pour son anniversaire, la veille. Elle pouvait chronométrer les courses automobiles, elle avait plein de boutons, de fonctions et de cadrans numériques, mais il n'avait pas encore tout compris, dans la notice. Son père lui avait promis de la lire avec lui et de lui expliquer les mots difficiles. Il fallait que tout marche d'ici à dimanche, pour le Grand Prix de Monaco. Il fallait vraiment qu'il soit prêt pour la course.

On frappa et la porte s'entrouvrit. Son père se tenait dans l'encadrement, coiffé d'une casquette de chasseur avec rabats, d'un vieux K-way et de bottes de chasse. « Cinq minutes, Davey. »

« Oooohhh... C'est *New York District*. On peut pas dire quinze ? »

La fumée de sa cigarette entra dans la chambre. Davey vit le bout incandescent briller quand son père tira dessus. « Si tu veux venir chasser les lapins, c'est dans cinq minutes. Et tu les connais par cœur, les épisodes de *New York District*. »

Les pubs étaient terminées, la série allait reprendre. Davey porta un doigt à ses lèvres. Dans un sourire qui simulait l'exaspération, Phil Wheeler recula et sortit. « Cinq minutes », dit-il en fermant la porte.

« Dix ! cria Davey avec un accent américain. C'est le deal, tu vois ce que je veux dire ? »

Davey se reconcentra sur le talkie-walkie, se disant que ce serait cool de le prendre pour aller chasser le lapin. Il se pencha sur l'emplacement des piles, saisit dans quel sens il fallait les mettre et les inséra. Puis il appuya sur l'un des deux boutons du boîtier. Rien ne se passa. Il essaya le deuxième et, immédiatement, il entendit un crissement.

Il approcha l'appareil de son oreille. Rien d'autre que le grésillement. Et soudain, il entendit une voix d'homme, aussi forte que si quelqu'un se trouvait dans sa chambre.

« Allô ? »

De surprise, Davey lâcha le talkie-walkie.

« Allô ? Allô ? »

Davey le fixa, fou de joie. Puis on refrappa à la porte et son père cria : « J'ai ta carabine, on est partis ! »

De peur que son père ne le gronde pour le talkie-walkie – il n'était pas censé prendre quoi que ce soit sur le lieu des accidents –, il s'agenouilla, appuya sur l'autre bouton, qu'il pensait être celui pour parler, et bredouilla, avec un accent américain : « Sorry, ch'peux pas parler, il m'a à l'œil, tu vois ce que je veux dire ? »

Puis il poussa le talkie-walkie sous son lit et sortit en courant de sa chambre, laissant la télévision allumée et à Reynaldo Curtis le soin de gérer l'affaire.

18

« Eh! Allô? Allô? Allô? »

Seul lui répondit un soyeux silence ivoire.

« Aidez-moi, s'il vous plaît! »

Michael, en larmes, enfonçait le bouton *talk* à intervalles réguliers. « Je vous en prie, aidez-moi... »

Grésillements. Parasites.

« *Sorry, ch'peux pas parler, il m'a à l'œil, tu vois ce que je veux dire?* »

Une voix bizarre, comme celle d'un acteur amateur imitant un gangster américain. Ça faisait partie de la blague? Michael accompagna ses larmes salées vers ses lèvres desséchées, craquelées et, l'espace d'un instant trompeur, il savoura l'humidité, avant que sa langue ne l'absorbe, comme un buvard.

Il regarda sa montre. Des heures entières étaient passées. Huit heures cinquante. Combien de temps ce cauchemar allait-il durer? Qu'avaient-ils prétexté pour qu'on ne parte pas à sa recherche? Ashley, sa mère, tout le monde devait les tanner, à l'heure qu'il était, ce n'était pas possible autrement, nom de Dieu. Ça faisait... Ça faisait...

Il fut pris de panique. Était-il huit heures du matin ou huit heures du soir?

C'était l'après-midi, tout à l'heure, non? Il avait regardé sa montre toutes les heures. Il ne pouvait pas avoir laissé passer douze heures sans s'en apercevoir! On devait être le soir, pas le matin.

Ça faisait presque quarante-huit heures qu'il était là.

Mais, putain, qu'est-ce que vous foutez?

Il prit appui sur ses mains et essaya de se soulever pour rétablir la circulation dans son dos endolori. Ses épaules le martyrisaient, toutes ses articulations souffraient du manque de mouvement. Pratiquant régulièrement la voile, il connaissait les risques liés à la déshydratation.

Une pulsation cognait sans répit dans sa tête. Il parvenait à la faire cesser en portant ses mains à son crâne et en enfonçant ses pouces dans ses tempes, mais ça reprenait de plus belle dès qu'il les enlevait.

« Merde, je me marie dimanche, espèce de connards! Sortez-moi de là! » cria-t-il de toutes ses forces, avant de tambouriner contre les parois et le couvercle de ses pieds et de ses poings.

Quelle bande d'imbéciles. Demain, ce serait vendredi. La veille du mariage. Il fallait qu'il aille chercher son costume. Qu'il se fasse couper les cheveux. Ils partaient en lune de miel samedi soir, en Thaïlande. Il avait des tonnes de trucs à régler, au bureau, avant de partir pour deux semaines. Il fallait qu'il écrive son petit speech pour le mariage.

Allez, les gars, j'ai douze mille trucs à faire. Vous avez eu votre revanche, là, c'est bon, vous croyez pas? Vous vouliez vous venger? C'est bon, j'ai dégusté. Félicitations!

Baissant la main au niveau de son coccyx, il localisa la torche et l'alluma pendant quelques précieuses secondes seulement, pour économiser les

111

piles. Le satin blanc semblait s'être encore rapproché : la dernière fois qu'il avait regardé, il se trouvait à quinze bons centimètres de son visage, et maintenant c'était à sept, comme si cette boîte, ce cercueil, peu importe, rapetissait lentement, mais sûrement, pour mieux l'étouffer.

Il attrapa le tube, ce truc qui pendouillait devant ses yeux, essaya de nouveau de regarder à l'intérieur, mais ne vit rien. Puis il vérifia s'il appuyait sur le bon bouton du talkie-walkie. Il les enfonça l'un après l'autre. Il entendit d'abord des grésillements, puis appuya sur le bouton *talk* et cria de toutes ses forces. Il appuya sur *listen*. Rien.

« Débrouillez-vous pour me sortir de là ! dit-il à haute voix. Ce ne sont pas mes oignons ! »

Surgit alors de sa mémoire la cuisine de sa mère : oignons frits, saucisses, œufs brouillés, bacon, tomates, le tout bruissant, mijotant, frémissant, frétillant. Il les sentait, nom de Dieu, tout comme l'odeur du pain perdu qui rissolait dans une autre poêle, et celle des haricots à la sauce tomate qui réchauffaient dans une casserole.

Seigneur, qu'est-ce que j'ai faim !

Il détourna ses pensées de la nourriture, des douleurs que lui causait l'acide gastrique qui rongeait son estomac. Son cerveau, malgré la migraine, se souvint d'un article qu'il avait lu sur les grenouilles – ou les crapauds, il ne savait plus trop – qui gardaient en gestation leurs bébés dans l'estomac, et non dans l'utérus. Pour une raison ou pour une autre, l'acide gastrique ne dévorait pas les fœtus.

Est-il possible qu'un être humain digère son propre estomac ? se demanda-t-il soudain. Son cerveau

112

tournait à cent à l'heure, il se souvenait de tas de trucs.

Il se remémora un papier qu'il avait lu, il y avait des années de ça, sur les cycles circadiens. Tous les organismes vivants sur cette planète avaient un cycle de vingt-quatre heures. Tous, sauf les humains. La moyenne était de vingt-cinq heures et quinze minutes. Des tests avaient été réalisés : des hommes avaient été placés dans le noir pendant des semaines sans repère. Tous pensaient avoir été enfermés moins longtemps qu'en réalité.

Super, je pourrais servir de rat de laboratoire.

Sa bouche était tellement sèche que ses lèvres étaient collées. Les séparer lui faisait mal : c'était comme si la peau se déchirait.

Puis il éclaira juste au-dessus de lui, regarda le sillon de plus en plus profond qu'il avait fait dans le couvercle, saisit sa ceinture en cuir et recommença à frotter l'angle de la boucle en métal contre le tek. Il en savait suffisamment sur les différents bois pour être sûr qu'il s'agissait de tek, et il n'ignorait pas que c'était le plus dur au monde. Il fermait les yeux de douleur et pour éviter que la sciure ne l'aveugle. La boucle devenait de plus en plus chaude, jusqu'à ce qu'il doive s'arrêter pour la laisser refroidir.

« *Sorry, ch'peux pas parler, il m'a à l'œil, tu vois ce que je veux dire ?* »

Michael fronça les sourcils. Quel bouffon pouvait s'amuser à imiter l'accent américain ?

Y avait-il quelqu'un pour trouver ça drôle ? Mais qu'avaient-ils dit à Ashley et à sa mère ?

Après quelques minutes, il arrêta de gratter, épuisé. Il savait qu'il devait continuer. La déshydratation, ça fatigue. Il fallait qu'il lutte contre la fatigue. Il fallait qu'il sorte de cette putain de boîte, qu'il les chope et qu'il leur fasse la peau : il leur ferait payer.

Il lutta encore quelques instants, se remit à gratter, essayant de ne pas s'égratigner les phalanges, de garder les yeux suffisamment fermés pour ne pas être aveuglé – la sciure lui chatouillait le visage –, jusqu'à ce qu'il soit trop fatigué pour continuer. Il laissa tomber sa main, les muscles de son cou se détendirent, sa tête retomba doucement en arrière.

Il s'endormit.

19

La nuit était tombée prématurément. Mark se gara juste après un arrêt de bus, un peu plus haut, et attendit quelques instants. La rue, large, brillait d'une noirceur laquée sous la pluie torrentielle. Tout était calme, les rares voitures passaient au pas. Il n'y avait pas de piétons, personne pour le remarquer.

Il s'enfonça une casquette de base-ball sur la tête, remonta le col de son anorak et courut jusqu'au porche de l'immeuble de Michael, jetant un œil dans toutes les voitures garées pour s'assurer que personne ne le surveillait, dans le noir. Michael disait à tout le monde que Mark était, dans la boîte, celui qui faisait attention aux détails.

114

Il ajoutait immanquablement, pour définir cette qualité : *Mark est incroyablement psychorigide* – une remarque qu'il détestait.

Mais Mark savait que Michael avait raison, que c'était précisément pour ça que *Double-M Properties* marchait si bien : c'était lui qui se tapait tout le boulot. Lui qui étudiait chaque ligne des devis des entrepreneurs, qui allait sur les chantiers, donnait son approbation pour chaque matériau acheté, veillait à respecter les délais, lui qui calculait les frais au centime près. Pendant ce temps, Michael passait la moitié de ses journées à faire le beau, à draguer la gent féminine, sans jamais prendre les choses vraiment au sérieux. Si le cabinet marchait, c'était grâce à lui, se disait-il, et à lui seul. Si Michael avait davantage de parts, c'était simplement parce qu'il avait eu davantage de capitaux à l'apport, à leurs débuts.

Il avait le choix entre quarante-deux interphones. Il en choisit un au hasard, exprès à un étage différent de celui de Michael. Pas de réponse. Il appuya sur une autre sonnette, au nom de « Maranello ».

Quelques instants plus tard, une voix masculine, métallique, avec un fort accent italien lui répondit : « Allô ? Oui, allô ? »

« Coursier ! » cria Mark.

« Coursier quoi ? »

« FedEx. Des États-Unis, pour Maranello. »

« Vous quoi ? Coursier ? Moi pas... Je... »

Il y eut un instant de silence. Puis le bruit strident de l'ouverture.

Mark poussa la porte et entra. Il se dirigea directement vers l'ascenseur, monta au sixième étage et prit le couloir jusqu'à l'appartement de Michael. Michael laissait une clé sous le paillasson au cas où il s'enfermerait à l'extérieur, ce qui lui était d'ailleurs arrivé, ivre et nu. Au grand soulagement de Mark, elle était bien là. Une simple clé Yale, couverte de poussière.

Par mesure de précaution, il sonna et attendit, scrutant le couloir, redoutant que quelqu'un ne puisse arriver et le voir. Puis il ouvrit la porte, se glissa à l'intérieur de l'appartement, s'empressa de fermer la porte derrière lui et sortit une petite lampe de sa poche. L'appartement de Michael donnait sur la rue. Il y avait un immeuble en face. Il aurait pu allumer, mais il ne voulait pas prendre le risque. *Peut-être* que quelqu'un, dehors, le surveillait.

Il retira sa casquette et son manteau trempés, les accrocha à une patère et marqua un temps d'arrêt, extrêmement nerveux, pour écouter les bruits. À travers la cloison, il entendit quelque chose qui ressemblait à de la musique militaire, probablement une télévision au volume trop élevé. Puis, à l'aide de la torche, il commença ses recherches.

Il alla d'abord dans la pièce principale, la salle à manger-salon, et éclaira chaque meuble de son faisceau. Il vit une pile de vaisselle sale sur une desserte, une bouteille de Chianti à moitié vide sur laquelle on avait enfoncé le bouchon, une table basse où se trouvaient la télécommande, une bougie à moitié consumée dans un globe en verre et une pile de magazines : *GQ, FHM, Yachts and Yatching.* La lumière rouge du répondeur clignotait.

Il écouta les messages. Il y en avait un laissé une heure auparavant par la mère de Michael, d'une voix anxieuse.

« Allô, Michael ? J'appelais juste au cas où tu serais rentré. »

Un autre était d'Ashley, elle appelait sûrement de son portable, la réception était mauvaise. « Michael, mon chéri, j'espérais que tu sois rentré. Je t'en prie, appelle-moi dès que tu as ce message. Je t'aime tellement... »

Le message suivant avait été laissé par un employé de banque qui proposait à Michael de profiter des nouveaux prêts avantageux que Barclays offrait aux détenteurs de sa carte.

Mark écouta tous les messages, mais ils ne présentaient aucun intérêt. Il regarda sur les deux canapés, sur les chaises, sur les tables basses, puis alla dans le bureau.

Sur la table de travail, devant le iMac, il n'y avait que le clavier, une souris sans fil, un tapis de souris fluo, un presse-papiers en verre en forme de cœur, une calculatrice, un chargeur de portable et un pot noir plein de crayons et de stylos. Ce qu'il cherchait n'était pas là. Ni sur les étagères, ni dans la chambre mal rangée.

Merde.

Merde. Merde. Merde.

Il quitta l'appartement, emprunta l'escalier de secours, sortit par-derrière et se retrouva sur un parking sombre. *Mauvaise nouvelle*, se dit-il en se hâtant, le plus discrètement possible, vers la rue.

Très mauvaise nouvelle.

Quinze minutes plus tard, sa BMW X5 gravissait la côte qui longeait l'immense complexe hospitalier du Sussex. Mark se gara sur le parking réservé aux urgences, dépassa à grands pas deux ambulances qui attendaient et entra dans la salle d'attente fortement éclairée qui commençait à lui être familière.

Il vit une douzaine de personnes assises sur des chaises en plastique, effondrées, sous un panneau indiquant « temps d'attente : trois heures », prit une série de couloirs jusqu'à un ascenseur et monta au quatrième étage.

Puis il suivit les panneaux « soins intensifs », le nez pris par une forte odeur de désinfectant et de repas d'hôpital. Il tourna, passa devant un distributeur de friandises et une cabine téléphonique, puis tomba sur la réception des soins intensifs. Deux infirmières se trouvaient derrière le comptoir. L'une était au téléphone, l'autre parlait à une femme âgée qui semblait au bord du désespoir.

Il traversa la salle, passa quatre lits occupés, se dirigea vers le coin où Josh se trouvait la veille, s'attendant à trouver Zoë à ses côtés. À la place, il découvrit un vieil homme ridé, abattu, cheveux blancs en désordre, les joues couvertes de taches brunes, perfusé de toutes parts, avec un ventilateur à ses côtés.

Mark passa rapidement en revue les autres lits, mais Josh n'était plus là.

Redoutant que son état ne se soit amélioré et qu'il n'ait été transféré dans un autre service, Mark

118

se précipita vers la réception et se plaça en face de l'infirmière qui téléphonait, une femme bien en chair, souriante, la trentaine, coupe au bol, qui portait sur son badge « Marigold Watts – Soins intensifs ». Son attitude laissait supposer qu'elle discutait avec son petit ami.

Brûlant d'impatience, il s'appuya au comptoir et fixa les écrans noir et blanc correspondant à chaque lit et les diagrammes en couleurs qui se trouvaient sous chacun d'eux. Pour capter l'attention de l'infirmière, il changea de position rapidement, à plusieurs reprises, mais elle semblait préoccupée par le choix d'un restaurant.

« Chinois, je crois que j'ai bien envie d'un canard laqué. Allons quelque part où ils font du canard laqué, avec les crêpes, tu sais... »

Elle finit par le remarquer. Apparemment, elle ne l'avait pas vu avant. « Il faut que je te laisse. Je te rappelle. Moi aussi, je t'aime. » Elle se tourna vers Mark, tout sourire. « Que puis-je faire pour vous ? »

« Josh Walker. Il montra du doigt un lit à l'autre bout de la salle. Il était là – euh – hier. Je voulais simplement savoir dans quel service il avait été transféré. »

Son visage se figea, comme si on lui avait fait une énorme injection de Botox. Sa voix aussi changea, devint soudain sèche, et elle se mit sur la défensive. « Vous faites partie de la famille ? »

« Non, je suis son collègue. » Michael s'en voulut immédiatement de ne pas s'être fait passer pour son frère. Elle n'avait aucun moyen de vérifier.

« Je suis désolée, dit-elle, regrettant d'avoir dû raccrocher pour lui répondre. Nous ne pouvons donner d'informations qu'aux membres de la famille. »

« Vous ne pouvez même pas me dire où il a été transféré ? »

Une sonnerie retentit. Elle regarda les écrans : un signal lumineux rouge clignotait à côté d'eux. « Il faut que j'y aille, dit-elle. Je suis désolée. »

Elle courut dans la salle.

Mark sortit son portable. Puis il vit un panneau sur lequel était écrit, en grand :

L'UTILISATION DES TÉLÉPHONES PORTABLES EST STRICTEMENT INTERDITE DANS CET HÔPITAL.

Il se précipita vers l'ascenseur et descendit au rez-de-chaussée. Paniqué, il traversa en courant un dédale de couloirs et se retrouva dans l'entrée principale. Arrivé devant la réception, il entendit une voix puissante, presque hystérique, et vit Zoë, les yeux exorbités, le visage couvert de larmes, ses boucles blondes complètement hirsutes.

« C'est à cause de toi, de Michael, et de vos blagues à la con, hurla-t-elle. Espèce d'immatures ! »

Il la fixa en silence quelques secondes. Puis elle s'effondra dans ses bras, sanglotant désespérément. « Il est mort, Mark, il vient de mourir. Il est mort. Josh est mort. Mon Dieu, il est mort. Aide-moi, mon Dieu, qu'est-ce que je vais devenir ? »

Mark passa son bras autour d'elle. « Je... Je croyais qu'il allait s'en tirer, qu'il allait s'en sortir », dit-il maladroitement.

« Ils ont dit qu'ils n'avaient rien pu faire pour lui. Qu'il serait devenu un légume, s'il avait survécu. Mon Dieu, aide-moi, Mark, je t'en prie. Qu'est-ce que je vais dire ? Comment est-ce que je vais expliquer aux gosses que papa ne reviendra jamais ? Qu'est-ce que je vais leur raconter ? »

« Tu veux... Tu veux un thé, ou quelque chose ? »

Reprenant sa respiration, entre deux sanglots, elle hurla : « Non, je ne veux pas d'une putain de tasse de thé. Je veux que Josh revienne ! Mon Dieu... Ils l'ont descendu à la morgue. C'est horrible, qu'est-ce que je vais devenir ? »

Mark gardait le silence, la serrait fort, frottait son dos. Priait pour que son soulagement ne se voie pas.

20

Michael s'éveilla brutalement d'un rêve confus et essaya de se relever. Sa tête heurta violemment le couvercle du cercueil. Il hurla de douleur, essaya de porter ses mains à sa tête, mais ses bras rencontrèrent immédiatement le satin invincible, à droite et à gauche. Il s'agita et se cogna partout, pris d'une crise de claustrophobie.

« Faites-moi sortir de là ! » hurla-t-il, se débattant, suffoquant, transpirant et tremblant tout à la fois.

« Je vous en prie, laissez-moi sortir ! »

Sa voix était assourdie. Éteinte. Elle ne portait pas. Elle était comme lui : prisonnière.

Il chercha désespérément la torche, la trouva, l'alluma, observa les parois de sa cellule et regarda sa montre : 11:15.

Du soir ?

Du matin ?

Ce devait être le soir, jeudi soir.

Des gouttes de sueur coulaient le long de son corps. Une petite flaque s'était formée dans son dos. Il tourna la tête au maximum pour regarder par-dessus son épaule, éclaira avec la lampe, et le faisceau se réfléchit. De l'eau.

Plusieurs centimètres, putain.

Il était sous le choc. C'était pas possible. Pas possible qu'il ait transpiré autant.

Cinq putain de centimètres.

Il allongea le bras. Éclaira sa main. Utilisa son auriculaire comme une jauge. L'eau arrivait juste en dessous de sa deuxième phalange. Impossible qu'il ait sué autant. Formant un bol de ses mains, il porta une gorgée à sa bouche, but avidement tout ce qu'il put, sans se soucier du goût salé, vaseux. Pendant plusieurs minutes, il eut l'impression que plus il buvait, plus il avait soif.

Quand il eut terminé, il fut foudroyé par ce que cette montée des eaux impliquait. Il saisit la boucle de sa ceinture et se remit à frotter le couvercle comme un fou mais, en quelques minutes, la ceinture lui brûla les doigts.

Merde.

Il attrapa la bouteille de whisky. Il restait un tiers. Il cogna avec la bouteille contre le couvercle. Rien. Il réessaya, entendit le bruit sourd et un minuscule éclat de verre se détacha. Ce serait dommage de gâcher ça. Il porta le goulot à sa bouche, avala une gorgée du liquide brûlant. Mon Dieu, que c'était bon... Il mit la tête en arrière, renversa complètement la bouteille, laissa couler, et avala, avala, avala jusqu'à s'étouffer.

Il souleva la bouteille et cligna des yeux pour l'observer dans le faisceau lumineux. Il avait la vue brouillée, à présent, et la tête qui tournait. Il ne restait presque plus de whisky. Plus que...

Il entendit un bruit sourd juste au-dessus de sa tête. Le cercueil bougeait!

Nouveau bruit.

Comme des pas. Comme si quelqu'un se trouvait juste au-dessus du cercueil!

L'espoir réveilla chacune de ses cellules. *Oh, mon Dieu, ils arrivent, enfin, ils vont me sortir de là!*

« Bande de salauds! » hurla-t-il, d'une voix plus faible qu'il pensait. Il prit sa respiration, entendit un nouveau bruit au-dessus de lui. *Enfin, putain, enfin!*

« Qu'est-ce que vous avez foutu? »

Silence.

Il cogna contre le couvercle, hurla sans articuler proprement. « Eh, qu'est-ce que vous avez foutu pendant tout ce temps? Josh? Luke? Robbo? Vous savez combien de temps vous m'avez laissé là-dedans? Ça ne me fait pas rire, pas rire du tout, vous entendez? »

Silence.

Michael tendit l'oreille.

Son imagination lui avait-elle joué un mauvais tour?

« Eh, y'a quelqu'un? »

123

Silence.

Il n'avait pas rêvé. Il avait bien entendu des pas. Ceux d'un animal ? Non, ils étaient plus lourds que ça. C'étaient les pas d'un homme.

Il cogna comme un fou avec la bouteille, puis avec ses poings.

Puis, sans crier gare, sans un bruit, comme dans ces tours de magie que l'on voit à la télé, le tube s'envola.

Un peu de terre coula du trou laissé vacant.

21

Mark ne voyait quasiment plus clair. Le violent accès de panique qui l'avait foudroyé troublait sa vue, embrumait son cerveau. La voix de Michael : il avait entendu, étouffée, la voix de Michael, nom de Dieu !

Il referma la portière de sa BMW garée dans l'obscurité de la forêt, sous une pluie battante, et essaya, fébrile, d'enfoncer la clé de contact. Ses bottes pesaient des tonnes, alourdies qu'elles étaient par une boue argileuse, gluante. De l'eau ruisselait de sa casquette, coulait sur son visage.

Avec ses gants, il tourna la clé de contact, les phares projetèrent une lueur blanche et le moteur démarra. Dans le faisceau, il distingua la tombe et les arbres, derrière. Un animal se réfugia précipitamment dans les fourrés. Les feuilles des arbustes ployaient sous le vent et la pluie. Pendant quelques secondes irréelles, il se crut dans le lit d'une rivière ou au fond de l'océan.

Il n'arrivait pas à détacher ses yeux de la tombe, de la tôle ondulée qu'il avait soigneusement replacée et des arbustes qu'il avait arrachés pour la camoufler. Puis il vit la deuxième pelle, plantée dans le sol, et pesta. Il sortit de la voiture, courut la chercher et la jeta dans le coffre. Il remonta, claqua la porte, et observa de nouveau la scène, aussi précisément que sa vision altérée le lui permettait.

Il réfléchissait. Les travaux ne commenceraient pas avant au moins un mois. Les plans n'étaient pas finalisés. Personne n'était censé venir ici. Le comité d'aménagement du territoire était passé pour inspection, rien ne serait fait avant le coup de tampon officiel.

Tremblant de façon incontrôlée, il se mit en route, reprit le chemin, passa les deux grilles que la commission forestière britannique, sans doute, avait fait mettre pour empêcher les cerfs de monter jusqu'à la route principale.

Quand il eut atteint la départementale, il alluma la radio et appuya sur tous les boutons l'un après l'autre pour trouver de la musique. Il y avait un flash d'informations, un débat, une pub. Il appuya sur la touche CD, passa chaque CD en revue, mais aucun ne lui plaisait ce soir. Il éteignit l'autoradio.

Quelques minutes plus tard, dans un virage, surgit, dans la lumière de ses phares, une rangée de couronnes mortuaires. Son sang ne fit qu'un tour. Des phares arrivèrent en sens inverse, le croisèrent. Puis d'autres. Il était accroché au volant, il avait la tête qui tournait, il essayait de se concentrer, d'y voir clair. Il entra dans un nouveau virage, encore plus serré, bien trop vite. Affolé, il freina brutalement, trop brutalement, sentit une vibration quand l'ABS se déclencha et entendit un bruit sourd quand le tuyau tomba par terre, devant le siège du passager.

Miraculeusement, il se débrouilla pour sortir du virage, vit une aire de stationnement et se gara. Il alluma le GPS et entra : *lac artificiel d'Arlingon*. Une voix féminine, désincarnée, annonça : « Nous préparons votre itinéraire. »

Vingt-cinq minutes plus tard, il s'arrêtait au bout de la jetée en bois du yacht-club désert, au bout du lac de huit kilomètres, et éteignit le moteur. Il attrapa la lampe, sortit et resta debout dans le noir, attentif au moindre bruit. Le seul qu'il entendait était le claquement des voiles et des gréements dans le vent. Aucune lumière. Le clubhouse était silencieux. Il regarda sa montre : minuit dix.

Il alla chercher le tube du côté passager, puis les deux pelles dans le coffre et marcha jusqu'au bout de la jetée. C'était là que Michael et lui avaient appris à faire de la voile, adolescents. Puis ils avaient pris leur courage à deux mains et s'étaient lancés à l'assaut des océans. Il se souvenait qu'à cet endroit il devait y avoir sept mètres de fond. Ce n'était pas énorme, mais ça suffisait. Il lâcha le tube en caoutchouc, puis les pelles, dans l'eau encre de Chine, légèrement ridée, et les regarda disparaître. Il retira ses bottes et les jeta aussi. Elles sombrèrent immédiatement.

Puis il retourna, en chaussettes, à la voiture, enfila les mocassins qu'il avait apportés, et entreprit de rentrer chez lui. Il se sentit soudain très fatigué. Il conduisit lentement, prudemment, pour ne pas se faire flasher par un radar, pour ne pas attirer l'attention d'éventuels flics.

Le lendemain matin, il irait directement laver sa voiture près de la gare de Hove – un endroit toujours bondé, que les taxis utilisaient, où toutes les voitures arrivaient crasseuses, où il y avait toujours la queue, où personne ne ferait attention à une BMW X5 couverte de boue.

22

Grace ôta le bout de cigare fumant de sa bouche, bâilla, puis le remit entre ses lèvres. Dans un accès de concentration, il le mordit, tout en ramassant ses cinq cartes sur le tapis de jeu vert froissé. Une petite pile de jetons de cinquante pence était amoncelée au milieu de la table – les premières mises de chaque joueur. Devant lui se trouvaient des verres de whisky, de vin, des piles de pièces de monnaie et de jetons, quelques cendriers pleins à ras bord, entourés de miettes de chips et de sandwichs. La pièce était plongée dans un épais nuage de fumée. Dehors, la pluie et le vent lacéraient les hautes fenêtres qui donnaient sur la Manche et les lumières du Palace Pier.

Ils jouaient toujours au Dealer's Choice, et à chaque fois que c'était son tour, Bob Thornton, un commissaire à la retraite depuis longtemps, choisissait le poker fermé, la variante que Grace aimait le moins. Il regarda sa montre : 00:38. Comme d'habitude, pour leur soirée poker du jeudi, la dernière partie avait débuté à minuit et demi et il n'y aurait plus que deux mains après celle-ci.

La soirée n'avait pas été bonne pour Grace. Malgré ses chaussettes turquoise et sa chemise à rayures bleue porte-bonheur, il n'avait eu que des mauvaises cartes, avait fait une série de mauvais choix et s'était fait prendre en flagrant délit de bluff. La soirée avait été à l'image de la semaine : pourrie. Il avait déjà perdu cent cinquante livres et le dernier tour était souvent le plus vicieux.

Il regarda furtivement ses cartes tout en se concentrant sur les réactions de ses cinq collègues devant les leurs. Et il tressaillit insensiblement. Trois dix. La première main décente depuis au moins deux heures. Une main dangereuse : trop belle pour ne pas être jouée, mais pas gagnée d'avance.

Bob Thornton cachait bien son jeu. À soixante-quinze ans, cet homme élancé, énergique, qui jouait régulièrement au squash, avait un visage de faucon et des mains marbrées de taches brunes, presque reptiliennes. Il portait un cardigan vert sur une chemise en tartan à col ouvert, un pantalon en velours et des tennis. Il était de loin le plus âgé de la bande des dix joueurs réguliers qui se retrouvaient tous les jeudis soir, qu'il pleuve ou qu'il vente, chaque joueur invitant à tour de rôle.

Ce rituel avait commencé bien avant que Grace n'entre dans la police. Bob lui avait dit plus d'une fois que quand il les avait rejoints, il y avait maintenant des dizaines d'années de ça, il avait été le plus jeune de la bande. Voyant son trente-neuvième anniversaire pointer à l'horizon, Grace se demanda si un jour, comme Bob, il serait le vieux croûton de l'équipe.

Mais l'âge présentait un certain nombre d'avantages non négligeables. Bob était rapide comme l'éclair, cachait bien son jeu, se défendait férocement et habilement. Il ne repartait pas souvent les mains vides. Et comme par hasard, ce soir, une montagne de jetons et de pièces se dressait devant le bonhomme. Grace le regarda arquer les épaules en triant ses cartes près de sa poitrine, les jauger à travers ses lunettes d'un regard avide et alerte. Puis il le vit ouvrir et fermer la bouche, darder sa langue entre les lèvres comme un serpent et sut immédiatement qu'il n'avait pas de souci à se faire – sauf s'il avait de la chance à l'échange.

C'était à Grace d'ouvrir les paris. Il regarda les autres joueurs.

Tom Allen, trente-quatre ans, était officier à la PJ de Brighton. Le visage juvénile, sérieux, encadré par une tignasse de boucles brunes, il portait un sweat sur un T-shirt et fixait ses cartes impassiblement. Grace avait du mal à lire dans son jeu.

À côté de Tom se trouvait Chris Croke, un motard de la police, ou plutôt *gardien de la paix spécialisé dans la régulation du trafic routier*, selon la nouvelle nomenclature. Avec son allure athlétique, sculpturale, ses cheveux blonds coupés court, ses yeux bleus et son charme explosif, Croke était un homme à femmes, un don juan patenté, dont la vie ressemblait davantage à celle d'un play-boy qu'à celle d'un flic. C'était chez lui que se passait la soirée, dans son appartement chic, au cinquième étage de la résidence la plus en vue de Brighton, le Van Alen. Un tel train de vie aurait dû provoquer instinctivement la méfiance de Grace, mais tout le monde savait que l'ex de Croke était une héritière mondaine qui avait gagné une fortune au loto sportif.

Croke l'avait appréhendée pour excès de vitesse et il se vantait de l'avoir épousée malgré le PV qu'il lui avait dressé. Peu importait la vérité, c'était maintenant de l'histoire ancienne. Ce qui était sûr, c'est qu'il avait su tirer parti du mariage : elle avait fini par en avoir marre des horaires erratiques, qui sont le lot de nombreuses femmes de flics, et l'avait quitté en lui léguant une somme considérable.

Croke était impulsif, imprévisible. Depuis sept ans qu'il jouait avec lui, Grace avait toujours du mal à décrypter ses réactions. On aurait dit qu'il se moquait de perdre ou de gagner. Or, il est beaucoup plus facile de déchiffrer les attitudes de quelqu'un qui joue pour gagner.

Grace se concentra sur Trevor Carter, un homme calme à la calvitie galopante qui travaillait dans le service informatique du poste de Brighton. Habillé dans un style conventionnel – chemise grise, manches roulées jusqu'aux coudes, grosses lunettes démodées et pantalon marron en toile épaisse –, Carter était un fonctionnaire austère, un père de famille qui jouait comme si l'avenir de ses quatre enfants en dépendait. Il ne bluffait que rarement, ne montait que rarement et, par conséquent, repartait rarement avec de l'argent.

Un tic le trahissait : quand il avait un bon jeu, son œil droit clignait nerveusement. Et, dans le cas présent, des spasmes l'agitaient.

Il observa enfin Goeff Panone, trente ans, brigade des stups, T-shirt noir, jean blanc et sandales, cheveux bruns presque jusqu'aux épaules, boucle d'oreille en or, qui tirait sur un gros cigare. Grace avait compris, à force d'observation, que lorsqu'il avait une bonne main au poker fermé, il classait systématiquement ses cartes, ce qu'il ne faisait pas quand il avait un mauvais jeu. Méfiance : il classait justement ses cartes.

« À toi, Roy », lui dit Bob Thornton.

Personne ne pouvait parier plus qu'il y avait sur la table, ce qui permettait de rester dans la limite du raisonnable. Le plafond actuel était de trois livres. Pour ne pas annoncer la couleur, et pour que personne ne jette l'éponge au premier tour, Grace ouvrit avec une livre. Tous suivirent, jusqu'à Trevor, qui annonça trois livres, avec des clignements de plus en plus incontrôlés.

Geoff mit deux livres de plus. Bob Thornton hésita une fraction de seconde, suffisamment pour que Grace comprenne qu'il n'avait pas de jeu pour le moment et qu'il tentait sa chance parce que c'était le dernier tour. Il décida de passer la vitesse supérieure et mit trois livres de plus.

Tous le dévisagèrent. Ils savaient qu'il n'avait pas eu de jeu jusqu'à présent, que c'était un signe, mais qu'il était de toute façon trop tard pour inverser la vapeur.

Tom dévoila ses cartes en secouant la tête. Chris hésita quelques instants et mit cinq livres. Trevor et Geoff suivirent. Bob Thornton aussi.

131

« Combien de cartes ? » demanda Bob à Grace.

S'il en échangeait deux, tout le monde saurait qu'il avait une tierce. Mais d'un autre côté, en échanger deux augmentait ses chances. Grace décida de n'en changer qu'une. Il posa le trois de trèfle et garda le sept de carreau. Il piocha un sept de cœur.

Son cœur fit un bond. *Un full !* Pas le meilleur, certes, mais une bonne main quand même : trois dix et deux sept. Les affaires reprenaient !

Certain, d'après ce qu'avaient tiré les autres, qu'il avait la meilleure main, Grace décida de tenter le tout pour le tout. À son mécontentement, les trois joueurs suivants se couchèrent et il réalisa qu'il avait poussé le bouchon trop loin. Mais à son grand soulagement, Trevor renchérit.

Sortant son portefeuille l'esprit confiant, Grace monta sur lui. Trevor continua à renchérir jusqu'à ce que Grace perde son sang-froid et, après avoir sorti plusieurs billets, demande à voir.

Il tirait nerveusement sur son cigare tandis que Trevor étalait ses cartes, une à une.

Oh merde, oh merde, oh merde.

Une quinte flush. 7, 8, 9, 10, valet, de la même couleur.

« Impressionnant ! » dit Croke.

« Bien joué ! s'exclama Bob Thornton. Il a bien caché son jeu ! »

« Je les ai eues au fur et à mesure, dit un Trevor au bord de l'extase. Je les ai tirées l'une après l'autre ! »

Grace s'enfonça dans son siège, déconfit. Ça arrivait une fois sur un million, peut-être moins que ça. Impossible à prévoir. Et pourtant, il aurait dû s'en douter, Trevor ne pariait jamais autant. Trevor savait qu'il était gagnant, Grace aurait dû demander à voir bien plus tôt.

« J'ai l'impression que tes pouvoirs surnaturels ont besoin d'être boostés, Roy », lança Croke pour le taquiner.

Tout le monde explosa de rire.

« Allez vous faire foutre ! » répondit Grace plus légèrement qu'il ne le pensait vraiment. Le commissaire principal Alison Vosper avait raison. Les gens se moquaient *vraiment* de lui. Ici, c'était dit amicalement, en plaisantant. Mais il y avait des policiers que cela ne faisait pas rire. S'il n'y faisait pas attention, sa carrière s'arrêterait là et il serait mis sur la touche.

Il avait perdu près de trois cents livres dans la partie.

À la fin de la soirée, ses pertes s'élevaient à quatre cent vingt-deux livres et cinquante pence.

Il n'était pas particulièrement guilleret quand il prit l'ascenseur pour rejoindre le parking, au sous-sol. Il était même tellement remonté contre lui-même et contre ses amis qu'il remarqua à peine, en rejoignant son Alfa Romeo garée dans la section visiteurs, la BMW X5 couverte de boue qui venait d'entrer.

23

« Yiha ! » Davey, dégoulinant, ouvrit le verrou du Portakabin, donna un coup de pied dans la porte et entra avec une démarche de shérif. « Yiha ! » annonça-t-il à la télévision, qui était toujours allumée, et à tous ses potes qui s'agitaient dans la lucarne. Laissant l'eau couler de sa casquette de base-ball, de son ciré et de ses bottes couvertes de boue, il marqua un temps d'arrêt pour les passer en revue. James Spader était au bureau. Il discutait avec une nana qu'il ne connaissait pas.

« On a shooté deux cents bestioles. Tu vois ce que je veux dire ? » dit Davey à James Spader en tordant la bouche comme s'il mâchait un chewing-gum.

Mais Spader l'ignora purement et simplement et continua à discuter avec la fille. Davey attrapa la télécommande qui traînait sur son lit et la pointa vers le téléviseur. « OK, je vois. Ben moi non plus, j'ai pas envie de tchatcher, tu vois ce que je veux dire ? » Il changea de chaîne. Deux gars qu'il ne connaissait pas se disputaient. Clic.

James Gandolfino se promenait entre les voitures chez un concessionnaire Mercedes et se dirigeait vers une jolie femme aux longs cheveux noirs.

Davey zappa et James disparut de la circulation. Il surfa sur une ribambelle de chaînes avec l'impression que personne n'avait envie de discuter avec lui. Il se dirigea donc vers le frigo. « Je vais me chercher un drink dans le minibar. » Il sortit un Coca, l'ouvrit d'une main, descendit la moitié de la canette, s'assit sur le lit et fit un rot. Sa montre indiquait 2:21.

Il n'avait pas du tout envie de dormir. Il voulait tailler la bavette, raconter à quelqu'un combien de lapins ils avaient descendus, avec son père, ce soir.

« Je t'explique même pas », dit Davey, avant de roter. Il vida les poches de son ciré, sortit deux cartouches pleines, puis accrocha sa veste au dos de la porte. Il s'assit lourdement au bord du lit et retira ses bottes l'une après l'autre en les jetant négligemment, comme il avait vu Clint le faire.

Puis il caressa les deux cartouches neuves. « Je te les réserve », annonça-t-il à Sean Penn, qui marchait vers lui. Mais Sean Penn n'était pas d'humeur à lui tenir le crachoir non plus.

Puis Davey se souvint. Il connaissait quelqu'un qui aurait envie de discuter. Il se mit à genoux, attrapa le talkie-walkie sous le lit et sortit l'antenne au maximum. *Zioup !*

Il appuya sur le bouton *listen* et entendit de la friture. Puis il essaya *talk.*

24

Éveillé comme en plein jour, Michael pleurait. Il était au bord du désespoir, ne savait pas quoi faire. Il était plus de deux heures du matin. On était vendredi, il était donc censé se marier le lendemain. Et il avait un milliard de trucs à faire.

Qui ou qu'est-ce qui avait enlevé le tube? Un blaireau l'aurait-il emporté dans son terrier? À quoi est-ce que ça pourrait lui servir? Non, les pas étaient bien trop lourds. C'étaient ceux d'un être humain, il en était sûr.

Qui?

Pourquoi?

Où était Ashley? Sa douce, sublime, délicieuse, dévouée, son adorable Ashley? Que pensait-elle à l'instant précis? Que pouvait-elle se dire?

Il continuait à espérer que c'était un horrible cauchemar, qu'il allait se réveiller d'une minute à l'autre, dans son lit, avec Ashley à ses côtés. Ça ne tenait pas debout.

Il entendit soudain un crissement aigu, puissant, clair. Le talkie-walkie! Puis quelqu'un dit, avec un fort accent américain : « Ils font de ces dégâts, tu te doutes même pas! »

Michael chercha désespérément la torche dans l'obscurité.

La voix reprit : « T'es pas le seul. Les gens ont zéro idée des ravages qu'ils font. T'as les vieux cons qui parlent de protection de l'environnement, qui font leur Mickey, mais ils savent même pas de quoi ils causent, tu vois ce que je veux dire? »

Michael trouva la lampe, l'alluma, repéra le talkie-walkie et appuya sur le bouton *talk*. « Allô? Allô, Davey? »

« Ouais, j'te parle. Je parie que tu sais que dalle. »

« Euh, qui êtes-vous? »

« Eh mec, te casse pas pour savoir qui je suis. Le problème, c'est que cinq lapins, ça broute autant qu'une chèvre. Ça t'en bouche un coin, hein ? »

Michael s'agrippa au boîtier noir, complètement déconcerté, se demandant si ce n'était pas une hallucination. Mais qu'est-ce qui se passait ? « Je pourrais parler à Mark ? À Josh, Luke, Robbo ? »

Le silence s'installa quelques secondes.

« Allô ? dit Michael. Vous êtes toujours là ? »

« Où veux-tu que j'aille, man ? »

« Qui êtes-vous ? »

« Disons que je suis L'Homme Sans Nom. »

« Écoutez, Davey, cette blague a déjà trop duré. J'en ai ras le bol, OK ? Sortez-moi de là. »

« Deux cents lapins, ça te scotche, pas vrai ? »

Michael fixa le talkie-walkie. Tout le monde était-il devenu fou ? Est-ce que c'était cet illuminé qui venait de retirer le tube ? Michael essayait désespérément de comprendre.

« Écoutez, dit-il. Des amis m'ont mis là-dedans pour me faire une blague. Vous pouvez m'aider à sortir, s'il vous plaît ? »

« Tu es dans la mouise, c'est ça ? » dit la voix avec l'accent américain.

Sans trop savoir si c'était un jeu ou quoi, Michael répondit : « Dans la mouise, exactement. »

« Et ça te fait quoi, deux cents lapins ? »

« Ce que ça me fait, deux cents lapins ? »

« Je te demande ce que tu penses d'un mec qui vient de descendre deux cents lapins. C'est un mec cool, non ? »

« Complètement d'accord, dit Michael. Un mec cool, je confirme. »

« OK, on est sur la même longueur d'onde, mec. »

« OK, mec. »

« C'est cool, non ? »

« Trop cool, dit Michael pour essayer de s'en faire un ami. Je me disais que peut-être, tu pourrais venir soulever le couvercle et on pourrait discuter tranquille... »

« Ben, je suis pas dans le mood, là... Je suis un peu KO... J'allais me mettre au pieu, faire dodo, tu vois ce que je veux dire ? »

Affolé, Michael dit : « Eh, non, ne fais pas ça, viens, on continue à discuter. Raconte-moi ce truc avec les lapins, Davey. »

« T'as pas compris, je m'appelle L'Homme Sans Nom. »

« OK, L'Homme Sans Nom, t'aurais pas un ou deux Advil, parce que j'ai un putain de mal de tête... »

« Un Advil ? »

« Oui. »

Silence. Parasites.

« Allô ? dit Michael. Tu es toujours là ? »

Il entendit un gloussement. « Advil ? »

« Allez, viens me sortir de là. »

Après un long silence, la voix dit : « Ben, ça dépend. C'est où : *là* ? »

« Dans un putain de cercueil. »

« Tu me fais marcher. »

« Je te jure que non. »

Nouveau gloussement. « T'es sérieux, vieux ? »

« Je suis sérieux, vieux. »

« Il faut que je te laisse, il est tard. Au dodo ! »

138

« Eh, s'il te plaît, attends... »

Le talkie-walkie redevint silencieux.

Dans la faible lueur de la lampe, Michael vit que l'eau avait monté considérablement au cours de la dernière heure. Il mesura de nouveau la profondeur avec son doigt. Une heure auparavant, elle arrivait à la hauteur de son index.

Elle était maintenant au niveau du poignet.

25

Roy Grace, chemise blanche à manches courtes et cravate sombre, le col ouvert, fixa le SMS qu'il venait de recevoir et fronça les sourcils :

J'arrête pas de penser à toi, Claudine xxx

Claudine ?

Assis devant son ordinateur qui n'arrêtait pas de biper, à chaque fois qu'arrivait un nouveau message, Roy se sentait fébrile. Il était un peu plus de neuf heures du matin, il était crevé et avait horriblement mal à la tête. Dehors, il pleuvait toujours des cordes et un courant d'air glacial traversait la pièce. Il regarda la pluie raviner le long de sa fenêtre, fixant le mur aveugle de l'impasse qui faisait office de vue, puis il dévissa le bouchon de la bouteille d'eau minérale qu'il avait achetée dans une station-service sur la route, farfouilla dans son tiroir et en sortit une boîte d'Advil. Il avala deux cachets puis regarda à quelle heure le message avait été envoyé : 2:14.

Claudine.

Nom de Dieu. Il percuta.

Son rendez-vous galant de mardi soir. La végétalienne de Toi & Moi qui détestait les flics. Elle avait été infecte, la soirée avait été un fiasco, et maintenant, elle le relançait par texto. Splendide.

Il hésitait entre lui répondre et supprimer le message purement et simplement, quand la porte de son bureau s'ouvrit. Vêtu d'un costume chocolat du plus bel effet, d'une cravate stupéfiante et de superbes bicolores chocolat et crème, Branson entra avec, dans une main, un café Starbucks fermé par un couvercle, et dans l'autre deux sacs en papier.

Il le gratifia d'un « Yo, man ! » enjoué, comme à son habitude, s'affala dans le fauteuil en face de Grace et posa le café et les deux sacs sur son bureau. « Je vois qu'il te reste une chemise. »

« Très drôle », répliqua Grace.

« T'as gagné, hier soir ? »

« Non, petit con, je n'ai pas gagné, si tu veux tout savoir. » Grace avait du mal à digérer ses pertes. Quatre cent vingt tout rond. Ce n'était pas l'argent qui lui posait problème, mais le fait qu'il n'aimait pas perdre, surtout autant.

« Tu as une gueule de déterré. »

« Merci. »

« Je plaisante pas. Tu as vraiment une sale gueule. »

« C'est gentil d'avoir fait le déplacement pour m'en informer. »

« Tu as déjà vu *Le Kid de Cincinnati* ? »

« Pas que je me souvienne. »

« Steve McQueen. Il perd tout lors d'une partie de cartes. La fin est géniale, tu t'en souviendrais. Le gosse lui propose un pari dans une impasse et lui jette son dernier jeton. » Branson souleva le couvercle de son café, éclaboussa le bureau, sortit un croissant aux amandes et fit tomber une traînée de sucre glace à côté des gouttes de café. « Tu en veux ? » proposa-t-il, grand seigneur, à Grace.

Grace secoua la tête. « Tu devrais manger plus sain au petit déjeuner. »

« Ben voyons... Pour que j'aie la même gueule que toi ? Tu as pris quoi ? Des germes de blé bio ? »

Grace leva la boîte d'Advil. « C'est tout ce dont j'ai besoin. Qu'est-ce que tu fous dans notre trou paumé ? »

« J'ai rendez-vous dans dix minutes avec la boss. Je viens me faire décorer par la brigade des stups. »

« T'as du pot. »

« Tout est dans la forme, c'est pas ce que tu m'as dit ? Il faut rester dans le champ de vision des supérieurs, non ? »

« C'est bien, mon garçon, tu as retenu la leçon, je suis impressionné. »

« En fait, c'est toi que je suis venu voir, vieux. » Branson sortit une carte d'anniversaire du second sac et la posa devant Grace. « Je la fais signer à tout le monde, c'est pour Mandy. »

Mandy Walker était à la brigade de protection des mineurs. Grace et Branson avaient tous les deux eu l'occasion de travailler avec elle.

« Elle part ? » demanda Grace.

141

Branson acquiesça, dessinant un ventre rond de ses mains. « Mais je pensais que tu serais au tribunal aujourd'hui. »

« Ajourné jusqu'à lundi. » Grace apposa sa signature aux côtés d'une douzaine d'autres. L'odeur du café et de la pâtisserie le tenta soudain. Tandis que Branson mordait dans son croissant, Grace plongea la main dans le sac, sortit le deuxième, en arracha la moitié et savoura cet instant de douceur. Mâchant lentement, il fixa la cravate de Branson dont les motifs géométriques donnaient presque la nausée, puis lui tendit la carte.

« Roy, cet appartement où on est allés mercredi, tu te souviens ? »

« Sur The Drive ? »

« Il y a un truc que je pige pas. J'ai besoin de ton avis de vieux singe. Tu as une minute ? »

« J'ai le choix ? »

Ignorant sa remarque, Branson poursuivit : « Je récapitule. » Il mordit dans son croissant, laissant tomber des morceaux de sucre glace et des miettes sur son costume et sur sa cravate. « On a cinq gars qui fêtent un enterrement de vie de garçon, OK ? Ils... »

On frappa à la porte. Eleanor Hodgson, l'assistante personnelle de Grace, entra avec une liasse de documents et de dossiers. Cette femme entre deux âges, efficace, plutôt coincée, cheveux noirs bien coiffés et visage régulier, légèrement démodé, semblait toujours inquiète ou contrariée. Dans le cas présent, c'était la cravate de Branson qui la chiffonnait.

« Bonjour, Roy, dit-elle. Bonjour, commandant Branson. »

« Comment allez-vous ? » lui répondit-il.

Elle posa les documents sur le bureau de Roy. « J'ai quelques rapports du médecin légiste de Huntington. L'un d'eux est celui que vous attendiez. »

« L'affaire Tommy Lytle ? »

« Oui. Voici aussi l'agenda et les documents pour votre réunion budget de onze heures. »

« Merci. » Tandis qu'elle quittait la pièce, il parcourut rapidement la pile et plaça le rapport Huntington au-dessus. Huntington, à Cambridge, était l'un des laboratoires de police technique et scientifique auxquels ils faisaient appel. Tommy Lytle était la plus ancienne de ses affaires non résolues. Il y avait vingt-sept ans de ça, un après-midi de février, Tommy, alors âgé de sept ans, avait quitté l'école à pied. C'était la dernière fois qu'on l'avait vu. À l'époque, le seul indice était le van Morris Minor aperçu par un témoin qui avait eu la présence d'esprit de noter l'immatriculation. Mais aucun lien n'avait pu être établi avec son propriétaire, un dangereux marginal connu pour des abus sexuels sur mineurs. Et il y avait deux mois de ça, par le plus grand des hasards, un collectionneur de vieilles voitures avait été arrêté en état d'ivresse au volant de ladite camionnette et le véhicule était tombé dans l'escarcelle de Grace.

En vingt-sept ans, la science avait fait un bond prodigieux. En analysant l'ADN, proclamaient fièrement les légistes de la police, ils pouvaient, si on leur laissait un peu de temps, retrouver trace de

143

quiconque était passé dans un endroit. Une cellule ayant échappé à l'aspirateur, un cheveu, une fibre textile, quelque chose cent fois plus petit qu'une tête d'épingle : il restait toujours une trace.

À présent, ils avaient le van. Le suspect était toujours vivant et les médecins légistes avaient passé le véhicule au microscope.

Malgré son affection pour Branson, Grace n'eut soudain qu'une envie : qu'il parte, pour qu'il puisse lire le rapport. S'il avait les preuves, il détenait un record : jamais un crime aussi ancien n'avait été résolu.

Branson s'envoya le dernier bout de croissant au fond du gosier et dit en mâchant : « On a cinq gars réunis pour un enterrement de vie de garçon, OK ? Le futur marié est un petit plaisantin : il a joué des mauvais tours à chacun d'entre eux dans le passé, en a même menotté un qui était censé se marier le lendemain matin à Brighton au siège d'un train de nuit pour Édimbourg. »

« Sympa », nota Grace.

« Ouais, le genre de pote dont on rêve tous. Je résume : au départ, ils sont cinq. À un moment donné, ils perdent le fiancé, Michael Harrison. Puis ils ont un accident, trois d'entre eux meurent sur le coup, le quatrième plonge dans le coma – il est mort la nuit dernière. Michael disparaît de la circulation, ne donne plus de nouvelles. On est vendredi matin, il est censé se marier dans un peu plus de vingt-quatre heures. »

Branson sirota une gorgée de café, se leva et marcha de long en large. Il s'arrêta, regarda le tableau de conférence sur lequel figurait une liste

144

inscrite en bleu. Il tourna la feuille et attrapa un feutre.

« On a Michael Harrison. » Il écrivit son nom et l'encercla. « On a les quatre potes morts. » Il dessina un deuxième cercle. « Et puis on a la fiancée, Ashley Harper. » Il fit un troisième cercle autour de son nom. « Et on a l'associé, Mark Warren. » Quatrième cercle. « Et... »

Grace le considéra d'un air intéressé.

« Ce qu'on a découvert sur l'ordinateur hier, n'est-ce pas ? »

« Un compte bancaire aux îles Caïmans. »

Gardant le stylo à la main, Branson se rassit en face de Grace.

Grace poursuivit. « L'associé n'était pas là pour l'enterrement de vie de garçon, c'est bien ça ? »

Branson était systématiquement impressionné par la mémoire qu'avait Grace des détails. On aurait dit qu'il se souvenait de tout. « Exact. »

« Parce que son avion a été retardé. »

« Pour le moment, c'est la version officielle. »

« Et qu'est-ce qu'il en dit ? Il pense qu'il est où, Michael Harrison ? Il n'aurait pas pris ses cliques et ses claques pour les îles Caïmans ? »

« Roy, tu as vu sa nana. N'importe quel mec normalement constitué serait incapable de la plaquer et de se faire la malle. Elle est sublime, intelligente et... » Branson se pinça les lèvres.

« Et quoi ? »

« Elle ment. J'ai testé ta méthode PNL, le coup des yeux. Je lui ai demandé si elle savait quelque chose pour les îles Caïmans, elle a répondu que non. Elle mentait. »

« Elle essayait sûrement de protéger son boss. Et de sauver la peau de son fiancé par la même occasion. » Grace fut distrait quelques instants par le bip d'un mail entrant. Puis il se creusa la tête. « Et toi, qu'est-ce que tu en penses ? »

« J'ai plusieurs scénarios : ses potes se sont vengés et l'ont attaché quelque part. Ou alors il a eu un accident. Ou bien il a balisé et a pris la poudre d'escampette. Peut-être qu'il faut prendre en compte les îles Caïmans... »

Grace ouvrit un mail signalé comme important par un drapeau, envoyé par sa boss, Alison Vosper. Elle lui demandait s'il était libre pour un bref entretien à midi et demi. Il répondit positivement, tout en continuant à parler à Branson. « Ce type, son associé, Mark Warren, il l'aurait su, s'ils prévoyaient un sale coup, comme l'attacher à un arbre... »

« Mademoiselle Harper dit qu'il savait qu'il y avait plusieurs plans, mais qu'il ne savait pas celui qu'ils avaient choisi au final. »

« Tu as fait le tour des pubs ? »

« C'est prévu pour aujourd'hui. »

« Vidéosurveillance ? »

« C'est au programme aussi. »

« Tu as ratissé le fourgon ? »

À la mine affolée de Branson, Grace comprit qu'il ne l'avait pas fait. « Tu déconnes ? C'était pas la première chose à faire ? »

« Ouais, tu as raison. J'ai pas tout mis en route, pour le moment. »

« Tu as lancé un avis de recherche dans tous les ports et aéroports ? »

« Ouais, sa photo circule depuis ce matin. Il est porté disparu. »

Grace eut l'impression qu'un gros nuage noir venait de s'amonceler juste au-dessus de sa tête. *Porté disparu*. À chaque fois qu'il entendait cette expression, tout lui revenait en bloc. Il pensa à cette femme, Ashley, que Branson avait évoquée. Son fiancé disparaît la veille de leur mariage. Dans quel état pouvait-elle être ?

« Glenn, tu as dit que ce mec était un plaisantin. Tu penses pas qu'il puisse faire une grosse blague et qu'il va débouler, sourire aux lèvres ? »

« Sachant que quatre de ses meilleurs potes sont morts ? Il faudrait qu'il soit sérieusement atteint. » Branson regarda sa montre. « Tu fais quoi, pour déjeuner ? »

« Si Julia Roberts ne m'appelle pas, je suis libre. Oh, si tant est que N° 27 ne me retienne pas plus d'une demi-heure. »

« Comment va la délicieuse Alison Vosper ? »

Grace lui jeta un regard de désespoir et leva les sourcils. « Plus aigre que douce. »

« T'as jamais pensé la sauter ? »

« Si, une nanoseconde. Ou plutôt une femtoseconde. C'est la plus petite unité de temps, non ? »

« Ce serait bon pour ta carrière. »

« J'ai un meilleur plan de carrière. »

« Lequel ? »

« Ne pas essayer de sauter le commissaire principal. »

« Tu te souviens de Susan Sarandon dans *Moonlight Mile* ? »

147

« Pas plus que ça. »

« Elle me fait penser à Susan Sarandon dans ce film. Je l'aime bien, très chouette... Tu m'accompagnes à la fourrière, entre midi et deux ? On discutera en route. Je t'offre une bière et un sandwich quatre étoiles. »

« Un déjeuner à la fourrière ? Waouh. C'est bien ce que je me disais en voyant ta cravate : tu as vraiment une classe incroyable. »

26

L'eau continuait à monter. Michael avait fait le calcul : presque un centimètre par heure. Elle arrivait désormais juste en dessous de ses oreilles. Il tremblait de froid et commençait à avoir de la fièvre.

Toute la nuit, il avait creusé le couvercle avec la bouteille, comme un fou. Il ne lui restait plus qu'un fragment de verre et ses bras le faisaient souffrir. Le sillon qu'il avait creusé était profond, mais pas assez pour transpercer le bois.

Il se reposait à présent. Deux heures de boulot, une demi-heure de récupération : il faisait comme en mer. Mais il ne s'en sortirait pas. L'eau montait plus vite que le trou ne se creusait. Il aurait la tête sous l'eau avant que le trou soit assez grand pour qu'il sorte.

Toutes les quinze minutes, il appuyait sur le bouton *talk* du talkie-walkie. À chaque fois, seuls les parasites lui répondaient.

On était vendredi, il était 11:03.

Il se remit à creuser, de la poudre de verre et de la terre humide lui tombaient continuellement sur le visage. Le dernier fragment de verre diminuait à vue d'œil. Plus il frottait, plus il pensait. Quand le verre serait totalement érodé, il aurait la ceinture. Quand celle-ci serait usée, avec quoi creuserait-il? Le verre de protection de la torche? Les piles?

Un bruit aigu sortit du talkie-walkie, suivi de cette voix qui imitait un accent américain. « Hi, man, comment va? » Cette fois, il la reconnut.

Il appuya sur le bouton *talk*. « Davey? C'est toi? »

« Je mate les infos à la télé, lui annonça-t-il. Ils parlent de ce crash où je suis allé avec mon père, mardi. Mon pote, c'était une vraie boucherie! Ils ont tous fait game over – et il y en a un qui a disparu! »

Michael se cramponna soudain au talkie-walkie. « C'était quoi, Davey? C'était quoi, comme voiture? »

« Un Ford Transit. Je te promets, c'était trash! »

« Qu'est-ce que tu sais d'autre, Davey? »

« J'ai vu un gars qui est passé à travers le pare-brise, il avait la moitié de la tête arrachée. Je te jure, il avait le cerveau qui pendait. J'ai tout de suite compris qu'il était mal barré. Un seul survivant, mais il y est passé, lui aussi. »

Michael se mit à trembler de façon incontrôlable. « Ce gars qui a disparu, tu sais qui c'est? »

« Ben... »

« Dis-moi qui c'est! »

« Il faut que j'y aille, il faut que je donne un coup de main à papa. »

« Davey, écoute-moi. Ce gars, c'est peut-être moi. »

« Tu te fous de moi ? »

« Comment est-ce qu'il s'appelle, Davey ? »

« Euh, j'en sais rien. Ils disent juste qu'il devait se marier demain. »

Michael ferma les yeux. *Oh non, mon Dieu, non...* « Davey, est-ce que l'accident, enfin, le crash, a eu lieu mardi soir vers neuf heures ? »

« À la louche. »

Michael serra le talkie-walkie contre sa bouche et articula, avec une opiniâtreté nouvelle : « Davey, ce mec, c'est moi ! C'est moi qui me marie demain ! »

« Tu te fous de moi ? »

« Non, Davey, écoute-moi bien. »

« Il faut que j'y aille, je te rappelle tout à l'heure. »

Michael hurla. « Davey, ne bouge pas, je t'en prie, ne pars pas. Tu es la seule personne qui puisse me sauver la vie ! »

Silence. Seul le crissement statique indiquait qu'il était toujours à l'autre bout.

« Davey ? »

« Il faut que j'y aille, tu vois ce que je veux dire ? »

« Il faut que tu m'aides. Tu es la seule personne au monde qui puisse m'aider. Tu veux bien m'aider ? »

Nouveau long silence. Puis : « Tu as dit que tu t'appelais comment, déjà ? »

« Michael Harrison. »

« Ils viennent de dire ton nom à la télé ! »

« Tu as une voiture, Davey ? Tu sais conduire ? »

« Mon père a une dépanneuse. »

« Est-ce que tu peux me passer ton père ? »

« Euh, je sais pas trop. Il est très speed, là. Il faut qu'on aille remorquer une voiture qui est HS. »

Michael cherchait désespérément comment communiquer avec ce genre de personnage. « Davey, est-ce que tu aimerais être un super-héros ? Est-ce que tu aimerais passer à la télé ? »

La voix se fit ironique. « Moi à la télé ? Tu veux dire, comme une star de ciné ? »

« Exactement, tu pourrais être une star de ciné ! Passe-moi ton père et je lui dirai comment faire de toi une star. Pourquoi est-ce que tu me le passerais pas, hein ? »

« Je sais pas. »

« Davey, s'il te plaît, appelle ton père. »

« C'est que... Il y a un problème. Mon papa ne sait pas que j'ai ce talkie-walkie et il deviendrait fou s'il l'apprenait. »

Pour le flatter, Michael dit, sur un ton badin : « Je pense au contraire qu'il serait très fier de toi s'il savait que tu es un héros. »

« Tu le jures ? »

« Je le jure. »

« Il faut que j'y aille. À plus ! À vous les studios ! »

Le talkie-walkie replongea dans le silence.

Au bord des larmes, Michael gémit : « Davey, je t'en prie, ne me laisse pas, passe-moi ton papa, s'il te plaît, Davey ! »

Mais Davey était parti.

27

Assise dans un vieux fauteuil profond dans le minuscule salon du petit pavillon de la mère de Michael, Ashley, pâle, regardait fixement devant elle à travers un voile de larmes. Elle considéra sans appétit l'assiette de biscuits à laquelle personne n'avait touché, sur la table basse ; puis, posée sur un faux poêle à charbon, une photo en couleurs de Michael sur un vélo, à l'âge de douze ans ; enfin, à travers les rideaux en dentelle au crochet, la pluie battante et les terrains de sport, juste derrière l'hippodrome de Brighton.

« Le couturier vient à deux heures, dit-elle. À votre avis, que dois-je faire ? » Elle trempa ses lèvres dans son café et se tamponna les yeux avec un mouchoir. Bobo, le chien de Gill Harrison, un minuscule shih-tzu blanc qui portait un nœud sur la tête, regarda Ashley et réclama un biscuit en gémissant. Elle caressa les poils doux de son ventre à la place.

Gill Harrison se tenait au bord du canapé, en face d'Ashley. Elle portait un T-shirt blanc difforme, un bas de jogging et des baskets blanches bon marché. Un ruban de fumée s'entortillait autour de ses doigts. La lumière se réfléchissait dans le diamant d'une bague de fiançailles beaucoup trop gros pour être vrai, à côté d'une fine alliance en or. Un bracelet pendait à son poignet.

Sa voix rauque, teintée d'un léger accent du Sussex, trahissait son accablement. « C'est un bon garçon. Il n'a jamais laissé tomber personne. C'est ce que j'ai dit au policier qui est venu. Ça ne lui ressemble pas. Ça n'est pas du tout son genre. » Elle secoua la tête et tira longuement sur sa cigarette. « Il aime faire des blagues... » Elle eut un rire bref. « Quand il était petit, il semait la terreur, à Noël, avec cette espèce de coussin péteur... Les gens faisaient des bonds. Mais ça ne lui ressemble pas, Ashley. »

« Je sais. »

« Il lui est arrivé quelque chose. Ses amis lui ont fait quelque chose. Ou alors il a eu un accident, lui aussi. Il ne vous a pas quittée. Il est passé, dimanche dernier, on a pris le thé ensemble. Il m'a dit à quel point il vous aimait, à quel point il était heureux, mon Dieu, vous le rendez si heureux. Il m'a parlé de cette maison que vous aviez trouvée, à la campagne, celle que vous vouliez acheter, vos projets... » Elle tira une nouvelle fois sur sa cigarette et toussa. « C'est un garçon débrouillard. Depuis que son père... » Elle se pinça les lèvres et Ashley vit que le sujet était toujours très douloureux. « Depuis que son père... Il vous en a parlé ? »

Ashley acquiesça.

« Il a pris sa place. Je ne m'en serais pas sortie sans Michael. Il était fort. Fort comme un roc. Pour moi et pour Carly... Vous vous entendrez bien avec Carly. Il lui a payé un aller-retour, pour qu'elle puisse revenir d'Australie et être là pour le mariage, quel amour. Elle sera là d'une minute à l'autre. Elle m'a appelée de l'aéroport, il y a deux heures. » Elle secoua la tête, désespérée.

Ashley, vêtue d'un jean baggy marron et d'une chemise blanche ajourée, lui sourit.

153

« J'ai fait la connaissance de Carly juste avant qu'elle ne parte pour l'Australie. Elle était passée au bureau. »

« C'est une fille bien. »

« Si elle est comme vous, elle doit être adorable. »

Gill Harrison se pencha et écrasa sa cigarette. « Vous savez, Ashley, Michael a travaillé dur toute sa vie. Il distribuait les journaux quand il était gosse, pour nous aider, Carly et moi, et puis il s'est mis avec Mark. Personne ne l'a jamais vraiment apprécié, Mark. Il est gentil, mais... »

« Mais quoi ? »

Gill secoua la tête.

« Dites-moi. »

« Je connais Mark depuis qu'il est petit. Michael et lui étaient inséparables. Mais Mark s'est toujours accroché à ses basques. Parfois, je me dis qu'il est jaloux de Michael. »

« Je pensais qu'ils formaient une bonne équipe », dit Ashley.

Gill sortit un paquet de Dunhills de son sac à main, prit une autre cigarette et la porta à ses lèvres. « Je lui ai toujours dit de se méfier de lui. Michael est naïf, il fait trop confiance aux gens. »

« Que voulez-vous dire ? »

Elle sortit un briquet en plastique bon marché de son sac et alluma sa cigarette. « Vous avez une bonne influence sur Michael. Vous ferez attention à lui, n'est-ce pas ? »

Bobo réclama de nouveau un biscuit. L'ignorant, Ashley répondit : « Michael est fort. Il va s'en sortir, tout va s'arranger. »

« Bien sûr. » Elle jeta un coup d'œil vers le téléphone, qui était posé sur une table, dans un coin. « Tout va bien. Il va appeler d'une minute à l'autre. Ces pauvres garçons. Ils comptaient tellement pour lui. Je ne peux pas croire... »

« Moi non plus. »

« Vous avez rendez-vous avec le couturier, ma chère. Vous devriez y aller. La fête continue. Michael sera là. Vous y croyez, n'est-ce pas ? »

Après une brève hésitation, Ashley répondit : « Bien sûr que j'y crois. »

« Voyons-nous plus tard. »

Ashley se leva, s'approcha de sa future belle-mère et la serra fort dans ses bras. « Tout va s'arranger. »

« Vous êtes ce qui lui est arrivé de mieux. Vous êtes merveilleuse, Ashley. J'ai été tellement heureuse quand Michael m'a annoncé que... que... » Elle luttait contre l'émotion qui la prenait à la gorge. « Que vous alliez... que vous alliez vous... »

Ashley l'embrassa sur le front.

28

Assis à côté de Branson dans la Ford bleue, Grace serrait les dents, s'accrochait à son siège, regardait filer le paysage derrière les essuie-glaces et la pluie battante. Peu soucieux de l'angoisse de son passager, Glenn Branson enchaînait les virages serrés, fier de montrer ce qu'il avait récemment appris lors d'un stage intensif de conduite sur circuit. La radio, programmée sur une station de rap, était bien trop forte pour Grace.

« Je me débrouille pas mal, hein ? »

« Euh, ouais », répondit Grace, partant du principe que moins il parlerait, plus Branson se concentrerait sur la route et plus ils multipliaient leurs chances de s'en sortir. Il se pencha et baissa le son.

« Jay-Z, dit Branson. Magique, non ? »

« Magique. »

Ils entrèrent dans un long virage à droite. « Ils m'ont expliqué qu'il fallait serrer à gauche pour ouvrir les angles. C'est un bon truc, hein ? »

Un virage à gauche se profilait. De l'avis de Grace, ils roulaient trop vite pour le négocier. « Excellent conseil », dit-il d'une voix d'outre-tombe.

Ils sortirent du virage et rebondirent sur un cassis.

« T'as la trouille ? »

« Juste un peu. »

« Tu es une poule mouillée. Ça doit être l'âge. Tu te souviens de *Bullitt* ? »

« Steve McQueen ? Tu l'aimes bien, hein ? »

« Je l'adore ! Meilleure course-poursuite de l'histoire du cinéma. »

« Qui se termine dans un accident monstre. »

« C'est un film génial », répéta Branson, sans relever ou, plutôt, ignorant volontairement la remarque, pensa Grace.

Sandy conduisait vite. Ça allait de pair avec sa témérité naturelle. Il avait toujours eu peur qu'elle n'ait un grave accident. Elle semblait incapable d'appréhender les lois aérodynamiques selon lesquelles une voiture termine ou pas un virage. Pourtant, pendant les sept années de vie commune, elle n'avait pas eu le moindre accident, pas la moindre égratignure.

Au loin, à son grand soulagement, Grace vit le panneau FOURRIÈRE BOLNEY fixé à une haute barrière en plaques de métal surmontée de fils barbelés. Branson freina violemment et donna un coup de volant, passa devant un panneau CHIEN MÉCHANT et arriva dans la cour d'un immense hangar moderne.

Attrapant un parapluie dans le coffre, ils piétinèrent jusqu'à l'interphone, s'arrêtèrent devant un portail gris et sonnèrent. Quelques instants plus tard, un homme d'une trentaine d'années, rondouillard, cheveux gras, T-shirt crasseux et bleu de travail, tenant un sandwich entamé dans une main tatouée, vint leur ouvrir.

« Commandant Branson et commissaire Grace, annonça Branson. C'est moi qui vous ai appelé tout à l'heure. »

Sans s'arrêter de mastiquer, l'homme resta interdit quelques secondes. Derrière lui, des dizaines de véhicules sévèrement endommagés croupissaient dans le hangar. Ses yeux indiquaient qu'il faisait un effort de mémoire. « Le Ford Transit, c'est ça ? »

« Absolument », répliqua Branson.

« Blanc ? Remorqué mardi par Wheeler ? »

« Celui-là même. »

« Il est dehors. »

Ils signèrent le registre, puis le suivirent. Ils traversèrent le hangar et sortirent par une porte située sur le côté. Ils arrivèrent dans une autre cour d'un demi-hectare, selon l'estimation de Grace, remplie de carcasses à perte de vue. Certaines étaient protégées par des bâches, d'autres étaient à la merci des éléments.

Tenant le parapluie très haut, pour que Branson puisse se protéger aussi, il considéra un minibus Rentokil qui avait brûlé après une sévère collision frontale. Difficile d'imaginer des survivants. Puis il remarqua une Porsche compressée en un peu moins de deux mètres. Et une Toyota scalpée.

Les fourrières lui donnaient envie de vomir. Grace n'avait jamais travaillé à la circulation, mais quand il était dans la police de proximité, il avait eu sa dose d'accidents de la route et ça ne l'avait pas vacciné. Un accident, ça pouvait arriver à tout le monde. N'importe qui pouvait partir le cœur léger pour un voyage plein de promesses et se retrouver quelques minutes plus tard, en un clin d'œil, parfois sans que ce soit de sa faute, dévoré par sa propre voiture, grillé vif, démembré par un monstre d'acier.

Il frissonna. Les véhicules qui atterrissaient ici, dans cet endroit sécurisé, avaient été impliqués dans des accidents graves ou mortels survenus dans la région. On les conservait là jusqu'à ce que la brigade accidents et parfois les techniciens de scène de crime aient obtenu toutes les informations utiles, avant de les envoyer à la casse.

Le petit gros en bleu de travail montra du doigt un amas de tôles blanches, tordues. Une partie du toit avait été arrachée, le pare-brise avait éclaté et la cabine avait été séparée, en zigzag, du reste du fourgon. La majeure partie de l'habitacle était couvert d'une bâche en plastique blanc. « C'est celui-là. »

Grace et Branson l'observèrent en silence. Grace n'arrivait pas à empêcher son cerveau d'imaginer des scènes horribles. Tous deux firent le tour du véhicule. Grace remarqua que les roues étaient couvertes de boue, que l'argile était plus grasse sur les marchepieds et qu'il y avait des éclaboussures sur la peinture, qui disparaissaient lentement sous la pluie.

Il passa le parapluie à son collègue et ouvrit avec difficulté la portière tordue côté conducteur. Il fut immédiatement assailli par une odeur pestilentielle de sang caillé. Il avait beau l'avoir sentie des centaines de fois, c'était toujours aussi insupportable. À chaque fois, il avait l'impression de sentir la mort en personne.

Retenant sa respiration, il retira le plastique. Le volant avait été arraché et la partie conducteur du siège avant était complètement aplatie. Il y avait des taches de sang sur toute la banquette, par terre et sur le tableau de bord.

Il replaça la bâche et grimpa dans le Ford Transit. C'était sombre, d'un silence surnaturel. Il avait la chair de poule. Une partie du moteur avait traversé la tôle et les pédales étaient soulevées d'une façon improbable. Il se pencha pour ouvrir la boîte à gants, en sortit un manuel d'utilisation, un tas de tickets de parking, des reçus de station-service et quelques cassettes sans indication. Il les tendit à Branson.

« Tu ferais bien de jeter une oreille. »

Branson les mit dans sa poche.

Plongeant sous le toit découpé en zigzag, Grace se glissa à l'arrière, ses chaussures résonnant sur la tôle ondulée. Branson ouvrit les portes arrière pour faire entrer un peu de lumière. Roy remarqua un jerrycan en plastique, une roue de secours, un cric et un ticket de parking dans un sac. Il sortit le ticket et constata que la date remontait à plusieurs jours avant l'accident. Il le tendit à Branson pour qu'il le mette sous scellé. Il y avait une chaussure de sport esseulée, une Adidas, pied gauche, qu'il passa à Branson, ainsi qu'un blouson d'aviateur en nylon. Il vérifia les poches, sortit un paquet de cigarettes, un briquet en plastique et une contre-marque de pressing à Brighton. Branson mit chaque objet sous scellé.

Grace, concentré, passa en revue le véhicule pour être sûr de n'avoir rien manqué. Puis il sortit du fourgon et se réfugia sous le parapluie. Il demanda à Branson : « Au fait, à qui appartient le véhicule ? »

« À Houlihan, les pompes funèbres, à Brighton. L'un des gars qui est mort travaillait là-bas. C'était l'entreprise de son oncle. »

« Quatre enterrements. Il doit y avoir moyen de négocier une belle ristourne », fit Grace en grimaçant.

« Tu peux être un vrai malade quand tu veux, tu sais ça ? »

L'ignorant, Grace réfléchit quelques instants. « Tu as parlé à quelqu'un, chez Houlihan ? »

« J'ai recueilli le témoignage du propriétaire, Sean Houlihan en personne, hier après-midi. Il était assez traumatisé, comme tu peux l'imaginer. Il m'a dit que son neveu était un bosseur, qu'il voulait toujours rendre service. »

« Comme tout le monde, non ? Et il lui avait donné la permission d'emprunter le Ford Transit ? »

Branson secoua la tête. « Non, mais il dit que c'était pas son genre. »

Roy marqua un temps de réflexion. « À quoi servait ce fourgon, habituellement ? »

« À transporter des macchabées. Dans les hôpitaux, les hospices, les maisons de vieux, les gens n'aiment pas voir débarquer un corbillard. T'as pas faim ? »

« J'avais faim avant de venir ici. »

29

Dix minutes plus tard, ils étaient assis à une table branlante, dans un coin d'un pub de campagne quasi désert. Grace cajolait sa pinte de Guinness des deux mains, Branson un Coca light, en attendant qu'arrive leur commande. Il y avait, à côté d'eux, une grande cheminée à l'ancienne remplie de bûches et une collection d'artefacts d'outils agricoles accrochée aux murs. Grace aimait ce genre de pub, un authentique vieux pub de campagne. Il détestait les pubs à thème, avec leurs noms ridicules, qui envahissaient insidieusement les paysages urbains, de plus en plus impersonnels.

« Tu as vérifié son portable ? »

« Je devrais avoir le détail cet après-midi », répondit Branson.

« Table 12 ? »

Grace leva les yeux et vit une serveuse portant un plateau avec leur commande. Un pain de viande pour lui, un steak d'espadon avec une petite salade pour Glenn Branson.

Grace piqua dans la tranche grasse et moelleuse avec son couteau – de la vapeur et de la sauce s'en échappèrent aussitôt.

« C'est un infarctus que tu as dans l'assiette, désapprouva Branson. Tu sais ce que c'est ? De la graisse de rognon, beurk ! »

Déposant une cuillerée de moutarde sur le bord de son assiette, Grace répondit : « Ce n'est pas ce que tu manges, qui tue, c'est la peur de ce que tu manges. C'est la peur qui tue. »

Branson commença son poisson. Tandis qu'il mâchait, Grace poursuivit : « J'ai lu que le niveau de mercure dans les poissons de mer a atteint un seuil dangereux, à cause de la pollution. On ne devrait pas manger du poisson plus d'une fois par semaine. »

Branson mastiqua plus lentement. Il avait l'air mal à l'aise. « Où est-ce que tu as lu ça ? »

« Dans *Nature*, je crois. C'est le journal scientifique le plus respecté. » Grace sourit, amusé par l'expression sur le visage de son ami.

« Merde, on mange du poisson quasiment tous les soirs. *Du mercure* ? »

« Tu vas finir en thermomètre ! »

« C'est pas drôle. Si... » Deux sonneries stridentes l'empêchèrent de terminer sa phrase.

Grace sortit son portable de sa poche et regarda l'écran les yeux ronds.

Pourquoi pas de réponse à mon texto, bel étalon ? Claudine xxx

« Mon Dieu, il ne manquait plus que ça, dit-il. Elle se prend pour Glenn Close. »

Branson leva les sourcils. « Très bien, Glenn Close, et il paraît qu'elle cuisine bio. Exactement ce qu'il te faut. »

« Celle-là ne mange pas de viande, mais c'est une vraie lapine. Quand je disais Glenn Close, je pensais à *Fatal Attraction*, la scène où elle jette le lapin vivant dans l'eau bouillante. »

« Avec Michael Douglas et Anne Archer, 1987. Très bon film. Il est passé sur le câble dimanche. »

Grace lui montra le texto.

Branson sourit. « *Bel étalon*, eh, eh ! »

« Détrompe-toi. Ça ne s'est pas fait et ça ne se fera jamais. »

Le portable de Branson sonna. Il le sortit de la poche de sa veste et répondit. « Glenn Branson, j'écoute. Vraiment ? Super. Je suis là dans une heure. » Il raccrocha et posa son portable sur la table. « Le relevé du téléphone de Michael Harrison vient d'arriver. Tu veux venir au poste et me donner un coup de main ? »

Grace réfléchit et consulta son agenda. Il avait fait en sorte de ne pas avoir de rendez-vous cet après-midi pour s'occuper de certains documents relatifs à l'affaire Suresh Hossain qu'Alison Vosper lui avait demandés à leur rendez-vous de 12:30. Et il voulait lire le rapport sur l'affaire Tommy Lytle. Mais ça avait attendu vingt-sept

163

ans, ce n'était plus à un jour près. La disparition de Michael Harrison, en revanche, revêtait un caractère d'urgence. Sans les connaître, Grace avait de la compassion pour les personnes concernées. Surtout pour la fiancée. Il savait combien la disparition d'un être cher pouvait être éprouvante. À ce moment précis, s'il pouvait aider, il devait le faire.

« OK, dit-il. Je viens. »

Branson mangea sa salade sans toucher à son poisson. Grace dévora son pain de viande à la graisse de rognons. « J'ai lu il y a quelque temps, dit-il à Branson, que les Français boivent plus de vin rouge que les Anglais, et vivent plus vieux. Que les Japonais mangent plus de poisson, mais boivent moins de vin que les Anglais, et vivent plus vieux. Que les Allemands mangent plus de viande rouge et boivent plus de bière que les Anglais, et vivent plus vieux aussi. Tu sais ce que c'est, la morale de l'histoire ? »

« Non. »

« Ce n'est pas ce qu'on mange ou ce qu'on boit qui nous tue : c'est le fait de parler anglais ! »

Branson sourit. « Je ne sais pas pourquoi je t'aime bien. Tu te débrouilles toujours pour me faire culpabiliser. »

« Allons retrouver Michael Harrison, que tu puisses passer un week-end tranquille. »

Branson poussa le poisson au bord de son assiette et descendit son Coca light.

« C'est plein d'aspartame, ce truc, dit Grace en considérant le verre avec un air de désapprobation. J'ai lu une théorie sur Internet comme quoi ça peut te donner le lupus. »

« Le quoi ? »

« Le lupus. C'est pire que le mercure. »

« Merci, bel étalon. »

« Ben quoi, tu vas pas être jaloux, maintenant ? »

*
* *

Dès qu'ils entrèrent par la porte de service de l'immeuble de six étages, décrépi, qui abritait le poste de police de Brighton, Grace fut saisi par la nostalgie. Ce poste avait la réputation d'être le plus effervescent de Grande-Bretagne. Grace avait adoré bosser ici. Presque quinze ans. L'endroit bruissait, pulsait et c'était cette agitation qui lui manquait le plus dans ses nouveaux locaux, au siège de la PJ, dans sa banlieue somme toute calme.

Dans les escaliers en ciment aux murs bleus, sur lesquels étaient punaisées les habituelles procédures et annonces d'événements, ça sentait déjà l'effort. Pas comme dans un hôpital, dans une école ou dans une administration. Ici, ça sentait l'énergie pure.

Ils dépassèrent le troisième étage, où se trouvait son ancien bureau, et traversèrent un long couloir au quatrième, passèrent devant un tableau sur lequel était écrit, en majuscules : « Pourcentage de crimes résolus, avril : 27,8 %. » Puis Grace suivit Branson dans la pièce qu'il avait transformée en salle opérationnelle pour Michael Harrison. Six bureaux, avec six ordinateurs. Deux d'entre eux étaient occupés par des policiers qu'il connaissait et appréciait : le lieutenant Nick Nicholl et le commandant Bella Moy. Il y avait un chevalet, un tableau Weleda au mur et, juste à côté, une carte à grande échelle du Sussex, sur laquelle étaient plantées une multitude de punaises de couleur.

« Café ? » proposa Branson.

« Pas pour le moment, merci. »

Ils s'arrêtèrent au niveau du bureau de Bella, qui était couvert de tas bien ordonnés entre lesquels se trouvait une boîte de Malteser. Montrant du doigt les piles, elle dit : « J'ai les relevés du portable de Michael Harrison entre mardi matin et ce matin, neuf heures. Je me suis dit que ce serait bien d'avoir aussi ceux de ses quatre amis. »

« Bien vu », souligna Branson, impressionné par son initiative.

Elle montra du doigt l'écran de son ordinateur, sur lequel se trouvait une carte. « J'ai référencé toutes les antennes des opérateurs que les cinq gars utilisaient : Orange, Vodaphone et T-Mobile. Orange et T-Mobile fonctionnent à une fréquence plus élevée que Vodaphone, l'opérateur de Michael Harrison. Le dernier signal émis par son portable provient de l'antenne de Pippingford Park, sur la A22. Mais j'ai découvert qu'on ne pouvait pas être sûr que ce soit la plus proche, car quand le réseau est occupé, les signaux sont relayés par l'antenne suivante. »

Elle ira loin, cette jeune femme, pensa Grace. Étudiant la carte quelques instants, il demanda : « Quelle est la distance entre deux antennes ? »

« En ville, cinq cents mètres environ. Mais à la campagne, plusieurs kilomètres. »

Par expérience, Grace savait que les opérateurs téléphoniques utilisaient un réseau d'antennes qui fonctionnaient comme des balises. Les mobiles, qu'ils soient en communication ou pas, envoyaient constamment des messages vers la balise la plus proche. Il n'était pas difficile de suivre les mouvements d'un utilisateur de portable à partir de ces informations. Mais c'était bien évidemment beaucoup plus facile en ville qu'à la campagne.

Bella se leva et marcha jusqu'à la carte du Sussex accrochée au mur. Elle montra une punaise bleue, au centre de Brighton, entourée de punaises verte, violette, jaune et blanche. « J'ai symbolisé le téléphone de Michael Harrison par des punaises bleues. Les quatre autres ont une couleur chacun. »

Grace fixait son doigt tandis qu'elle poursuivait : « Comme vous pouvez le constater, les cinq punaises sont restées ensemble de dix-neuf heures à vingt et une heures. » Elle désigna trois lieux. « Il y a un pub à chacun de ces endroits, dit-elle. Mais c'est là que ça devient intéressant. » Elle montra un endroit à quelques kilomètres au nord de Brighton. « Les cinq punaises sont ensemble ici. Puis nous n'en avons plus que quatre, là. »

« Verte, violette, jaune et blanche, dit Branson. Pas de bleue. »

« Exact », répondit-elle.

« Où est allée la bleue ? »

« Nulle part », annonça-t-elle avec enthousiasme.

« Ils se sont donc séparés à... huit heures quarante-cinq environ ? » poursuivit Grace.

« À moins qu'il n'ait laissé son téléphone quelque part. »

« Bien sûr. »

« On parle là d'un périmètre de seize kilomètres de diamètre environ, à une vingtaine de kilomètres au nord de Brighton? » demanda Branson.

« Est-ce que le téléphone continue à émettre des signaux? » demanda Grace, distrait par Bella, qui, en plus d'être intelligente, était ravissante. Il l'avait déjà croisée, mais ne l'avait jamais vraiment *remarquée*, à proprement parler. Elle avait un très joli minois, et à moins d'avoir mis des chaussettes dans son soutien-gorge, une poitrine très généreuse, ce à quoi il était ultrasensible. Il reprit ses esprits et se concentra sur l'affaire. Puis il jeta un coup d'œil pour voir si elle portait une bague. Elle avait bien un saphir, mais pas à l'annulaire. Il en prit bonne note.

« Le dernier signal remonte à huit heures quarante-cinq, mardi soir. Depuis, plus rien. »

« Qu'est-ce que tu en dis, Bella? » demanda Grace.

Elle réfléchit quelques secondes, le fixant de ses yeux bleus alertes. Son regard n'exprimait qu'une déférence purement professionnelle à l'égard d'un supérieur hiérarchique. « J'ai discuté avec un technicien de l'opérateur téléphonique. Selon lui, le portable est soit éteint, soit dans une zone sans réseau, et ce depuis mardi soir. »

Grace approuva. « Ce Michael Harrison est un homme d'affaires ambitieux et très sollicité. Il doit se marier demain matin à une femme très belle, selon l'avis de tous. Vingt minutes avant un accident de la route mortel pour quatre de ses amis, son téléphone s'évapore. Au cours de cette

168

dernière année, il a discrètement transféré de l'argent de son entreprise sur un compte aux îles Caïmans. Au moins un million de livres. Et son associé, qui aurait dû participer à l'enterrement de vie de garçon, pour une raison ou pour une autre, échappe à la mort. Tout est correct, pour le moment ? »

« Oui », confirma Glenn Branson.

« Il est peut-être mort. Il a peut-être orchestré une superbe disparition. »

« Il faut passer au crible la zone que Bella a délimitée. Aller dans tous les pubs qu'ils peuvent avoir fréquentés. Parler à tous ceux qui le connaissent. »

« Et ensuite ? »

« Les faits, Glenn, tenons-nous, en d'abord aux faits. S'ils ne nous mènent pas à lui, nous commencerons à émettre des hypothèses. »

Le téléphone de Bella sonna. Elle décrocha et son expression trahit immédiatement que c'était important.

« Vous en êtes sûr ? dit-elle. Depuis mardi ? Vous n'êtes pas certain que c'était mardi ? Personne d'autre n'aurait pu le prendre ? » Quelques secondes plus tard, elle acquiesça. « Je suis d'accord avec vous. Merci. C'est sans doute d'une grande importance. Puis-je vous demander votre numéro ? »

Grace la regarda écrire *Sean Houlihan*, puis un numéro, sur un bloc-notes. « Merci, monsieur Houlihan. Merci beaucoup. Nous vous contacterons. »

Elle raccrocha et regarda Grace, puis Branson. « C'était monsieur Houlihan, le propriétaire des pompes funèbres où travaillait Robert Houlihan, son neveu. Il vient de se rendre compte qu'un cercueil a disparu. »

30

« Un cercueil a disparu ? » répéta Glenn Branson.

« Ce n'est pas quelque chose que l'on vole fréquemment, n'est-ce pas ? » souligna Bella Moy.

Grace garda le silence quelques instants, distrait par la mouche bleue qui tournoyait bruyamment dans la pièce depuis quelque temps et fonçait dans les fenêtres. L'identité judiciaire se trouvait juste en dessous. Les vêtements et les objets tachés de sang les attiraient comme des aimants. Grace les détestait. Les mouches bleues – ou *mouches à viande* – étaient, pour les insectes, l'équivalent des vautours. « Ce gars, Robert Houlihan, a emprunté le fourgon des pompes funèbres sans permission. Il a tout aussi bien pu prendre un cercueil. » Il jeta un regard énigmatique à Branson, puis à Bella et à Nick Nicholl. « On ne serait pas en présence d'une blague de très mauvais goût, par hasard ? »

« Tu veux dire que ses potes l'auraient mis dans un cercueil ? » dit Glenn Branson.

« Tu as une meilleure théorie ? »

Branson afficha un sourire crispé : « Les faits d'abord, n'est-ce pas ? »

Se tournant vers Bella, inconsciemment attiré par elle, Grace lui demanda : « Est-ce que ce Houlihan est sûr que le cercueil a disparu, qu'il ne l'a pas simplement égaré ? »

« Perdre ses clés de maison, c'est pas difficile, mais un cercueil... », répliqua Branson, un rien facétieux.

Bella l'interrompit : « Il en est sûr. C'était le plus cher de sa gamme – en tek indien. Il dit qu'ils sont conçus pour durer des centaines d'années, mais que celui-là avait un défaut de fabrication, que le bois était voilé ou quelque chose comme ça, que le fond n'était pas étanche, qu'il était en pourparler avec les fabricants, en Inde, à cause de ça. »

« Je n'arrive pas à croire qu'on importe des cercueils d'*Inde* ! On n'a pas d'ébénistes, en Angleterre ? » s'écria Branson.

Grace fixait la carte. Il fit un cercle du doigt. « C'est une zone étendue. »

« Combien de temps peut-on survivre dans un cercueil ? » demanda Bella.

« Ça dépend si le couvercle est bien fermé, si on a de l'air, de l'eau, de la nourriture. Sans air, pas longtemps. Quelques heures, un jour, peut-être », répondit Grace.

« Ça fait maintenant trois jours », nota Branson.

Grace se souvint d'avoir lu l'histoire d'une victime d'un séisme qui avait été retrouvée vivante dans les ruines de sa maison douze jours plus tard, en Turquie. « Avec de l'air, au moins une semaine, parfois plus, dit-il. On doit partir du fait que si c'était juste une mauvaise blague, ils lui ont laissé de l'air. Si ce n'est pas le cas, c'est un cadavre que nous cherchons. »

Il regarda l'équipe. « J'imagine que vous avez parlé à Mark Warren, l'associé ? »

171

« C'est aussi le témoin, répondit Nicholl. Il dit qu'il ne sait pas ce qui a pu se passer. Ils devaient faire la tournée des pubs, mais lui avait été retardé et avait raté la soirée. »

Grace fronça les sourcils, regarda sa montre, conscient que le temps filait. « Faire la tournée des pubs, c'est une chose, embarquer un cercueil, c'en est une autre. On ne décide pas de prendre un cercueil sur un coup de tête, n'est-ce pas ? » Il les regarda dans les yeux, l'un après l'autre.

Tous trois hochèrent la tête.

« Quelqu'un a parlé aux épouses, aux compagnes ? »

« Oui, répondit Bella. C'est difficile, parce qu'elles sont en état de choc, mais l'une d'elles était très remontée... Zoë. » Elle prit son bloc-notes et le feuilleta rapidement. « Zoë Walker, veuve de Josh Walker. Elle dit que Michael n'arrêtait pas de leur jouer des tours, elle est sûre qu'ils avaient prévu de se venger. »

« Et le témoin est censé ne pas être au courant ? Je n'y crois pas une seconde », dit Grace.

« Je suis quasiment sûr qu'il ne sait rien. Pourquoi est-ce qu'il mentirait ? » fit Nicholl.

Grace trouva inquiétante la naïveté du jeune officier. Mais il avait pour principe de laisser aux jeunes l'occasion de faire leurs preuves. Il n'insista pas sur le moment, mais se promit d'y revenir plus tard.

« La zone est immense, dit Branson. La forêt est dense, il faudrait une centaine de personnes pour la ratisser. »

« Il faut essayer de circonscrire nos recherches », fit Grace. Il attrapa le marqueur qui se trouvait sur

172

le bureau de Bella, dessina un cercle bleu sur la carte et se tourna vers Nicholl. « Nick, il nous faut une liste de tous les pubs dans ce périmètre. On commence par là. » Il se tourna vers Branson. « Tu as les photos des gars qui étaient dans le camion ? »

« Oui. »

« Bravo. Deux jeux ? »

« Une douzaine. »

« Faisons deux groupes. Le commandant Branson et moi, nous nous occupons de la moitié des pubs, vous deux, vous prenez en charge l'autre moitié. Je vais voir si on peut avoir un hélico pour survoler la zone. Même si la forêt est dense, ils auront plus de chance de voir quelque chose d'en haut. »

*
* *

Une heure plus tard, Glenn Branson se garait dans la cour déserte d'un pub baptisé le King's Head, sur Ringmer Road, à la périphérie du cercle qu'ils avaient défini. Ils descendirent de voiture et se dirigèrent vers la porte. Un panneau indiquait : « John et Margaret Hobbs, propriétaires. »

À l'intérieur, le bar était vide, tout comme la salle de restaurant, décrépie, sur la gauche. L'endroit sentait la cire et la vieille bière. Une machine à sous clignotait dans un coin, au fond, près d'une cible.

« Y'a quelqu'un ? » cria Branson.

Grace se pencha au-dessus du bar et vit une trappe ouverte. Il passa derrière le comptoir, se

173

mit à genoux et cria dans la cave, qui était éclairée par une faible ampoule. « Ouh ouh, y'a quelqu'un ? »

Une voix bourrue répondit : « J'arrive ! »

Ils entendirent un bruit bizarre, puis virent un fût gris, avec *Harvey's* gravé sur le côté, puis deux grosses mains crasseuses qui s'y agrippaient, suivies par une tête de grand gaillard au visage rougi par l'effort, en jean et T-shirt blanc, qui suait abondamment. Il avait la corpulence et le nez cassé d'un ancien boxeur. « Messieurs ? »

Branson lui montra sa carte de police. « Commandant Branson et commissaire Grace, de la police du Sussex. Nous cherchons le propriétaire, monsieur Hobbs. »

« Vous l'avez trouvé », déclara-t-il d'une voix rauque. Il se hissa hors de la trappe, se releva à grand-peine et les considéra avec méfiance. Il sentait la transpiration.

« Pourriez-vous regarder ces photos et nous dire si vous reconnaissez ces visages ? Ils sont peut-être passés chez vous mardi dernier. » Branson posa les photos sur le comptoir.

John Hobbs les observa l'une après l'autre, puis secoua la tête. « Non, jamais vus. »

« Vous travailliez, mardi dernier ? » lui demanda Grace.

« Je suis ici toutes les nuits que Dieu fait. Sept jours par semaine. Grâce à vous. »

« À nous ? » dit Grace.

« À la police de la route. Pas facile de gagner sa vie en tenant un pub de campagne quand vos copains de la circulation rôdent et font souffler toute ma clientèle. »

Ignorant le commentaire, Grace dit : « Vous êtes absolument sûr de ne les avoir jamais vus ? »

« Quand j'ai dix clients en semaine, c'est le Pérou. S'ils étaient venus, je les aurais vus. Je ne les reconnais pas. Je devrais ? »

Dans des situations comme celle-là, Roy Grace en voulait aux agents de la circulation. Pour la plupart des gens, les seules fois où ils étaient en contact avec la police, c'était quand ils se faisaient arrêter pour excès de vitesse ou pour souffler dans le ballon. De ce fait, au lieu de considérer les policiers comme des amis, et des gardiens de la paix, ils les considéraient comme des ennemis.

« Vous ne regardez pas la télé ? Vous ne lisez pas les journaux ? » demanda Grace.

« Non, répondit-il. J'ai pas le temps. C'est un crime ? »

« Quatre de ces gars sont morts, dit Glenn Branson, agacé par l'attitude du bonhomme. Ils se sont tués dans un accident de la route mardi soir. »

« Et vous déboulez, la bite à la main, pour accuser le pauvre tenancier de les avoir forcés à boire ? »

« Je n'ai pas dit ça, répondit Grace. Pas du tout. Je cherche ce gars, qui était avec eux. » Il désigna la photo de Michael.

Le propriétaire secoua la tête. « Jamais venu. »

Regardant les murs, Branson demanda : « Vous avez des caméras de surveillance ? »

« C'est une blague ? Comme si j'avais de quoi me payer un joli système vidéo. Vous savez où elles sont, les caméras ? » Il montra ses yeux. « Là. Et elles sont gratuites, de série, dès la naissance.

Maintenant, si vous voulez bien m'excuser, j'ai un fût à changer. »

Aucun des deux ne se donna la peine de répondre.

31

Michael frissonna. Quelque chose rampait dans ses cheveux, avançait lentement, mais sûrement, vers son front. Sans doute une araignée.

Terrorisé, il lâcha la boucle de ceinture, porta brutalement à son crâne ses doigts écorchés, ensanglantés par le rabotage, et secoua furieusement.

Il sentit la chose progresser sur son visage, sur sa joue, sa bouche, son menton.

« Nom de Dieu, casse-toi, saloperie ! » Il se gifla les joues des deux mains, puis sentit une petite chose gluante. Impossible de savoir ce que ç'avait été, mais c'était mort, désormais. Il essuya la traînée poisseuse engluée dans sa barbe de trois jours, qui le démangeait.

Il n'avait jamais eu de souci majeur avec la plupart des créatures, sauf avec les araignées. Enfant, il avait lu dans un journal local l'histoire d'un épicier qui avait failli mourir après avoir été mordu par une tarentule qui s'était cachée dans un régime de bananes.

La lampe n'éclairait plus que très faiblement. Le cercueil baignait dans une lueur vaguement orangée. Michael devait garder la nuque raide pour éviter que l'eau ne couvre ses joues, n'entre dans ses yeux et dans sa bouche. Un insecte l'avait mordu à la cheville quelque temps auparavant et ça piquait.

Il secoua la torche, qui s'éteignit complètement un instant. Puis le minuscule filament brilla quelques secondes.

Il faisait un froid glacial. Frotter était la seule chose qui l'empêchait d'être congelé. Il n'avait toujours pas transpercé le couvercle. *Il le fallait.* Il fallait qu'il y arrive avant que l'eau... Il essaya de chasser l'impensable de son esprit, mais n'y parvint pas. L'eau continuait à monter. Elle couvrait ses jambes et une partie de sa poitrine. D'une main, il protégeait le talkie-walkie et le maintenait entre son corps et le couvercle, pour qu'il ne soit pas mouillé.

Le désespoir, comme l'eau, le submergeait. Les paroles de Davey tournoyaient dans sa tête.

« *J'ai vu un gars qui est passé à travers le pare-brise, il avait la moitié de la tête arrachée. Je te jure, il avait le cerveau qui pendait. J'ai tout de suite compris qu'il était mal barré. Un seul survivant, mais il y est passé, lui aussi.* »

Un Ford Transit, dans un accident, à un endroit et à une heure qui concordaient, Pete, Luke, Josh, Robbo... Était-il possible qu'ils soient tous morts? Était-ce pour cela que personne n'était revenu le chercher? Mais Mark devait connaître leurs plans. C'était son témoin, putain de merde! Mark était sûrement en train de diriger une équipe pour le retrouver. Sauf, pensa-t-il avec inquiétude, s'il lui

177

est arrivé quelque chose à lui aussi. Peut-être les a-t-il rejoints au pub suivant, peut-être se trouvait-il dans le Ford Transit...

Il était quatre heures dix, on était vendredi après-midi. Il essaya d'imaginer ce qui pouvait bien se passer à ce moment précis. Que faisait Ashley ? Sa mère ? Est-ce que les préparatifs avançaient pour le lendemain, comme prévu ?

Il souleva la tête pour que sa bouche se trouve quelques précieux centimètres au-dessus du niveau de l'eau et cria, comme il le faisait régulièrement. « Au secours ! Aidez-moi ! Au secours ! »

Silence radio.

Il faut que je sorte.

Il y eut un sifflement, suivi d'un crissement, que Michael prit pour un craquement de bois, jusqu'à ce qu'il reconnaisse les parasites qui lui étaient désormais familiers. Et cette voix désincarnée, traînante, avec cet accent du sud des États-Unis : « Tu le pensais vraiment, man, ton histoire de passer à la télé ? »

« Davey ? »

« Salut mec, je viens de rentrer. C'était un massacre, mon pote ! T'aurais pas voulu être à la place du conducteur, c'est moi qui te le dis. Il leur a fallu deux heures pour le sortir des tôles et il n'était pas au top. Enfin, toujours mieux que la femme dans l'autre voiture, si tu vois ce que je veux dire... »

« Je vois », répondit Michael en essayant d'entrer dans son jeu.

« Pas sûr. Ce que je veux dire, c'est qu'elle était morte. Tu piges ? »

« Morte ? Je pige, oui, oui. »

178

« On sait tout de suite, juste à les voir, ceux qui vont y passer et ceux qui vont s'en sortir. Ça marche pas à tous les coups, mais presque! Tu vois ce que je veux dire, hein? »

« Davey, dans cet accident de mardi dernier, tu te souviens combien de personnes il y avait? »

Après quelques secondes de silence, Davey dit : « Je peux te le dire rien qu'en comptant les ambulances. Dans les accidents graves, il y a une ambulance par personne. Il y en a une qui partait quand on arrivait, une qui était encore là... »

« Tu ne connaîtrais pas, par hasard, le nom des victimes? »

À la grande surprise de Michael, Davey débita presque instantanément : « Josh Walker, Luke Gearing, Peter Waring, Robert Houlihan. »

« Tu as une bonne mémoire, Davey, le félicita Michael pour l'encourager. Y avait-il quelqu'un d'autre dans cet accident? Un certain Mark Warren? »

Davey éclata de rire. « J'oublie jamais un nom. Si Mark Warren avait été dedans, je le saurais. Je me souviens de tous les noms, où je les ai entendus, quel jour et à quelle heure. Ça m'a jamais servi à rien. »

« Tu devais être bon en histoire, à l'école. »

« P'têt », lâcha-t-il sans conviction.

Michael eut envie de lui crier dessus, par pure frustration. Au lieu de ça, gardant patience, il dit : « Tu te souviens où l'accident s'est passé? »

« Sur l'A26. À 3,9 km au sud de Crowborough. »

Michael sentit un éclair d'espoir le traverser. « Je pense que je ne suis pas loin de là. Tu sais conduire, Davey? »

179

« Tu veux dire, une voiture ? »

« Ouais, c'est exactement ce que je veux dire. »

« J'imagine que ça dépend ce que tu entends par *conduire*. »

Michael ferma les yeux. Il devait y avoir un moyen de communiquer avec ce genre de personnage. *Mais lequel ?* « Il faut que tu m'aides, j'ai vraiment besoin de toi. Tu aimes les jeux ? »

« Les jeux vidéo ? J'adore ! Tu as la Playstation 2 ? »

« Pas sur moi, pas exactement. »

« On pourrait jouer en réseau ? »

De l'eau entra dans la bouche de Michael. Il la recracha, terrorisé. Nom de Dieu, elle montait vite, à présent. « Davey, si je te donne un numéro de téléphone, tu pourrais l'appeler ? Il faut que tu dises à quelqu'un où je suis. Tu pourrais faire un numéro, pendant que tu me parles ? »

« Houston, on a un problème. »

« Lequel ? »

« Le téléphone est chez mon père. Je t'explique. Il ne sait pas que j'ai ce talkie-walkie. Je devrais pas l'avoir. C'est notre secret. »

« Pas de problème, je peux garder un secret. »

« Mon père serait furieux. »

« Tu penses pas qu'il serait encore plus furieux s'il savait que tu aurais pu me sauver la vie et que tu ne l'as pas fait ? Je pense que tu es la seule personne au monde à savoir où je suis. »

« OK, je le dirai à personne. »

Michael avala une nouvelle gorgée d'eau. De l'eau sale, boueuse, saumâtre. Il cracha. Les muscles de ses bras, de ses épaules, de sa nuque le faisaient souffrir, tandis qu'il essayait de garder la tête hors de l'eau, dont le niveau continuait à monter. « Davey, je vais mourir si tu ne m'aides pas. Tu pourrais être un héros. Tu veux être un héros ? »

« Il va falloir que j'y aille, dit Davey. Je vois mon père, dehors, il a besoin de moi. »

Michael perdit patience et hurla : « Non, Davey, tu ne vas nulle part, bordel ! Il faut que tu m'aides. Il faut que tu m'aides, bordel de merde ! »

Il y eut un silence, très long, et Michael se demanda s'il n'y était pas allé un peu fort. « Davey ? dit-il plus gentiment. Tu es toujours là ? »

« Je suis toujours là. » La voix de Davey avait changé. Elle était soudain douce, docile. On aurait dit celle d'un petit garçon pris en faute, prêt à s'excuser.

« Davey, je vais te donner un numéro de téléphone. Tu peux le noter et passer un coup de fil ? Tu leur diras de me parler avec ce talkie-walkie, que c'est très très urgent. Tu peux faire ça pour moi ? »

« OK. Leur dire que c'est très *très* urgent. »

Michael lui donna le numéro. Davey lui dit qu'il allait téléphoner et qu'il le rappellerait sur le talkie-walkie juste après.

Cinq interminables minutes plus tard, la voix de Davey sortit de l'appareil. « Je suis tombé sur un répondeur », dit-il.

Michael joignit les mains de frustration. « Tu as laissé un message ? »

« Non, tu m'avais pas dit de le faire. »

32

La propriétaire du pub Les Moines, à Uckfield, était une grande femme à l'allure débraillée, pas loin de la cinquantaine, blonde, les cheveux en brosse, qui n'avait pas l'air tombée de la dernière pluie. Elle accueillit Grace et Branson d'un sourire engageant et observa attentivement les photos que Grace posa sur le comptoir.

« Hum, dit-elle. Je les ai déjà vus, tous les cinq. Attendez... Vers huit heures, mardi soir. »

« Vous en êtes sûre ? » demanda Glenn Branson.

Elle montra du doigt Michael. « Il avait l'air bien saoul, mais il était adorable. » Elle désigna la photo de Josh. « C'est lui qui payait les tournées. Il a commandé des bières et quelques vodkas frappées. Ce gars – elle indiqua de nouveau Michael – m'a dit qu'il allait se marier samedi. Que j'étais la plus belle femme du monde et que s'il m'avait rencontrée plus tôt, c'est moi qu'il aurait épousée. »

Elle sourit à Branson, puis gratifia Grace d'une moue aguicheuse. Elle sait s'y prendre avec les flics, pensa-t-il. Elle avait sans doute la police de son côté et ne s'embêtait pas avec les heures de fermeture.

« Les auriez-vous, par hasard, entendu parler des plans qu'ils avaient pour le reste de la soirée ? » demanda Grace.

« Non, mon petit. Ils étaient de bonne humeur. Ils n'étaient pas pressés. Ils étaient assis dans le coin, là-bas. » Elle montra du doigt une table et des chaises dans une alcôve, au fond de la pièce vide, décorée de médaillons de harnais. « Je n'ai pas fait très attention à eux, j'écoutais un de mes réguliers raconter ses problèmes de couple. Vous savez ce que c'est. »

« Hum », fit Grace.

« Vous ne savez donc pas où ils sont allés ensuite ? » demanda Branson.

Elle secoua la tête. « J'imagine qu'ils avaient décidé de se cuiter. Ils ont vidé leurs verres et sont partis. »

« Vous avez un système de vidéosurveillance ? »

Elle offrit à Grace un second sourire explicite. « Non, mon petit, désolé. »

Quand ils quittèrent le pub, se pressant de traverser la cour pour rejoindre leur voiture, sous une pluie toujours battante, en cette fin d'après-midi, Grace entendit, au loin, le bruit d'un hélicoptère. Il leva les yeux, mais ne vit rien. Branson ouvrit les portières. Il prit place, claqua la porte pour se protéger des intempéries et appela Bella et Nick.

« Comment ça va de votre côté ? »

« Pas folichon, répondit Nicholl. Il nous en reste deux, c'est pas la joie. Et vous ? »

« Trois », répondit Grace.

Branson démarra. « Elle a de beaux restes, la garce. À mon avis, tu peux te la faire. »

« Merci, après toi, répondit Grace. »

« Je suis marié et heureux en ménage. Tu devrais être un peu moins regardant. »

Roy Grace sortit son téléphone et passa en revue les messages de Claudine, la végétalienne de

Guildford qui détestait les flics. « Tu en as de la chance. J'ai l'impression que la moitié des femmes qui ne sont pas mariées sont cinglées. »

Il se tut quelques instants et reprit : « L'accident a eu lieu juste après neuf heures. C'est sans doute le dernier pub qu'ils ont écumé avant de le mettre dans le cercueil. »

« Ils ont peut-être réussi à en caser un autre. »

Ils questionnèrent les patrons des trois pubs qui figuraient sur leur liste, mais personne n'avait vu les gars. Nick et Bella avaient trouvé un tenancier qui les avait formellement reconnus. Ils étaient partis à vingt heures trente, visiblement bien imbibés. Ce pub se trouvait à huit kilomètres environ. Cette information découragea Grace. Elle ne leur permettait pas de préciser la position de Michael Harrison. Ils n'étaient pas plus avancés qu'au début.

« On devrait rentrer et parler avec son associé, dit Grace. C'est son témoin, il *doit* savoir quelque chose, tu ne penses pas ? »

« Je pense qu'on devrait fouiller la zone. »

« Oui, mais il faut la réduire d'abord. »

Branson démarra la voiture. « Tu m'avais parlé, il y a des lustres, d'un vieux schnock qui fait des trucs avec un pendule... »

Grace le considéra avec surprise. « Et alors ? »

« Je ne me souviens plus de son nom, mais tu disais qu'il pouvait retrouver des choses juste en agitant un pendule au-dessus d'une carte. »

« Je pensais que tu n'y croyais pas ? C'est toi qui me traite d'imbécile, qui me reproche d'aller sur ce terrain-là, et maintenant tu suggères qu'on voie un médium ? »

« Je désespère, Roy, je ne sais plus quoi faire. »

« On persévère, voilà ce qu'on fait. »

« Peut-être que ça vaudrait le coup d'essayer. » Grace sourit. « Je croyais que tu étais Mister Sceptique. »

« Je suis sceptique, mais on a perdu un gars qui est censé passer la bague au doigt d'une demoiselle demain, à quatorze heures. Et il nous reste... Il regarda sa montre. Il nous reste vingt-deux heures pour le retrouver. On a cent trente kilomètres carrés à passer au peigne fin et il fera nuit dans quatre heures. Qu'est-ce que t'en dis ? »

Personnellement Grace pensait que ce serait une bonne chose de faire appel à Harry Frame. Mais après le fiasco, au tribunal, mercredi, il n'était pas sûr que ça vaille le coup de risquer sa carrière. Si Alison Vosper l'apprenait... « Essayons d'abord toutes les autres méthodes, ensuite on verra, OK ? »

« Tu as peur de la réaction de la boss ? » le railla Branson.

« Quand tu auras mon âge, tu commenceras à penser à ta retraite. »

« Je m'en souviendrai. Dans trente ans. »

33

Ashley Harper habitait une minuscule maison en mitoyenneté proche d'une voie ferrée dans un quartier de Hove qui avait été populaire, mais qui était à présent une enclave incroyablement tendance – et chère – pour les célibataires ou pour un premier investissement. Les voitures garées dans la rue et les façades élégantes fleuraient bon le pouvoir d'achat.

Grace et Branson descendirent de voiture, passèrent devant une Golf GTI et une Renault décapotable et sonnèrent au numéro 119, devant lequel était garée une Audi TT gris métallisé.

Quelques instants plus tard, une femme de vingt-sept ans environ, très belle, leur ouvrit. Elle adressa à Branson un sourire triste en le reconnaissant.

« Bonjour, Ashley, dit-il. Voici mon collègue, le commissaire Grace. Peut-on entrer et discuter ? »

« Bien sûr. Vous avez du nouveau ? » Elle regarda Grace.

Grace fut frappé par le contraste entre l'intérieur et l'extérieur. Ils venaient de pénétrer dans une oasis tendance et minimaliste. Moquette blanche, mobilier blanc, stores vénitiens en métal gris, grande litho de Jack Vettriano avec quatre gars en costume de luxe au mur – que Grace reconnut. Des rais de lumières de couleur zigzaguaient sur une chaîne hi-fi murale ; les aiguilles d'une horloge design, sans chiffre, indiquaient dix-huit heures vingt.

Elle leur proposa à boire. À Branson, elle apporta de l'eau minérale dans un verre raffiné, et à Grace, qui avait pris place à côté de lui dans un long canapé, un café noir dans une élégante tasse blanche.

« Trois témoins certifient avoir vu votre fiancé mardi soir dans des pubs près de la forêt d'Ashdown, lui annonça Glenn Branson. Tous ont également confirmé qu'il se trouvait avec quatre personnes, celles que vous connaissez. Mais nous ne savons pas ce qu'ils projetaient, à part se saouler. »

« Michael ne boit pas », répliqua-t-elle d'une voix blanche, tenant un grand verre de vin rouge des deux mains.

« Parlez-moi de Michael », lui demanda Grace en la regardant avec intensité.

« Que voulez-vous que je vous dise ? »

« Ce qui vous passe par la tête. Comment l'avez-vous rencontré ? »

Elle sourit, se détendant visiblement. « C'était au cours d'un entretien d'embauche pour leur cabinet, celui de Michael et de son associé. »

« Mark Warren ? » glissa Grace.

Elle eut un dixième de seconde d'hésitation, à peine perceptible, mais qui n'échappa pas à Grace. « C'est bien ça. »

« Où travailliez-vous, avant ? » lui demanda-t-il.

« Je travaillais pour une agence immobilière à Toronto, au Canada. Je suis revenue en Angleterre et puis j'ai trouvé ce poste. »

« Revenue ? »

« Je suis originaire d'Angleterre. Mes racines sont ici. » Elle sourit.

« Pour quelle agence, à Toronto ? »

« Vous connaissez Toronto ? » demanda-t-elle, légèrement surprise.

« J'y ai passé une semaine, il y a une dizaine d'années. À la DTP de la police montée. »

« Je vois. C'était une petite agence membre du groupe Bay. »

Grace hocha la tête. « Donc Michael Harrison et Mark Warren vous ont embauchée. »

« Hum, en novembre dernier. »

« Et puis ? »

« C'était un très bon job, bien payé. Je voulais en savoir plus sur les programmes immobiliers et ils avaient l'air sympas. J'ai – elle rougit –, j'ai tout de suite été attirée par Michael, mais j'étais sûre qu'il était marié ou qu'il avait une petite amie. »

« Excusez-moi d'être indiscret, mais quand avez-vous commencé à vous voir, avec Michael ? »

Elle marqua une courte pause et dit : « Très vite. Quelques mois après notre rencontre. Mais nous n'avons rien dit : Michael avait peur que Mark l'apprenne, qu'il le prenne mal s'il savait que – vous comprenez –, qu'il y avait quelque chose entre nous. »

Grace acquiesça. « Et quand Mark l'a-t-il découvert ? »

Elle rougit. « Un jour, il est revenu au bureau alors que nous ne l'attendions pas. »

Grace sourit. Elle lui était sympathique. Elle dégageait une sorte de vulnérabilité qui donnait envie de la protéger. Il ne la connaissait que depuis quelques minutes et se sentait déjà l'âme d'un protecteur. « Et ensuite ? »

« Pendant quelque temps, c'était un peu bizarre. J'ai proposé à Michael de démissionner, mais il m'a convaincue de rester. »

« Et Mark ? »

Grace remarqua la minuscule hésitation. Il y eut une crispation à peine visible des muscles de son visage. « Il n'y a pas vu d'inconvénient. »

« Ça n'a donc pas affecté votre relation professionnelle. »

« Non. »

Surveillant ses yeux, Grace lui demanda : « Saviez-vous qu'ils avaient une société off-shore, aux îles Caïmans ? »

Elle regarda subitement Branson, puis Grace. « Non. Je... je ne le savais pas. »

« Michael parlait-il parfois de paradis fiscal, pour monsieur Warren et lui-même ? »

La colère éclaira son visage avec une violence et une rapidité qui le surprirent. « Qu'est-ce que vous voulez ? Vous êtes de la police ou du fisc ? »

« Si vous voulez nous aider à retrouver votre fiancé, vous devez nous aider à le connaître. Dites-nous tout ce que vous savez, même si vous pensez que ça n'a rien à voir avec sa disparition. »

« Tout ce que je veux, c'est que vous le retrouviez. Vivant. Mon Dieu... »

« Votre fiancé ne vous avait pas dit ce qui était prévu pour son enterrement de vie de garçon ? » lui demanda Grace en se remémorant sa propre expérience. C'était Sandy, à qui il avait donné un itinéraire détaillé, qui l'avait récupéré, au petit matin, alors que ses amis l'avaient abandonné dans une ruelle de Brighton, nu comme un ver, en chaussettes, perché sur une boîte aux lettres.

Elle secoua la tête. « Ils devaient juste boire quelques bières, c'est tout ce qu'il m'avait dit. »

« Que ferez-vous s'il ne réapparaît pas avant demain, pour votre mariage ? » demanda Branson.

Des larmes coulèrent le long de ses joues. Elle sortit de la pièce et revint avec un mouchoir brodé, avec lequel elle se tamponna les yeux. Puis elle se mit à sangloter. « Je ne sais pas. Je ne sais vraiment pas. Je vous en prie, retrouvez-le. Je l'aime tellement, c'est insupportable. »

Grace attendit qu'elle se soit calmée, puis, regardant attentivement ses yeux de nouveau, lui demanda. « Vous étiez la secrétaire des deux hommes. Mark Warren ne vous a-t-il pas dit ce qu'ils avaient prévu ? »

« Juste une soirée entre garçons. De mon côté, je fêtais mon enterrement de vie de jeune fille, vous savez. C'est tout. »

« Vous savez que Michael a la réputation d'être un plaisantin ? » lui dit Grace.

« Michael a énormément d'humour. C'est une des choses que j'adore chez lui. »

« Vous n'avez pas entendu parler d'un cercueil ? »

Elle se redressa brusquement, crachant presque son vin. « Un cercueil ? Que voulez-vous dire ? »

Gentiment, Branson lui expliqua : « L'un des garçons, Robert Houlihan... Vous le connaissiez ? »

« Je l'ai rencontré quelquefois, oui. Un loser... »

« Ah bon ? »

« C'est ce que M... Michael disait. Il s'accrochait à la bande, mais n'en faisait pas vraiment partie. »

« Mais suffisamment pour participer à l'enterrement de vie de garçon ? » insista Branson.

« Michael déteste faire de la peine. Je pense qu'il voulait que Robbo soit de la partie. J'imagine que c'est parce qu'il a demandé aux autres d'être placeurs, à l'église, mais pas à lui... »

Grace but une gorgée de café. « Vous ne vous êtes pas disputés, avec Michael ? Rien qui

190

puisse laisser penser qu'il ait pu avoir peur de s'engager ? »

« Mon Dieu, dit-elle. Non. Jamais de la vie. Je... Il... »

« Où allez-vous pour votre lune de miel ? » demanda Grace.

« Aux Maldives. Michael a réservé dans un endroit fantastique. Il adore la mer, le bateau, la plongée. Ça a l'air paradisiaque. »

« Un hélicoptère survole la région. Nous avons réquisitionné cent policiers supplémentaires. S'il n'a pas réapparu ce soir, nous organiserons une fouille approfondie de la zone dans laquelle on l'a vu pour la dernière fois. Mais je ne veux pas faire perdre leur temps à une centaine de policiers pour découvrir qu'il bronze aux îles Caïmans aux frais du contribuable. Vous voyez ce que je veux dire ? »

Ashley hocha la tête. « Parfaitement, dit-elle, amère. C'est une question d'argent. Il ne s'agit pas de retrouver Michael. »

« Pas du tout, dit Grace, un ton en dessous. Ce n'est pas une question d'argent. Je suis prêt à tout mettre en œuvre pour retrouver Michael. »

« Alors commencez tout de suite. » Arquant ses frêles épaules, elle plongea son regard triste dans son verre de vin. « Je vous reconnais, j'ai lu le papier sur vous dans *L'Argus*. Et dans le *Daily Mail* hier. Ils essayaient de vous ridiculiser parce que vous êtes allé chez un voyant, c'est bien ça ? »

« Oui. »

« Moi aussi, j'y crois. Vous ne connaissez personne ? Vous voyez ce que je veux dire... avec vos contacts ? Y a-t-il des voyants, des médiums, qui localisent les gens qui disparaissent ? »

Grace jeta un coup d'œil à Branson, puis regarda Ashley. « J'en connais, oui. »

« Pourriez-vous demander à quelqu'un ou me mettre en relation avec quelqu'un que vous connaissez ? »

Grace réfléchit prudemment quelques instants. « Avez-vous quelque chose qui appartient à Michael ? » Il sentait Glenn Branson le mitrailler du regard.

« Quoi, par exemple ? »

« N'importe quoi. Un vêtement, un bijou, un objet avec lequel il a été en contact. »

« Je vais vous trouver quelque chose. Accordez-moi deux minutes. »

« Pas de souci. »

34

« Tu as perdu la tête ? » s'exclama Branson tandis qu'ils s'éloignaient de la maison d'Ashley.

Tenant le bracelet en cuivre qu'Ashley venait de lui donner, Grace répondit : « C'est toi qui l'as suggéré. » De la radio sortaient de puissantes basses : boum, boum, boum. Grace baissa le son.

« Oui, mais je ne pensais pas que tu lui demanderais la permission. »

« Tu voulais que je lui pique un truc de son mec ? »

« Que tu lui *empruntes*. Mec, tu prends des risques, là. Et si elle parle à la presse ? »

« Tu m'as demandé de t'aider. »

Branson lui jeta un regard en biais. « Alors, qu'est-ce que tu penses d'elle ? »

« Elle en sait plus qu'elle veut bien nous dire. »

« Donc elle essaie de couvrir son mec ? »

Grace fit tourner le bracelet – trois fils de cuivre soudés ensemble, se terminant chacun par deux petits cercles. « Qu'est-ce que tu en penses ? »

« Et voilà, comme d'habitude, tu réponds à une question par une question. »

Grace réfléchit quelques instants en silence. Il se repassait la scène chez Ashley. Son anxiété, ses réponses. Dix-neuf ans dans la police lui avaient appris beaucoup de choses. Il savait notamment que ce qui était le plus évident n'était pas nécessairement la vérité. Ashley Harper en savait plus qu'elle voulait bien le dire, ça, il en était sûr. Il l'avait lu dans ses yeux. Dans son état, elle avait sûrement peur que la combine fiscale dans laquelle Michael Harrison s'était fourré ne remonte à la surface. Mais il avait aussi l'impression qu'elle leur cachait beaucoup plus que ça.

Vingt minutes plus tard, ils se garèrent sur une ligne jaune sur la promenade Kemp Town, qui surplombait la plage et la Manche, et descendirent de voiture.

Il pleuvait toujours à verse, et à part la traînée grise laissée par un cargo ou un pétrolier à l'horizon, l'océan était complètement désert. Un flux continu de voitures et de camions les éclaboussait copieusement. À sa droite, Grace distingua la promenade du Palace Pier, ses dômes blancs, ses lumières kitsch et le toboggan qui s'élevait tout au bout, tel un pylône.

Sur la Marine Parade, le large boulevard tapissé de jolies façades Régence avec vue sur la mer, la circulation était tout aussi dense, dans les deux sens. Le Van Alen était l'un des rares immeubles modernes, une réinterprétation très vingt et unième siècle d'un bâtiment Arts déco. Une voix inquisitrice répondit lorsque Glenn Branson sonna à l'appartement numéro 407, depuis l'entrée hautement sécurisée : « Oui ? »

« Mark Warren ? » demanda Branson.

« Oui, qui est là ? »

« La police. Nous aimerions vous voir à propos de Michael Harrison. »

« Bien sûr. Montez. Quatrième étage. » Une vibration sonore retentit et Grace poussa la porte.

« Drôle de coïncidence, dit-il à Branson tandis qu'ils entraient dans l'ascenseur, j'étais là hier soir, pour la soirée poker. »

« Qui tu connais ici ? »

« Chris Croke. »

« Chris Croke, le gigolo de la circulation ? »

« C'est pas un gigolo. »

« Comment est-ce qu'il peut se payer un appart dans un endroit comme ça ? »

« Il a épousé un compte en banque. Ou plutôt, il a divorcé d'un compte en banque. Il avait une femme riche – son père avait gagné au loto, il m'avait raconté une fois – et un bon avocat. »

« Un petit malin, je vois. »

Arrivés au quatrième, ils foulèrent une épaisse moquette bleue jusqu'au numéro 407. Branson sonna.

Quelques secondes plus tard, un homme d'une petite trentaine d'années leur ouvrit, chemise

194

blanche, col ouvert, pantalon de costume rayé et mocassins noirs. « Messieurs, dit-il affablement. Entrez, je vous prie. »

Grace eut l'impression de l'avoir déjà vu quelque part, récemment, mais où ? Où avait-il pu le rencontrer ?

Branson lui montra sa carte de police, comme la loi l'exige, mais Mark Warren la regarda à peine. Il les conduisit, à travers un étroit couloir, dans un immense salon, avec deux canapés rouges en L et une table laquée noire, longue, étroite, qui servait à séparer la cuisine de l'espace salle à manger.

Grace nota que l'endroit était comparable, dans son esprit minimaliste, à l'appartement d'Ashley, mais avec un budget autrement plus conséquent. Un masque africain trônait sur une haute plinthe noire dans un coin. Des tableaux abstraits très classe, quoique impénétrables, ponctuaient les murs et une baie vitrée offrait une vue imprenable sur l'océan et le Palace Pier. L'écran plat du téléviseur Bang et Olufsen diffusait, en silence, un flux d'informations.

« Je vous sers quelque chose ? » demanda Mark Warren en se tordant les mains.

Grace observait attentivement son langage corporel et sa façon de parler. Il transpirait l'anxiété par tous les pores. Le pauvre garçon était on ne peut plus mal à l'aise, ce qui n'était pas étonnant vu l'épreuve qu'il traversait. Grace savait par expérience que les survivants d'une catastrophe avaient souvent beaucoup de mal à gérer la culpabilité.

« Non merci, lui dit Branson. Nous ne serons pas longs. Nous aimerions simplement vous poser quelques questions. »

« Vous avez du nouveau à propos de Michael ? »

Grace lui raconta la tournée des pubs et la disparition du cercueil. Mais quelque chose, dans sa réaction, lui mit la puce à l'oreille. Une toute petite puce, à peine une lente.

« Je n'arrive pas à croire qu'ils aient pris un cercueil », s'étonna Mark Warren.

« Vous devriez être au courant, répliqua Grace. Ce n'est pas au témoin que revient l'organisation d'un enterrement de vie de garçon ? »

« C'est ce que j'ai lu sur Internet », répondit-il.

Grace fit la grimace. « Vous voulez dire que vous n'étiez impliqué dans aucun plan, c'est bien ça ? »

Mark eut l'air perdu. Il commença à parler d'une voix bizarre, mais se ressaisit rapidement. « Je... non, ce n'est pas ce que je veux dire. Ce que je veux dire, c'est que... vous savez... On... Enfin, Luke voulait qu'on aille dans une boîte à strip-tease, mais c'est tellement *has been*... On voulait quelque chose de plus original. »

« Pour faire payer à Michael Harrison les mauvaises blagues qu'il vous avait faites ? »

Mark Warren sembla de nouveau désarçonné. Puis il se reprit : « Oui, nous en avons effectivement parlé. »

« Mais vous n'avez pas parlé de cercueil ? » lui suggéra Grace sans le quitter des yeux.

« À aucun moment. » Sa voix était empreinte d'indignation.

« Un cercueil en tek », précisa Grace.

« Je... Je n'ai jamais entendu parler de cercueil. »

« Vous êtes en train de me dire que vous êtes son témoin, mais que vous ne saviez pas ce qui était prévu pour son enterrement de vie de garçon ? »

Nouvelle hésitation. Mark Warren regarda successivement, longuement, les deux policiers et finit par lâcher : « Oui. »

« Je ne vous crois pas, Mark, dit Grace. Désolé, mais je n'y crois pas une seconde. » Il détecta instantanément un accès de colère.

« Vous m'accusez de mentir ? Je suis désolé, messieurs, mais notre entrevue est terminée. Il faut que je parle à mon avocat. »

« C'est plus important que de retrouver votre associé ? lança Grace. Il est censé se marier demain, vous êtes au courant ? »

« Je suis son témoin. »

En le dévisageant de plus près, Grace se souvint soudain dans quelles circonstances il l'avait déjà vu. Du moins, où il *pensait* l'avoir déjà vu. « Quelle est la marque de votre voiture, Mark ? » lui demanda-t-il.

« BMW. »

« Le modèle ? Série 3, 5, 7 ? »

« Une X5 », dit Mark.

« C'est un 4 × 4 ? »

« Oui. »

Grace hocha la tête sans ajouter un mot. Son cerveau tournait à plein régime.

En attendant l'ascenseur, dans le couloir, Branson se retourna pour s'assurer que la porte de Mark Warren était bien fermée et dit : « C'était quoi, cette histoire de voiture ? »

Ils montèrent dans l'ascenseur et Grace appuya sur le bouton SS. Plongé dans ses pensées, il ne répondit pas.

Branson le regarda. « Il y a un truc qui cloche, avec ce mec, tu trouves pas ? »

Grace ne répondit toujours pas.

« Tu aurais dû appuyer sur 0. C'est par là qu'on est arrivés. »

Grace sortit au niveau -1, celui du garage souterrain, et Branson le suivit. L'air était sec, l'endroit faiblement éclairé et il flottait une légère odeur d'essence. Ils passèrent une Ferrari, une Jaguar, une Mazda Sport et une petite Ford berline, puis quelques places vides, jusqu'à ce que Grace s'arrête devant une BMW X5 tout-terrain gris métallisé, étincelante. Il se concentra sur la voiture. Des gouttes d'eau brillaient encore sur la carrosserie.

« Belle bête, dit Branson. Dommage que l'arrière soit minuscule. Celui des Range Rover et des Cayenne est bien plus spacieux. »

Grace observa les roues, s'agenouilla pour regarder sous le marchepied. « Hier soir, quand j'ai récupéré ma voiture, à une heure moins le quart, j'ai croisé cette BMW qui rentrait, couverte de boue. Je m'en souviens parce que ça m'avait semblé un peu bizarre. On voit rarement des 4 × 4 sales dans le centre-ville de Brighton. Ce sont souvent des mères de famille qui les utilisent pour faire leurs courses. »

« Tu es sûr que c'était *cette* voiture ? »

Grace tapota son crâne du bout des doigts. « La plaque d'immatriculation. »

« Ta mémoire visuelle ? Elle marche toujours à ton grand âge ? »

« Toujours, merci bien. »

« Alors, qu'est-ce que tu en dis ? »

« Et toi ? »

« Un cercueil qui disparaît, une forêt, une voiture couverte de boue, un témoin qui est le seul survivant, qui veut parler à son avocat, un compte aux îles Caïmans... Ça sent pas bon. »

« Ça sent pas bon : ça pue ! »

« C'est quoi, la suite ? »

Grace sortit le bracelet en cuivre de sa poche et l'agita. « La suite, c'est ça. »

« Tu penses vraiment ce que tu dis ? »

« Tu as une meilleure idée ? »

« Interroger Mark Warren dans nos murs. »

Grace secoua la tête. « Il est malin. Il faut être plus malin que lui. »

« Et aller chez un agitateur de pendules bizarroïde, c'est malin, peut-être ? »

« Fais-moi confiance. »

Il fallait absolument qu'il reste éveillé. C'est comme ça qu'on survit. L'hypothermie donne envie de dormir et quand on s'endort, on plonge dans le coma et on meurt.

Michael tremblait, délirait presque. Il était frigorifié, littéralement mort de froid. Il entendait des voix, entendait Ashley murmurer à son oreille. Il tendit la main pour la toucher, mais son poing heurta violemment le tek.

De l'eau s'immisça dans sa bouche. Il la recracha. Son visage était écrasé contre le couvercle du cercueil. La torche ne marchait plus, il essayait de garder le talkie-walkie au-dessus du niveau d'eau, mais son bras lui faisait tellement mal que ça allait bientôt ne plus être possible.

Il glissa son téléphone, qui était inutile, dans la poche arrière de son jean. C'était inconfortable, mais ça le surélevait de quelques centimètres. Comme si ça pouvait faire la différence. Il allait mourir. Il ne savait pas combien de temps il lui restait, mais pas longtemps.

« Ashley, dit-il faiblement. Ashley, ma chérie. »
De l'eau entra dans sa bouche.

Il continuait à raboter le couvercle du cercueil avec le boîtier de la lampe. Le trou s'élargissait de plus en plus. Il pensa au mariage, le lendemain. À sa mère lui montrant la robe qu'elle avait achetée, son chapeau, ses chaussures et son nouveau sac à main, pour recueillir son approbation, pour l'entendre dire qu'elle était belle, en ce jour spécial, espérant qu'il serait fier d'elle, souhaitant qu'Ashley soit fière d'elle. Il se souvenait de sa conversation téléphonique avec sa petite sœur, en Australie, tellement contente qu'il lui ait payé un billet d'avion. Carly devait être arrivée, à présent, et devait se préparer avec sa mère.

Son cou le faisait horriblement souffrir. Il ne savait pas combien de temps il pourrait encore supporter la douleur. À intervalles réguliers, il fallait qu'il relâche sa nuque, qu'il mette la tête sous l'eau, qu'il retienne sa respiration, qu'il laisse l'eau couvrir son visage, puis qu'il se redresse. Bientôt, ça ne serait même plus possible.

En larmes, dévoré par la frustration et la terreur, il s'acharna sur le couvercle, le rouant de coups. Puis il appuya de nouveau sur le bouton *talk*. « Davey ! Davey ! Eh, Davey ! »

Il recracha de l'eau.

Chaque cellule de son corps tremblait.

Personne ne lui répondait.

Il claquait des dents. Il avala une gorgée d'eau boueuse, puis une autre. « S'il vous plaît, s'il vous plaît, aidez-moi. Que quelqu'un m'aide, je vous en prie. »

Il essaya de se calmer en pensant à son discours. Ne pas oublier de remercier les demoiselles d'honneur. Porter un toast en leur honneur. Penser à remercier sa mère en premier. Les demoiselles d'honneur en dernier. Raconter des histoires drôles. Pete lui en avait dit une bonne sur un couple qui partait en lune de miel et qui...

La lune de miel.

Tout était réservé. Ils décollaient le lendemain soir, à neuf heures, pour les Maldives. En première classe. Ashley ne le savait pas, c'était son secret, son cadeau, sa surprise.

Laissez-moi sortir, bande d'imbéciles ! Je vais rater mon mariage, ma lune de miel. Allez ! Sortez-moi de là immédiatement !

37

L'horloge du tableau de bord de la Ford indiquait 7:13 quand Branson et Grace passèrent devant les élégantes façades Régence du quartier de Kemp Town, puis tout en haut des falaises, sur la route panoramique, avant de longer les immenses immeubles néogothiques de l'école pour jeunes filles Roedan et le bâtiment Arts déco qui abritait le foyer pour les malvoyants. La pluie tombait sans relâche et le vent rudoyait la voiture. Ça faisait plusieurs jours qu'il pleuvait sans arrêt. Branson alluma la radio suffisamment fort pour couvrir les craquements sporadiques du talkie-walkie de la police et s'imprégna du rythme d'une chanson des Scissor Sisters.

Grace rongea son frein quelques instants, puis baissa le volume.

« Qu'est-ce que tu as ? C'est un supergroupe. »

« Génial. »

« Tu veux te trouver une nana, je me trompe ? Il faut que tu peaufines ton profil culturel. »

« Et toi, tu es mon nouveau coach culturel, c'est ça ? »

Branson lui jeta un regard de côté. « Je devrais être ton styliste aussi. Je connais un excellent coiffeur, Ian Habbin, son salon s'appelle The Point. Il te rafraîchirait la nuque en deux coups de ciseaux. Ta coupe est tellement *has been*. »

« Ce qui est *has been*, c'est ta combine, balança Grace du tac au tac. On devait juste déjeuner ensemble. Il va bientôt être l'heure de souper. Si on continue à ce rythme, tu me serviras le petit déjeuner. »

« Comme si tu avais une vie privée. » Au moment où les mots sortaient de sa bouche, Branson les regrettait déjà. Il devinait la douleur sur les traits de Grace sans même avoir à se tourner. « Je suis désolé. »

Ils traversèrent le joli village de Rottingdean, sis en haut d'une falaise, grimpèrent une côte majestueuse, plongèrent dans la vallée, montèrent un nouveau raidillon et passèrent les lotissements de maisons de banlieue construites après-guerre, imbriquées dans le magma urbain de Saltdean et Peacehaven.

« Prends à gauche », indiqua Grace. Puis il continua à guider Branson dans un dédale de routes vallonnées, truffées de modestes pavillons, jusqu'à un bungalow plutôt miteux devant lequel était garée une caravane encore plus délabrée.

Ils se hâtèrent jusqu'au minuscule porche où tintaient des carillons, et sonnèrent. Un tout petit homme maigre et nerveux, septuagénaire aguerri, portant un bouc et de longs cheveux gris en queue-de-cheval, vint leur ouvrir. Il était vêtu d'un kaftan et d'une salopette, et arborait une croix égyptienne au bout d'une chaîne en or. Il les salua d'une voix haut perchée avec une énergie débordante et serra la main de Grace avec une joie non dissimulée, comme s'il retrouvait un vieil ami. « Commissaire Grace, je suis tellement heureux de vous revoir ! »

« Moi aussi, mon ami. Voici le commandant Branson. Glenn, je te présente Harry Frame. »

Harry Frame serra la main de Glenn Branson avec une force sans commune mesure avec sa physionomie et son âge et l'observa de ses yeux verts, perçants. « Quel plaisir de vous rencontrer. Entrez, entrez... »

Ils le suivirent dans un petit hall faiblement éclairé par une lanterne, décoré d'objets ayant trait à la mer agencés autour d'un grand hublot en laiton. Dans le salon, les étagères ployaient sous le poids des bateaux en bouteille. La pièce était meublée d'un canapé, de deux fauteuils défraîchis recouverts d'une housse de protection et d'une télévision éteinte. Près de la fenêtre, quatre chaises en bois étaient disposées autour d'une table en chêne à laquelle ils furent conviés. Branson remarqua une vieille reproduction du cottage d'Anne Hathaway et une citation encadrée qui disait : « Une fois que l'esprit a pris de l'ampleur, il ne peut plus revenir à ses dimensions d'origine. »

« Vous prendrez du thé, messieurs ? »

« Volontiers », répondit Grace.

Pendu aux lèvres de Grace pour qu'il lui souffle sa réplique, Branson articula : « C'est très aimable à vous. »

Harry Frame se hâta vers la cuisine. Branson considéra avec incrédulité une bougie blanche allumée dans un chandelier en verre placé sur la table, puis Grace, l'air de dire *C'est quoi ce cirque ?*

Grace lui répondit par un sourire. *Va falloir t'y faire, mon gars.*

Quelques minutes plus tard, une petite bonne femme aux cheveux gris, enjouée, boulotte, col roulé en laine tricoté main, pantalon en polyester marron et tennis blanches flambant neuves, apporta un plateau avec trois tasses de thé et une assiette de biscuits fourrés, qu'elle posa sur la table.

« Bonjour Roy », dit-elle familièrement à Grace. À Branson, elle dit, l'œil pétillant : « Je suis Maxine. *Celle à qui l'on obéit !* »

« Enchanté. Je suis le commandant Branson. »

Son mari arriva avec une carte.

Grace prit sa tasse et remarqua que le thé avait une couleur verdâtre. Il vit Branson se faire la même réflexion avec un air dubitatif.

« Alors, messieurs, fit Harry en s'asseyant en face d'eux. Quelqu'un a disparu ? »

« Michael Harrison », précisa Grace.

« Le jeune homme de *L'Argus* ? Terrible, cet accident. Ils ont été rappelés si jeunes... »

« Rappelés ? » interrogea Branson.

« Les esprits les ont de toute évidence rappelés à eux. »

Branson jeta à Grace un regard que le commissaire prit le parti d'ignorer superbement.

Écartant les biscuits et le chandelier, Frame déploya la carte de l'East Sussex sur la table.

Branson prit un biscuit. Grace sortit le bracelet en cuivre de sa poche et le tendit au médium. « Vous m'avez demandé d'apporter un objet appartenant au disparu. »

Frame le prit et l'observa attentivement, sous le regard curieux des deux officiers. Il ferma les yeux pendant une bonne minute et se mit à hocher la tête. « Huuuummm, fit-il, les yeux clos. Huuuuummm, oui, huuuummmm. » Puis il ouvrit les yeux soudainement, et fut comme surpris de trouver Grace et Branson dans la pièce. Il s'approcha de la carte et sortit de la poche de son pantalon une ficelle au bout de laquelle pendait un poids.

« Voyons voir, dit-il. Voyons, voyons voir... Comment est votre thé ? »

Grace sirota une gorgée. Il était bouillant et légèrement amer. « Parfait », répondit-il.

Branson trempa les lèvres aussi, pieusement. « Très bon. »

Harry Frame rayonnait. Sa satisfaction était sincère. « Voyons voir... » Posant les coudes sur la table, il cacha son visage entre ses mains, comme pour prier, et commença à marmonner. Grace évitait de croiser le regard de Branson.

« Yaroum, dit Frame par lui-même. Yaroummmmmm, brnnnnn. Yaroummmmm. »

Puis il se redressa d'un coup, attrapa la ficelle entre son pouce et son index et fit osciller la masselotte au-dessus de la carte, comme un pendule. Puis, les lèvres serrées de concentration, il la fit tournoyer vigoureusement en petits cercles, parcourant la carte centimètre par centimètre.

« Uckfield ? demanda-t-il. Crowborough ? La forêt d'Ashdown ? » Il interrogea les policiers tour à tour. Tous deux acquiescèrent.

Mais Harry Frame secoua la tête. « Non, on ne me montre rien dans cette zone. Désolé. Je vais essayer sur une autre carte, à plus petite échelle. »

« Vous êtes sûr qu'il n'est pas dans cette zone, Harry ? » s'inquiéta Grace.

Frame secoua la tête avec conviction. « Non. Le pendule ne me dit rien. Il faut regarder plus loin. »

Grace sentait *littéralement* Branson prêt à laisser exploser son scepticisme. Les yeux rivés sur la nouvelle carte, celle du Sussex, il observa le pendule rétrécir ses circonvolutions au-dessus de Brighton.

« Le voilà », murmura Frame.

« À Brighton ? Je ne pense pas », objecta Grace.

Frame sortit une carte à grande échelle de Brighton et laissa le pendule osciller. Rapidement, celui-ci se mit à faire des petits cercles au-dessus de Kemp Town. « Voilà, c'est là qu'il se trouve. »

Grace osa enfin regarder Branson et eut la sensation de lire dans ses pensées. « Vous vous trompez, Harry », lâcha-t-il.

« Je ne crois pas, Roy. L'homme que vous cherchez est là-bas. »

Grace secoua la tête. « C'est de là que nous venons, nous avons parlé à son associé. Vous êtes sûr de ne pas être influencé par ça ? »

Harry Frame saisit le bracelet en cuivre. « C'est son bracelet ? Celui de Michael Harrison ? »

« Oui. »

« Alors c'est là-bas qu'il se trouve. Mon pendule ne se trompe jamais. »

« Pouvez-vous nous donner une adresse ? » demanda Branson.

« Non, une adresse, c'est impossible. La zone est trop densément peuplée. Mais c'est là que vous devez chercher. C'est là que vous le trouverez. »

<h2 style="text-align:center">38</h2>

« Quel zarbi », lâcha Branson tandis qu'ils quittaient la maison de Harry Frame.

Grace, absorbé dans ses pensées, ne répondit rien pendant un long moment. La pluie avait finalement cessé et des rais de lumière déclinante transperçaient les nuages gris qui s'étaient accumulés juste au-dessus de l'horizon. « Supposons qu'il ait raison. »

« Supposons qu'il soit l'heure de boire un coup et de manger, répliqua Branson. Je meurs de faim. Je vais tourner de l'œil. »

L'horloge indiquait 8:31.

« Bonne idée. »

Glenn appela sa femme. Grace écouta vaguement la conversation, qui semblait passablement agitée, Branson finissant par lui raccrocher au nez. « Elle est super remontée. »

Grace lui fit un sourire de compassion. C'est toujours mieux qu'un commentaire sur une situation conjugale qu'on ne connaît pas.

Quelques minutes plus tard, assis au comptoir du Badger's Rest, un pub perché sur la colline,

Grace savourait un double whisky glace, tandis que son collègue faisait un sort à sa pinte de bière, alors qu'il était censé reprendre le volant.

« Je suis rentré dans la police pour que mes gosses soient fiers de moi. Merde. Au moins, quand j'étais videur, j'avais une vie privée. Je donnais le bain à mon Sammy, je le couchais, j'avais même le temps de lui raconter une histoire avant d'aller bosser. Tu sais ce qu'Ari vient de me dire ? »

« Non. » Grace déchiffrait les plats du jour inscrits sur un tableau noir.

« Sammy et Remi sont en train de pleurer parce que je leur avais promis de leur lire une histoire ce soir. »

« Eh bien, rentre à la maison », lui dit Grace gentiment, sincèrement.

Branson vida sa pinte et en commanda une deuxième. « Je ne peux pas. Je le sais. C'est pas un boulot où on termine à cinq heures. Je ne peux pas me casser comme un enfoiré de fonctionnaire et faire genre : *qu'ils aillent se faire voir, demain c'est samedi*. Je dois tenir parole à Ashley Harper et à Michael Harrison, n'est-ce pas ? »

« Tu dois apprendre à lâcher prise », lui conseilla Grace.

« Ah bon, et à quelle heure, exactement, on lâche prise ? »

Grace vida son verre d'un trait et savoura la sensation de chaleur, d'abord dans sa gorge, puis dans son estomac. Il montra son verre au barman, commanda un deuxième double, puis sortit un billet de vingt et demanda de la monnaie pour s'acheter un paquet de cigarettes au distributeur. Il n'avait pas fumé depuis plusieurs jours, mais ce soir, le manque était trop fort.

Un paquet de Silk Cut tomba. Grace déchira la cellophane et demanda des allumettes au barman. Il s'alluma une cigarette et aspira profondément, avec délectation, la fumée dans ses poumons. L'extase.

« Je croyais que tu avais arrêté », l'interrogea Branson.

« Je confirme. »

Son nouveau verre était arrivé. Il trinqua avec Glenn.

« Tu n'as pas de vie privée et je suis en train de bousiller la mienne. Vive la police. » Branson secoua la tête. « Ton copain Harry, il est bizarre. Quel barjo! »

« Tu te souviens d'Abigail Matthews? »

« La gamine que tu as retrouvée, il y a quelques années? Huit ans, c'est ça? »

« C'est ça. »

« Kidnappée devant chez elle. Tu l'avais retrouvée dans une caisse, dans un hangar, à l'aéroport de Gatwick. »

« Nigériane. Victime d'un trafic d'enfants en Hollande. »

« Du sacré boulot. C'est pas en partie grâce à cette affaire que tu as été promu si rapidement? »

« Si. Sauf que je n'ai jamais dit la vérité. » C'était le whisky qui parlait. « Je n'ai jamais dit comment je l'avais retrouvée parce que... »

« Parce que quoi? »

« Parce que c'est pas moi qui avais fait le boulot, Glenn. C'est Harry Frame qui l'avait retrouvée, grâce à son pendule, tu comprends ? »

Branson garda le silence quelques instants. « C'est donc pour ça que tu crois en lui... »

« Il a vu juste dans d'autres cas. Mais je ne le crie pas sur tous les toits. Alison Vosper et ses copains n'aiment pas qu'on sorte du rang. Si tu veux faire carrière dans la police, il faut donner l'impression de respecter les règles. *Donner l'impression*, tu saisis la nuance ? Il ne faut pas obligatoirement les suivre au pied de la lettre, tant que les autres *ont l'impression* que tu les respectes. » Il termina son deuxième whisky plus vite que prévu. « Commandons quelque chose de solide. »

Branson prit des scampi, et Grace une épaisse tranche de jambon salé, deux œufs au plat et des frites bien grasses. Il alluma une cigarette et commanda une nouvelle tournée générale.

« C'est quoi, la prochaine étape, vieux sage ? »

Grace jeta un coup d'œil à Branson. « Et si on se saoulait ? »

« Ça va pas nous aider à retrouver Michael Harrison. Ou bien est-ce que j'ai raté un chapitre ? »

« Tu n'as rien raté du tout. Ou alors, moi aussi. Mais c'est l'heure de... » Grace regarda sa montre. « Il est neuf heures, vendredi soir. À part aller dans la forêt d'Ashdown avec une pelle et une lampe de poche, je ne vois pas ce qu'on pourrait faire d'autre. »

« On doit passer à côté de quelque chose. »

« On passe toujours à côté de quelque chose, Glenn. Ce que très peu maîtrisent, dans notre métier, c'est l'art de laisser sa place au hasard. »

211

« Tu veux dire, à la chance ? »

« Tu connais la blague du golfeur ? »

« Raconte. »

« Il dit : " C'est bizarre... Plus je pratique, plus j'ai de la chance. " »

Branson sourit. « Peut-être qu'on n'a pas assez pratiqué, alors. »

« Je pense que si. Demain, c'est le grand jour. Si monsieur Harrison nous fait la blague du siècle, ce sera le moment de vérité. »

« Et sinon ? »

« Sinon, on passera au plan B. »

« Qui est ? »

« Aucune idée. » Grace lui jeta un coup d'œil au-dessus des verres. « On était juste censé déjeuner ensemble, tu te souviens ? »

39

Enveloppée dans un peignoir blanc en éponge, avachie sur son lit, Ashley regardait une retransmission de *Sex and the City* sur son écran plasma quand le téléphone sonna. Elle se redressa d'un bond et faillit renverser le verre de sauvignon blanc qu'elle tenait à la main. Le réveil indiquait 11:18. Il était tard.

Dans un souffle, elle lâcha un « Ouiallo ? » chargé d'inquiétude.

« Ashley ? J'espère que je ne vous réveille pas ? »

Ashley posa son verre sur la table de nuit, saisit la télécommande et appuya sur silencieux. C'était

Gill Harrison, la mère de Michael. « Non, dit-elle, pas du tout, je n'arrive pas à dormir de toute façon. Je n'ai pas fermé l'œil depuis... mardi. Je ne vais pas tarder à prendre un cachet. Le docteur m'en a prescrit. Il a dit que ça me mettrait KO. » Elle entendit Bobo, le petit shih-tzu blanc, aboyer derrière Gill.

« J'aimerais que vous reveniez sur votre décision, Ashley. Je pense que ce serait vraiment mieux d'annuler la réception, demain. »

Ashley respira un bon coup. « Gill. On en a parlé hier et aujourd'hui, toute la journée. On ne se fera rien rembourser, c'est trop tard pour annuler. On a des invités du monde entier. Comme mon oncle, du Canada, qui me conduira à l'autel... »

« C'est très gentil de sa part d'être venu. Le pauvre, avoir fait tout ce voyage... »

« On s'adore. Il a pris une semaine entière pour pouvoir assister à la répétition de lundi. »

« Dans quel hôtel est-il descendu ? »

« Il est à Londres, au Lanesborough. Il lui faut toujours ce qui se fait de mieux. »

Elle marqua un temps d'arrêt. « Bien sûr, je l'ai prévenu, mais il a insisté pour venir me soutenir. J'ai réussi à alerter mes amies canadiennes. Quatre devaient venir, elles ont annulé. J'ai aussi pu décommander d'autres amis, à Londres. Le téléphone n'a pas arrêté de sonner ces derniers jours. »

« Ici aussi. »

« Le souci, c'est que Michael a invité des amis et des collègues des quatre coins de l'Angleterre. Et d'Europe. J'ai essayé d'en joindre un maximum, Mark aussi, mais... Nous devons au moins prendre en charge ceux qui se présenteront. Et je crois toujours que Michael va réapparaître. »

« Je n'y crois plus, ma puce. Plus maintenant. »

« Gill, Michael a joué toutes sortes de tours à ses amis quand ils se sont mariés. Deux d'entre eux ne sont arrivés à l'église que quelques minutes avant la cérémonie, à cause de ses blagues. Michael est peut-être attaché ou enfermé quelque part, sans savoir ce qui s'est passé. Il prévoit – ou *essaie* – peut-être de venir. »

« Vous êtes une jeune femme adorable et d'une grande bonté. Vous serez inconsolable si vous l'attendez devant l'autel et qu'il ne vient pas. Vous devriez vous rendre à l'évidence : il lui est arrivé quelque chose. Quatre personnes sont mortes, mon petit. Michael le sait sûrement, s'il est encore vivant. »

Ashley renifla, puis se mit à sangloter. Elle pleura quelque temps, sans pouvoir s'arrêter, puis s'essuya les yeux avec un Kleenex pioché dans une boîte, sur sa table de nuit. Reniflant bruyamment, elle dit : « J'essaie de toutes mes forces, mais je n'y arrive pas. Je... continue... à prier pour qu'il revienne. À chaque fois que le téléphone sonne, je pense que c'est lui. Vous savez. Je l'imagine éclater de rire et me dire que c'était juste une très mauvaise blague. »

« Michael est un bon garçon. Il n'a jamais été cruel. Ce serait trop cruel. Il ne ferait pas ça. Ça ne lui ressemble pas. »

Il y eut un long silence, qu'Ashley finit par rompre. « Est-ce que ça va ? »

« À part le fait que je me fais un sang d'encre pour Michael, ça va. J'ai Carly avec moi. »

« Elle est là ? »

« Oui, elle est arrivée d'Australie il y a quelques heures. Je pense qu'elle sera sous le coup du décalage horaire demain. »

« Je devrais venir lui dire bonjour. » Elle se tut quelques instants. « Vous voyez ce que je veux dire. Des gens sont venus du monde entier. Nous devons être à l'église pour les accueillir et leur offrir quelque chose à manger. Vous imaginez si Michael arrive et que nous ne sommes pas là ? »

« Il comprendrait qu'on ait annulé par respect pour ses amis décédés. »

Secouée par les sanglots, Ashley souffla : « Je vous en prie, Gill, allons à l'église demain, nous verrons bien. »

« Prenez votre cachet et essayez de vous reposer, Ashley. »

« Je vous appelle demain matin. »

« Oui, je me lèverai tôt. »

« Merci d'avoir appelé. »

« Bonne nuit. »

« Bonne nuit », conclut Ashley.

Elle replaça le combiné et roula sur son lit, soudain pleine d'énergie, laissant ses seins jaillir de son peignoir entrouvert, et elle regarda langoureusement Mark, qui était nu sous ses draps. « Quelle idiote, elle ne se doute de rien ! » Ses lèvres explosèrent en un immense sourire. Son visage entier rayonnait de joie. « Rien de rien ! »

Elle passa ses bras autour de son cou, le serra, l'embrassa passionnément, sur la bouche d'abord, puis entama une descente, la plus lente et régulière possible, pour prolonger la torture.

40

Il transpirait sous la couette. Chaud, trop chaud. Il s'était débrouillé pour avoir les draps par-dessus tête et avait du mal à respirer. Des gouttes de sueur ruisselaient sur ses joues, ses bras, ses jambes, le bas de son dos. Il repoussa l'édredon, s'assit, se cogna violemment le crâne et plongea.

Splash.

Mon Dieu.

L'eau tanguait autour de lui. C'était comme si elle coulait dans ses veines. Comme si l'eau, dans laquelle il baignait, et son sang étaient interchangeables. Il y avait un mot pour ça. Un mot qu'il avait sur le bout de la langue et qui lui échappait, qui lui glissait entre les doigts à chaque fois qu'il fermait le poing. *Comme un savon*, pensa-t-il.

Froid, maintenant. Une chaleur insupportable l'instant d'avant, un froid glacial à présent. Les dents qui claquent. Il avait horriblement mal à la tête. « Je vais voir s'il y a du paracétamol dans l'armoire de la salle de bains », annonça-t-il. Au silence qui lui répondait, il ajouta : « Je descends à la pharmacie. Je fais vite. »

La faim, qui l'avait quitté quelques heures auparavant, faisait un retour vengeur. Son estomac brûlait comme si les acides s'attaquaient aux organes faute de trouver d'autres molécules à briser. Sa bouche était sèche comme du parchemin. Il remplit sa main d'eau et la porta à ses lèvres, mais malgré la soif, boire lui demandait un effort.

Osmose !

Osmose ! Ivre de joie, il cria ce mot de toutes ses forces, le répétant à l'envi. « Osmose ! J'ai trouvé ! *Osmose !* »

Et soudain, il eut chaud de nouveau. Transpiration. « Quelqu'un pourrait baisser le thermostat ? hurla-t-il dans le noir. Nom de Dieu, c'est une Cocotte-Minute, ici ! Vous nous prenez pour quoi ? Des moules ? »

Il se mit à rire de son bon mot. Soudain, le couvercle commença à s'ouvrir. Lentement, régulièrement, sans un bruit, et Michael découvrit un ciel étoilé, dans lequel les comètes semblaient faire la course. Un faisceau de lumière l'éclairait, des particules de poussière voletaient nonchalamment, et Michael comprit que les étoiles, au firmament, étaient la projection de ce jeu de lumière, dont le ciel était l'écran. Puis il vit un visage traverser le faisceau et la poussière. Ashley. Comme s'il la regardait du fond d'une piscine, comme si elle flottait au-dessus de lui.

Puis un autre visage : celui de sa mère. Puis Carly, sa petite sœur. Et son père, dans un superbe costume brun, chemise beige, cravate rouge, la tenue dont Michael se souvenait le mieux. Michael ne comprenait pas comment son père faisait pour garder des habits secs, alors qu'il était dans la piscine.

217

« Tu es en train de mourir, mon fils, dit Tom Harrison. Tu seras bientôt des nôtres. »

« Je ne pense pas être prêt, papa. »

Son père lui adressa un sourire amusé. « C'est bien le problème, fiston. L'est-on jamais ? »

« J'ai trouvé le mot que je cherchais : *osmose.* »

« C'est un très beau mot, fiston. »

« Comment vas-tu, papa ? »

« Il y a des avantages à être ici. De gros avantages. C'est même vachement mieux. Pas la peine de galérer pour essayer de planquer de l'oseille aux îles Caïmans. Ce que tu fais, tu le gardes. Ça te tente ? »

« Oui, papa. »

Sauf que ce n'était plus son père, qui lui parlait, mais le pasteur Somping, un petit homme hautain, proche de la soixantaine, des cheveux gris ondulés et une barbe qui cachait partiellement son teint rougeaud, dû non pas à une vie au grand air, mais à son penchant pour la dive bouteille.

« Tu vas être très en retard, Michael, si tu ne te bouges pas. Tu es conscient que si tu ne te présentes pas à l'église avant le coucher du soleil, je ne pourrai pas te marier, c'est la loi. »

« Je... Je ne savais... »

Il tendit le bras pour retenir le pasteur, prendre sa main, mais il heurta le tek, l'immuable couvercle.

Ténèbres.

Des clapotis à chaque mouvement.

Puis il remarqua quelque chose : l'eau ne lui arrivait plus jusqu'aux joues. Elle avait baissé : elle s'arrêtait au ras du cou. « Je la porte comme une cravate. Peut-on porter l'eau en cravate ? » demanda-t-il.

Puis les frissons le saisirent. Ses coudes cognaient contre ses côtes, ses pieds s'entrechoquaient, sa respiration s'accélérait, s'accélérait, il faisait de l'hyperventilation.

Je vais mourir. Je vais mourir ici, seul, le jour de mon mariage. Ils viennent me chercher, les esprits, ils descendent dans cette boîte et...

Il porta ses mains tremblantes à son visage. Il ne se souvenait pas de la dernière fois qu'il avait prié. C'était bien avant la mort de son père. La disparition de Tom Harrison n'avait fait que confirmer sa conviction que Dieu n'existait pas. Mais à présent, le *Pater Noster* lui revenait, et il le murmura dans ses mains, comme pour ne pas qu'on l'entende.

Un craquement de parasites le sortit de sa méditation. Puis une explosion de country nasillarde et une voix : « Bonjour, amis sportifs, vous êtes bien sur la WNEB Buffalo et je vais vous présenter le journal des sports, les infos et la météo, en ce samedi pluvieux. Donc hier soir, au cours des playoffs... »

Michael s'agita pour retrouver le talkie-walkie et le fit tomber dans l'eau. « Merde, merde et merde ! »

Il le repêcha, le secoua le mieux possible, trouva le bouton *talk* et le pressa. « Davey ? Davey, c'est toi ? »

Nouveau croassement électrostatique. « Salut, man ! Tu es le mec qui était dans le crash de mardi, hein ? »

« Oui. »

« Ravi de te retrouver ! »

« Davey, il faut vraiment que tu me rendes un service. Tu pourrais faire la une, passer à la radio ! »

« Ça dépend des autres titres... », rectifia Davey dédaigneusement.

« T'as raison. » Michael aurait bien eu envie de le gifler. « Il faudrait que tu appelles quelqu'un, pour que je puisse lui parler à travers le talkie-walkie, ou bien que tu viennes me sauver avec ton père. »

« En fait, ça va dépendre si tu es dans la zone que l'on couvre ou pas, tu vois ce que je veux dire ? »

« Très bien, Davey. Je vois très bien ce que tu veux dire. »

41

Nue sur son lit, entourée d'une douzaine de bougies parfumées, bercée par la voix de Norah Jones, Ashley alluma une cigarette et la glissa entre les lèvres de Mark, qui tira profondément dessus.

« Gill a raison, dit-il. Je pense que tu ne devrais pas aller à l'église, et, surtout, que tu devrais annuler la réception. »

Ashley secoua la tête vigoureusement. « Au contraire. Tu ne comprends pas ? Je me présente à l'église... » Elle marqua un temps d'arrêt pour tirer sur la cigarette et exhala la fumée lentement, sensuellement, vers le plafond. « Tout le monde me verra, la pauvre fiancée abandonnée, et ils auront pitié de moi. »

« Je ne suis pas tout à fait d'accord. Ça pourrait se retourner contre toi. »

« Comment ? »

« Eh bien, ils pourraient se dire que tu n'as pas de cœur. Que tu ne respectes pas Pete, Luke, Josh et Robbo. Il faut absolument faire comme si on regrettait leur mort. »

« Toi et moi sommes restés en contact avec les familles, nous leur avons écrit, nous avons fait tout ce qu'il fallait. *On fait comme on a dit !* Il faudra payer les cochonneries des traiteurs de toute façon, alors autant accueillir ceux qui auront fait l'effort de venir. Ils ne seront sans doute pas nombreux, mais c'est la moindre des choses, non ? »

Mark prit la cigarette et inhala profondément la fumée dans ses poumons. « Ashley, les gens comprendraient. Tu me rebats les oreilles avec ta théorie depuis trois jours et tu ne m'écoutes pas. Je pense que tu fais une grosse erreur. »

« Fais-moi confiance, lui intima-t-elle en lui jetant un regard féroce. Tu ne vas pas te dégonfler maintenant ? »

« Bon sang, je ne me dégonfle pas, mais... »

« Tu veux botter en touche ? »

« Il ne s'agit pas de botter en touche. »

« Allez, mon grand, sois un dur ! »

« Je suis un dur. »

Elle se tortilla vers le bas de son corps, enfouit son visage dans sa toison pubienne et colla sa joue contre son pénis au repos. « Ce n'est pas ce que j'appelle être dur », susurra-t-elle impudemment.

42

Grace entama son week-end comme il aimait : par un footing de dix kilomètres en bord de mer, le long de la côte de Brighton et Hove. Il était tôt, il pleuvait de nouveau très fort, mais ça ne faisait rien. Il portait sa casquette de base-ball à visière inclinée vers le bas pour se protéger au maximum. Il avait mis une tenue de sport légère et ses toutes nouvelles Nike. Progressant à un rythme soutenu, il eut tôt fait d'oublier la pluie et tous ses soucis. Il respirait profondément et ne pensait qu'à amortir ses foulées, l'une après l'autre. Une chanson de Stevie Wonder, *Signed, Sealed, Delivered*, lui trottait dans la tête, allez savoir pourquoi.

Il la chantait à mi-voix quand il doubla un vieil homme en trench-coat qui promenait son caniche en laisse et se fit dépasser par deux cyclistes en VTT gainés de lycra. C'était marée basse. Sur les plaines de boue, un couple de pêcheurs déterraient des arénicoles pour s'en servir d'appâts.

Les lèvres légèrement salées, il courait le long de la balustrade de la promenade, passa les restes du West Pier, qui avait brûlé, emprunta la rampe qui menait à la plage, où les pêcheurs laissaient leurs embarcations, suffisamment loin pour qu'elles ne soient pas menacées par la plus haute des marées.

Il nota quelques noms : *Daisy Lee, Belle de Brighton, Sammy...* Ça sentait la peinture, le goudron et le poisson pourri. Il passa devant les cafés encore fermés, les salles de jeux vidéo et les galeries d'art des Arcades, puis devant un club de planche à voile, un plan d'eau réservé aux voiliers, derrière un muret en béton, une pataugeoire, puis sous l'enceinte du Palace Pier, où, il y avait dix-sept ans, il avait embrassé Sandy pour la première fois. Il commençait à fatiguer un peu, mais était décidé à atteindre les falaises de Black Rock avant de faire demi-tour.

Son mobile bipa pour signaler l'arrivée d'un message.

Il s'arrêta, sortit le téléphone de sa poche à fermeture Éclair et fixa l'écran.

Ça devrait être interdit de chauffer une fille comme ça, bel étalon. Claudine xx

Sainte Mère, fous-moi la paix. Tu passes la soirée à me harceler parce que je suis flic, et maintenant, tu me rends marteau. Sa première expérience sur Internet n'était pas particulièrement concluante. Elles étaient toutes comme ça ? Agressives, abandonnées, dérangées ? Sûrement pas. Il devait y avoir des femmes normales quelque part, non ?

Il enfonça le téléphone dans sa poche et reprit son footing. Il savait qu'il lui devait une réponse, mais se demandait s'il ne valait pas mieux continuer à l'ignorer. Que pouvait-il lui dire ? *Dégage, arrête de m'emmerder ? J'ai été ravi de faire ta connaissance, mais je pense que je suis gay ?*

Il lui enverrait un texto en rentrant, quelque chose d'assez lâche, du genre : *Désolé, mais je ne suis pas prêt à m'engager dans une relation.*

L'esprit libre, il pensa de nouveau au travail, à la pile de papiers qui semblaient s'accumuler sans fin. Le trafic nigérian, le procès de Suresh Hossain, l'affaire du petit Thomas Lytle, et maintenant la disparition de Michael Harrison.

Cette affaire-là l'obsédait vraiment. Il avait été réveillé au milieu de la nuit par une pensée qui ne le quittait pas. Il atteignit l'endroit où l'on passe sous la falaise, sous les promontoires en chaux blanche, où l'on surplombe la Marina, ses rangées de pontons, sa forêt de mâts, son hôtel, ses boutiques et ses restaurants, et attaqua les trois derniers kilomètres.

Puis il fit demi-tour, les poumons en feu et les jambes endolories, et courut jusqu'à la hauteur du Van Alen. Il remonta sur la promenade par la rampe, attendit de pouvoir traverser entre deux flots de véhicules et atteignit l'autre côté de la Marine Parade. Il s'engagea dans la rue étroite qui longeait l'immeuble et s'arrêta devant l'entrée du parking souterrain.

Il avait de la chance. Les portes ne tardèrent pas à s'ouvrir pour laisser sortir une Porsche Boxter avec, au volant, une blonde prédatrice chaussée de lunettes de soleil – malgré la grisaille et l'humidité. Il se glissa à l'intérieur avant que les portes ne se referment. Ça faisait du bien d'être à l'abri.

Il sentit l'odeur sèche d'essence et reprit sa course sur le béton dur, passa la Ferrari rouge qu'il avait déjà remarquée, d'autres voitures dont il se souvenait et s'arrêta devant la BMW X5 tout-terrain qui brillait comme un sou neuf.

Il regarda l'immatriculation, W 796 LDY, puis jeta un coup d'œil autour de lui. Personne. Il s'approcha, s'agenouilla à côté de la roue avant, puis s'allongea sur le dos, se glissa sous le marche-pied et observa la face interne de la roue. Elle était couverte de boue.

Il sortit un mouchoir de sa poche, l'ouvrit dans la paume de sa main gauche et gratta avec sa main droite pour détacher quelques morceaux de boue sèche.

Il le ferma soigneusement, le noua et le remit dans sa poche. Puis il se releva tant bien que mal, retourna vers l'entrée et agita la main dans l'axe du rayon infrarouge. Les portes s'ouvrirent dans un bruit de métal et de mécanique.

Il sortit, regarda à droite et à gauche, et reprit son jogging jusqu'à chez lui.

43

À neuf heures trente, il avait pris une douche, s'était relaxé en parcourant le *Daily Mail* pour son plaisir, avait survolé les tests effectués avec la dernière Aston Martin dans le magazine *Autocar* et s'était régalé d'œufs brouillés et de tomates grillées bio. Le bio, c'était sa dernière petite folie : pour compenser toutes les cochonneries qu'il avalait les nombreuses fois où il était obligé de manger à l'extérieur, il cuisinait bio chez lui et buvait des litres d'eau minérale. Le petit déjeuner terminé, il se rendit dans le bureau qu'il s'était aménagé dans une petite pièce au fond, qui donnait sur un minuscule jardin envahi par les mauvaises herbes, ce qui était presque gênant par rapport à ceux, extraordinairement bien entretenus, de ses voisins. Il s'assit devant son ordinateur et appela Glenn à son domicile. Son mouchoir, qui contenait la terre qu'il avait grattée sous la voiture de Mark Warren, gisait sur le bureau dans un petit sachet en plastique.

C'est Ari, la femme de Branson, qui répondit. Autant il avait accroché avec Glenn à la minute où ils s'étaient rencontrés, autant il avait du mal avec Ari. Elle était souvent sèche avec lui, comme si elle le suspectait de dépraver son mari parce qu'il était célibataire.

Ces dernières années, Grace avait fait tout son possible pour l'amadouer : il n'avait oublié aucun des anniversaires de leurs enfants, leur avait offert des cartes et de beaux cadeaux et avait apporté des fleurs les rares fois où il avait été invité à manger. Parfois, il avait l'impression que leur relation s'améliorait, mais pas ce matin. Elle était on ne peut plus mécontente de l'entendre. « Salut Roy, dit-elle d'un ton cassant. Tu veux parler à Glenn ? »

Non, à la reine d'Angleterre, faillit-il répondre, mais s'en garda. Au lieu de cela, il demanda sans conviction : « Il est dans le coin ? »

« On n'a pas beaucoup de temps », répondit-elle. Derrière elle, Grace entendit un gosse hurler. Puis Ari cria : « Donne-lui, Sammy. Tu l'as eu, maintenant, c'est à ta sœur ! » Les hurlements redoublèrent. Branson finit par prendre la ligne.

« Yo, vieux sage, tu es tombé du lit ? »

« Très drôle. Tu m'as dit que tu faisais quoi, aujourd'hui ? »

« On va à l'anniversaire de la sœur d'Ari, à Solihull. Trente ans. Finalement, il semblerait que j'aie le choix entre retrouver Michael Harrison ou sauver mon mariage. Qu'est-ce que tu ferais ? »

« Sauve ton mariage. Remercie tes potes qui sont des vieux cow-boys solitaires, qui n'ont pas de vie privée et qui peuvent sacrifier leurs weekends pour toi. »

« Je te remercie. Tu vas faire quoi ? »

« Je suis de mariage. »

« Quel romantique. Haut-de-forme ? Queue-de-pie ? Costume tiré à quatre épingles ? »

« On t'a jamais dit que tu étais un enfoiré de première ? »

« Si. La femme que je n'ai presque plus. »

Grace eut un pincement au cœur. Il savait que Glenn l'avait dit sans y penser, mais ces mots le blessaient. Tous les soirs, même si c'était tard et même s'il allait se faire houspiller, Glenn rentrait chez lui auprès de ses adorables enfants et retrouvait le corps chaud de sa femme, dans son lit. Les gens qui avaient cela étaient incapables de comprendre ce que ça voulait dire, vivre seul.

La solitude.

La solitude pouvait être merdique.

Était merdique.

Grace en avait marre, mais il ne savait pas quoi faire pour s'en sortir. Et s'il rencontrait quelqu'un ? Pire : s'il tombait amoureux ? Et si Sandy revenait ? Que se passerait-il ?

Il savait confusément qu'elle ne reviendrait jamais, mais une partie de son cœur se refusait à

227

l'admettre, comme un diamant posé sur un vieux disque rayé. Une ou deux fois par an, quand il n'avait pas le moral, il allait voir un médium pour essayer d'entrer en contact avec elle ou du moins découvrir un indice sur ce qui avait pu lui arriver. Mais Sandy demeurait invisible, comme un négatif qui reste noir, malgré les révélateurs, dans le bain du photographe.

Il souhaita à Branson un bon week-end. Il enviait sa vie, sa femme pas commode, ses adorables enfants, sa foutue normalité. Il fit la vaisselle du petit déjeuner en regardant Noreen Grinstead, de l'autre côté de la rue, pantalon en polyester marron, tablier, gants jaunes et chapeau en plastique pour se protéger de la pluie. Par la fenêtre, il la voyait savonner sa Nissan gris métallisé devant sa maison. Un chat noir et blanc traversa la rue en coup de vent. À la radio, le présentateur du talk-show *Home Truths* interviewait une femme dont les parents ne s'étaient pas échangé un mot durant toute son enfance.

Dix-neuf années dans la police lui avaient appris à ne jamais sous-estimer la dinguerie du genre humain. Mais il ne se passait pas un jour sans qu'il ait l'impression que cette dinguerie s'aggravait.

Il retourna dans son bureau, composa le numéro du poste de police de Brighton et demanda s'il y avait un TSC – un technicien de scène de crime. Il fut mis en relation avec Joe Tindall, un homme qu'il estimait grandement.

Tindall était méticuleux, bosseur et jamais à court d'idées. Il était mince, portait des lunettes et de rares cheveux secs. Il avait tout du professeur fou. Avant de rejoindre la police, Tindall avait travaillé plusieurs années au British Museum en tant qu'archéologue médico-légal. Il bossait avec lui sur l'affaire Tommy Lytle.

« Salut Joe, dit Grace. Tu prends pas de week-end ? »

« Ah ! Je suis chargé du rapport balistique pour le casse de la bijouterie. Tout le monde s'est défilé. Et depuis mercredi, j'ai le gars qui s'est fait poignarder, merci bien. »

Grace se souvint qu'un type avait été tué à coups de couteau dans la nuit de mercredi. Personne ne savait s'il s'agissait d'une agression ou d'une prise de bec entre deux amants gay.

« Joe, j'ai besoin de toi. J'ai prélevé un échantillon de terre sur un véhicule suspect. Comment est-ce que je peux savoir, très rapidement, d'où elle vient ? Avec quelle précision est-ce que tu peux me renseigner ? »

« De quel genre de précision as-tu besoin ? »

« Quelques mètres carrés. »

« Très drôle, Roy. »

« Je ne plaisantais pas. »

« Tu as un échantillon de la zone suspecte ? Je pourrais faire faire des tests et voir si ça concorde. Il y a de la chaux, de l'argile, des graves et du sable, dans le Sussex. »

« La zone suspecte est la forêt d'Ashdown. »

« Le sol est majoritairement argilo-sablonneux. On peut comparer les traces de pollen, les fossiles, les graines, les déchets d'animaux, les herbes, l'humidité, tout ça. Tu peux me donner quelles précisions ? »

« La zone suspecte fait plusieurs kilomètres carrés. »

« Il faudrait que tu la définisses mieux que ça. Il y a des dizaines d'endroits, en Angleterre, qui présentent le même sous-sol que la forêt d'Ashdown. »

« Combien de temps ça prendrait, un test comparatif sans échantillon de la zone suspecte ? »

« Des semaines. Il me faudrait une équipe énorme et un budget phénoménal. »

« Mais tu trouverais ? »

« Si tu me donnes des moyens illimités et du temps, je peux définir une zone précise. »

« Précise comment ? »

« Ça dépend. Un mètre carré, peut-être. »

« OK, merci. Je t'apporte quelque chose. Tu restes au bureau encore combien de temps ? »

« Toute la journée, Roy. »

44

Une heure plus tard, vêtu d'un costume bleu, d'une chemise blanche et d'une cravate de couleur vive, Grace traversa la zone industrielle tentaculaire de Hollingbury, une banlieue vallonnée de Brighton, passa devant un supermarché Asda, un de ces affreux bâtiments bâtis dans les années 1950, au ras du sol, et ralentit en arrivant devant le long bâtiment Arts déco, relativement plat, la Sussex House, qui abritait le siège de la PJ du Sussex.

Cette usine avait été récemment rachetée par la police et transformée. Sans l'imposante plaque sur la façade, un passant aurait pu prendre le bâtiment entouré d'espaces verts, dont les briques étaient peintes en blanc brillant, pour un hôtel huppé, tendance. Ce n'est que lorsqu'on passait le poste de sécurité et les hautes barrières électriques et qu'on arrivait sur le parking rempli de voitures de police, de bennes et d'un imposant bloc de détention, à l'arrière, que l'endroit perdait tout son glamour.

Grace se gara dans le parking souterrain entre un 4 × 4 de la police et un panier à salade, se dirigea vers l'entrée de service, passa sa carte devant un détecteur électronique et la porte s'ouvrit. Il entra, fit un geste rapide avec sa carte à l'officier qui se trouvait à l'accueil et grimpa les escaliers couverts d'une épaisse moquette. Il passa devant d'anciennes matraques exposées en décoration et devant deux grands tableaux bleus sur lesquels étaient punaisées les photos des principaux gradés de cette partie du bâtiment.

Grace connaissait tous les visages. Ian Steel et Verity Smart, du service enquêteur de la police militaire, David Seidel du groupe d'études sur la sécurité intérieure, Will Graham et Christopher Derricott de l'identité judiciaire, James Simpson des renseignements généraux, Terrina Clifton-Moore du bureau d'aide aux victimes, et une vingtaine d'autres. Il traversa un open space rempli de bureaux, mais peu fréquenté aujourd'hui. De chaque côté de la pièce se trouvaient des portes fermées avec le nom des occupants et la plaque de la police du Sussex.

Il passa devant le bureau du commissaire divisionnaire Gary Weston, qui était le chef de la police du Sussex. Il arriva à une autre porte et présenta son badge devant le lecteur électronique. Il entra dans un long couloir beige placardé, des deux côtés, de tableaux rouges sur lesquels figuraient des mémentos d'aide à l'enquête. Le premier était intitulé « Mobiles les plus fréquents », le deuxième « Techniques d'investigation », le troisième « Conduite à tenir sur la scène de crime ».

Cet endroit était à la pointe de la modernité et ça lui plaisait bien. Grace avait passé la majeure partie de son temps dans des bâtiments défraîchis, vieillots, qui ressemblaient à des cages à lapins. Il n'était pas mécontent que sa chère police, à laquelle il dédiait sa vie, se soit décidée à épouser le vingt et unième siècle. Même s'il manquait à cet endroit quelque chose dont tout le monde déplorait l'absence : une cantine.

Il continua son chemin, passant devant une série de portes désignées par des abréviations. La première était celle du centre opérationnel, où se réunissaient les groupes de travail. Suivaient le bureau communication, la salle vidéo, les renseignements généraux et le bureau des assistants. C'est alors que l'odeur le surprit, insidieuse d'abord, puis de plus en plus forte à chaque pas.

La puanteur intense, écœurante, répugnante de la putréfaction humaine, qui lui était devenue trop, beaucoup trop familière au cours des années. Aucune odeur n'était comparable : elle vous enveloppait comme un brouillard invisible, se glissait sous votre peau, envahissait vos narines, vos

poumons, votre estomac, vos cheveux et vos vêtements, de sorte que vous continuiez à la porter
pendant des heures.

Il poussa la porte du minuscule laboratoire de
police scientifique, toujours propre et étincelant, et
comprit la cause : le studio photographique des
TSC était ouvert. Une chemise hawaiienne déchirée
et couverte de sang était étalée sous des projecteurs
surpuissants, sur une table, sur un papier kraft.
Juste à côté, sous scellés, se trouvaient un pantalon
et une paire de mocassins crème.

Au fond de la pièce, Grace vit un homme en
blouse blanche, qu'il ne reconnut pas, qui avait
l'œil rivé à un Hasselblad monté sur un trépied.
Puis il réalisa que c'était Joe Tindall et qu'il s'était
métamorphosé depuis la dernière fois, qui remontait à plusieurs mois. La coupe de professeur fou
avait disparu, ainsi que les énormes lunettes en
écaille de tortue. Il s'était complètement rasé le
crâne, s'était laissé pousser une fine bande de poils
entre sa lèvre inférieure et le milieu de son menton
et avait investi dans des lunettes rectangulaires
légèrement bleutées, branchées. Il ressemblait
davantage à un présentateur de débat télévisé qu'à
un expert scientifique.

« Tu as rencontré quelqu'un ? » demanda Grace
en guise de bonjour.

Tindall se releva brusquement, pris par surprise.
« Roy, je suis content de te voir ! Mais c'est vrai.
Qui te l'a dit ? »

Grace sourit, l'observa de plus près, comme s'il
s'attendait à découvrir une boucle d'oreille, pour
couronner le tout. « Elle est jeune, non ? »

« Oui... Comment tu le sais ? »

Grace sourit de nouveau en admirant son crâne nouvellement rasé et ses lunettes à la mode. « Elle te fait rajeunir, je me trompe ? »

Tindall comprit et sourit d'un air penaud « Elle va me tuer, Roy. Trois fois par jour, tous les jours. »

« Tu *essayes* ou tu consommes, trois fois par jour ? »

« Va te faire foutre ! » Il considéra Grace de la tête aux pieds. « Tu es superfringué, pour un samedi. Toi aussi, tu as une petite nana ? »

« Un mariage, plutôt. »

« Félicitations, qui est l'heureuse élue ? »

« J'ai l'impression qu'elle n'est pas si heureuse que ça, répliqua Grace en posant le sachet de terre provenant de la BMW de Mark Warren sur la table, à côté de la chemise. Il va falloir que tu fasses des miracles. »

« Tu veux toujours que je fasse des miracles. Comme tous les autres. »

« C'est pas vrai, Joe. Quand je t'ai donné le matériel pour l'affaire Tommy Lytle, je t'ai dit que tu pouvais prendre tout ton temps. Là, c'est différent. Une personne a disparu. De la vitesse à laquelle tu feras les analyses dépendra sûrement sa vie – ou sa mort. »

Joe Tindall souleva le scellé et l'observa. Il le secoua légèrement sans le quitter des yeux. « Relativement sablonneux », conclut-il.

« Qu'est-ce que ça révèle ? »

« Tu as parlé de la forêt d'Ashdown, au téléphone... »

234

« Ouais. »

« Il se pourrait que ce soit le genre de terre que l'on trouve là-bas. »

« *Se pourrait* ? »

« Le Royaume-Uni regorge de zones sablonneuses. Il y a du sable dans la forêt d'Ashdown et dans des milliards d'endroits. »

« Il me faudrait une zone de deux mètres vingt de long sur un mètre de large. »

« On dirait une tombe. »

« C'est une tombe. »

Joe Tindall hocha la tête et porta de nouveau son attention sur le scellé. « Tu veux que je localise une tombe au beau milieu de la forêt d'Ashdown à partir de ce prélèvement ? »

« Tu as tout compris. »

Le technicien de scène de crime retira ses lunettes quelques instants, comme pour gagner en lucidité, et les rechaussa. « Je te propose un deal, Roy. Tu localises la tombe et je te dis si les deux échantillons sont similaires ou pas. »

« En fait, il faudrait que ce soit l'inverse. »

Tindall souleva le petit sachet. « Je vois. Tu me prends pour qui ? David Copperfield ? Paco Rabanne ? Je secoue et je fais apparaître, comme par magie, une tombe au milieu d'une forêt de dix mille hectares ? »

« Ça te pose un problème ? »

« Oui, Roy, ça me pose un problème. »

45

Quelques heures plus tard, la voiture de Grace grimpait tranquillement le raidillon qui menait à l'église All Saints, à Patcham, où un certain mariage était prévu pour quatorze heures, c'est-à-dire dans trois quarts d'heure.

C'était l'église qu'il préférait dans la région. Une paroisse simple, intimiste, premier gothique anglais, avec des murs en pierres grises sans fioriture, une petite tour et un admirable vitrail derrière l'autel. Des pierres tombales vieilles de plusieurs siècles jalonnaient le cimetière aux herbes hautes devant l'église et sur ses flancs.

La pluie torrentielle était devenue une légère bruine. Grace avait garé son Alfa près de l'entrée, sur un bas-côté verdoyant en face de l'église, de façon à avoir une vue d'ensemble sur les arrivées. Personne pour le moment. Juste quelques confettis sur le parvis, témoins d'un précédent mariage célébré le matin même, probablement.

Il regarda une vieille dame enveloppée dans un imperméable en plastique à capuche traîner son sac à commissions le long du trottoir et s'arrêter pour échanger quelques mots avec un homme immense, en anorak, qui tenait un petit chien en laisse et venait en sens inverse. Le chien souleva la patte pour arroser un réverbère.

Une Ford Focus bleue se gara et un homme qui portait plusieurs appareils photo autour du cou en sortit. Grace l'observa, se demandant s'il était le photographe officiel ou s'il était de la presse. Quelques instants plus tard, une petite Vauxhall marron se gara juste derrière et un jeune homme en anorak en sortit, avec un bloc-notes qui trahissait sa profession. Les deux hommes se saluèrent et commencèrent à discuter en guettant l'arrivée des invités.

Dix minutes plus tard, une BMW 4 × 4 arriva. À cause des vitres teintées et de la pluie, Grace ne put distinguer le conducteur, mais il reconnut immédiatement la plaque minéralogique de Mark Warren. Celui-ci, vêtu d'un manteau sombre, sauta du véhicule et se précipita vers la principale entrée de l'église. Il s'y engouffra, puis ressortit presque aussitôt pour se réfugier dans sa voiture.

Un taxi arriva et un grand homme distingué, cheveux argentés, jaquette, œillet rouge à la boutonnière, haut-de-forme gris à la main, claqua la portière arrière et se dirigea vers l'église. Le taxi avait, de toute évidence, été payé pour attendre. Puis une Audi TT Sport grise se gara. Grace se souvint d'en avoir vu une similaire devant la maison d'Ashley Harper.

La porte du conducteur s'ouvrit et Ashley, protégée par un petit parapluie, en sortit. Elle portait une élégante robe de mariée blanche et les cheveux attachés. Une femme plus âgée sortit du côté passager. Elle était vêtue d'une robe bleue ourlée de blanc et ses cheveux gris argentés avaient été arrangés avec soin. Ashley fit un signe vers la BMW, puis se protégea sous son parapluie. Les deux femmes prirent le sentier qui montait à l'église et disparurent à l'intérieur. Suivies par Mark Warren.

À deux heures moins cinq, Grace vit le pasteur couper à travers le cimetière et entrer. Il décida qu'il était temps pour lui de se montrer. Il quitta sa voiture en tirant sur son anorak Tommy Hilfiger jaune et bleu. Au moment où il traversait la route, le jeune homme avec le bloc-notes l'aborda. Il n'avait guère plus de vingt-cinq ans, un visage acéré, et portait un costume gris bon marché. Sa cravate, maladroitement nouée, laissait voir le dernier bouton de sa chemise blanche.

Chewing-gum en bouche, il l'interpella : « Commissaire Grace ? »

Grace lui jeta un œil. Il avait l'habitude d'être reconnu par les journalistes, mais n'en était que plus méfiant. « Et vous êtes ? »

« Kevin Spinella, de *L'Argus*. Je me demandais simplement si vous aviez du nouveau au sujet de Michael Harrison. »

« Pas encore, je regrette. Nous allons voir s'il se présente ou pas à son mariage. »

Le reporter regarda sa montre. « Il n'a plus guère de marge, hein ? »

« Ce ne serait pas la première fois qu'un marié arrive en retard », répliqua Grace en se dégageant.

Courant après lui, le journaliste demanda : « Pensez-vous que Michael Harrison est mort ou vivant, commissaire ? »

Grace s'arrêta pour déclarer : « Nous considérons cette affaire comme une disparition. »

« Pour le moment ? »

« Je n'ai rien à ajouter, merci. » Grace ouvrit la lourde porte, pénétra dans le vestibule faiblement éclairé et referma la porte derrière lui.

À chaque fois qu'il entrait dans une église, il était en proie à un dilemme. Devait-il mettre un genou à terre et prier, comme le faisaient la plupart des gens ? Comme il le faisait quand il était gosse, aux côtés de son père et de sa mère, quasiment tous les dimanches matin ? Ou devait-il simplement s'asseoir sur un banc pour faire savoir au Dieu auquel il n'était plus tout à fait sûr de croire combien il était en colère ? Longtemps, après la disparition de Sandy, il était allé à l'église et avait prié pour qu'elle revienne. Parfois en allant à la messe, le plus souvent en entrant dans une église vide. Sandy n'avait jamais été croyante. Ses prières étant restées lettre morte, Grace était devenu de plus en plus agnostique. Prier n'était plus quelque chose de naturel.

Rends-moi Sandy et je prierai de tout mon cœur. Mais pas avant, OK, monsieur le bon Dieu ?

Il dépassa une rangée de parapluies qui dégoulinaient, un tableau en croisillons et une pile de faire-part avec pour en-tête *Michael John Harrison et Ashley Lauren Harper*. Il entra dans l'église proprement dite et sentit immédiatement ce parfum familier, mélange de bois sec, de vieux tissus et de poussière, rehaussé de quelques notes de cire chaude. La pièce était magnifiquement fleurie, mais aucune odeur ne se dégageait des bouquets.

Une douzaine de personnes patientaient, debout, en silence, dans l'aile et dans la nef. On aurait dit les figurants d'un film auxquels le réalisateur n'aurait pas encore donné ses consignes.

Grace scanna rapidement le groupe et fit un signe de tête à Ashley, pâle comme un linge, qui s'accrochait au bras de l'homme élancé en costume trois-pièces. Son père, sans doute. À ses côtés se trouvait la femme qu'il avait vu émerger de la même voiture, une cinquantenaire encore belle, mais qui portait les stigmates d'une interminable douleur. Mark Warren, en costume bleu marine, œillet blanc, se trouvait à côté d'un couple de jeunes gens élégants, la petite trentaine.

Il se rendit compte que tous les regards étaient braqués vers lui. D'une voix hésitante, Ashley brisa la glace en le remerciant d'être venu. Elle le présenta à la mère de Michael, effondrée, et au bel homme distingué qu'il avait pris pour son père, mais s'avéra être son oncle. Celui-ci serra chaleureusement la main de Grace et se présenta sous le nom de Bradley Cunningham en le regardant droit dans les yeux. « Ravi de faire votre connaissance, commissaire. »

Remarquant son accent nord-américain, Grace lui demanda : « Vous venez de quel coin des États-Unis ? »

L'homme fronça les sourcils, comme s'il avait été insulté. « Je suis canadien. Originaire d'Ontario. »

« Excusez-moi. »

« Pas de souci. Les Angliches, vous confondez souvent. »

« J'imagine que vous avez du mal à identifier les différents accents de nos provinces britanniques », répliqua Grace.

« Vous n'avez pas tort, en effet. »

Grace sourit et le complimenta pour sa jaquette. « Il est toujours agréable de voir quelqu'un qui sait s'habiller pour les grandes occasions. »

« En réalité, ce futal me serre à mort, avoua Cunningham. Je l'ai loué chez votre merveilleux tailleur, Moss Bros, mais la taille ne doit pas être la bonne ! » Puis son visage s'assombrit. « Enfin, c'est quand même terrible, n'est-ce pas ? »

« Oui, dit Grace, soudain préoccupé. Terrible. »

Ashley les interrompit pour présenter Grace au pasteur, le révérend Somping, un petit homme barbu en robe blanche, avec un faux col, des yeux chassieux, injectés de sang, et l'air remonté.

« J'avais dit à mademoiselle Harper d'annuler complètement. C'est grotesque de s'infliger ce supplice. Et que dire des invités ? Tout cela est ridicule. »

« Il va arriver, *j'en suis sûre*, sanglota Ashley. Il va venir, je le sais. » Elle implora Grace : « Je vous en prie, dites-lui que Michael est en route. »

Grace se tourna vers la fiancée, si triste, si fragile, et dut se retenir de la serrer dans ses bras. Elle semblait tellement triste, pauvre fiancée abandonnée. Il eut presque envie de mettre son poing dans la figure de l'arrogant pasteur.

« Michael Harrison pourrait arriver d'un instant à l'autre », affirma-t-il.

« Il va pas falloir traîner, dit le révérend froidement. J'ai un mariage à quatre heures, moi. »

« Je croyais qu'on était dans une église, pas dans un supermarché », lâcha Grace, irrité par son manque de respect pour Ashley.

Le révérend Somping essaya, sans succès, de lui faire baisser les yeux. Puis il se justifia : « Je travaille pour le Seigneur. C'est lui qui me dicte son emploi du temps. »

En quelques secondes, Grace riposta : « Dans ce cas, je vous suggère de demander à votre patron de nous expédier le fiancé – et *fissa*. »

46

À deux heures vingt, le révérend Somping entreprit l'ascension de sa chaire avec la même peine que si c'était celle de l'Everest par la face nord. Vu le nombre réduit d'invités, il aurait d'ailleurs pu s'en dispenser. Il posa ses paumes au bord du pupitre, se pencha en avant avec une expression chargée de solennité et annonça :

« La fiancée, mademoiselle Ashley Harper, et la mère du fiancé, madame Gillian Harrison, m'ont demandé de vous informer que ce mariage était ajourné *sine die*, en attendant le retour de Michael Harrison. L'union de deux jeunes personnes qui s'aiment devant notre Seigneur constitue en soi un moment de joie, qui est assombri, ce jour, par l'absence de Michael. Personne, ici, ne sait ce qui lui est arrivé, mais nos pensées et nos prières sont pour lui, sa famille et la future mariée. »

Il fit une pause et reprit, avec un air de défi. « Mademoiselle Harper et madame Harrison ont généreusement proposé, malgré l'absence de mariage, de maintenir la réception et d'offrir quelques rafraîchissements dans la salle Queen Mary du Pavillon Brighton. Elles seraient heureuses que vous vous joigniez à elles après cette prière pour le salut de Michael. »

Il expédia une courte prière à la hâte et quelqu'un ouvrit les portes de l'église.

Grace regarda la nef se vider en silence. Cette cérémonie ressemblait davantage à des funérailles. La semaine suivante, certains se retrouveraient pour inhumer quatre de leurs amis. Et il espérait que la non-apparition de Michael ne signifierait pas un cinquième enterrement. Mais ce n'était pas bon signe. Pas bon signe du tout. On pouvait maintenant faire une croix sur la piste de la très mauvaise blague.

Mais quelque chose d'autre le travaillait.

Une heure plus tard, dans la salle Queen Mary du Pavillon royal, dont les murs roses étaient tapissés de tableaux de maîtres présentés dans des cadres dorés, ne régnait pas cette agitation propre aux mariages. Les rares discussions guindées étaient ponctuées de longs silences. Seules quelques-unes des vingt tables parées d'orchidées, somptueusement dressées pour accueillir deux cents invités, étaient utilisées. Deux chefs en tenue et toque blanches géraient les luxuriants buffets avec une armée de serveurs et de serveuses. La pièce montée, témoin importun de la raison pour laquelle ces gens étaient là, trônait dans un coin. Sans se laisser abattre, nombreux étaient ceux qui faisaient honneur aux plats abondants, une coupe ou un verre de vin à la main.

Grace, qui avait été invité par Ashley, avait été retardé par un coup de fil qu'il avait donné à Nick Nicholl et Bella Moy pour leur demander d'augmenter les effectifs de l'équipe. Bella connaissait une jeune débutante qu'elle appréciait et qui était disponible : Emma-Jane Boutwood. Grace approuva sa proposition et lui demanda de l'intégrer immédiatement à l'équipe.

Au cours de la réception, il observa très attentivement Ashley et Mark Warren. Malgré ses yeux remplis de larmes et ses joues ruisselantes de mascara, Ashley faisait bonne figure. Elle était assise entre un jeune homme et une femme que Grace n'avait pas vus à l'église. Il semblait que davantage de personnes les avaient rejoints, Ashley leur ayant dit que la réception accueillerait tous ceux qui le souhaitaient.

« Il va venir, dit-elle à Grace. Ça ne tient pas debout. C'est tellement bizarre... Le jour de votre mariage n'est-il pas censé être le plus beau jour de votre vie ? » bredouilla-t-elle avant de fondre en larmes.

Grace remarqua que la mère de Michael et l'oncle d'Ashley étaient assis côte à côte à une autre table. Il observa pensivement Bradley Cunningham. Puis il fut interpellé par Mark Warren, œillet blanc à la boutonnière, dont la voix trahissait l'alcool. Une flûte de champagne vide à la main, il se plaça à quelques centimètres du visage de Grace.

« Commandant Grace ? »

« Commissaire », le corrigea Roy.

« Décholé, chavais pas que vous aviez été promu. »

« Je ne l'ai pas été, monsieur Warren. »

Mark recula, se redressa vaguement, le fixa aussi posément que possible, sauf que l'alcool lui faisait plisser les yeux. De toute évidence, sa présence mettait Ashley mal à l'aise. Grace vit qu'elle les surveillait depuis sa table.

« Vous pouvez pas laicher cette jeune femme tranquille ? Vous imaginez pas dans quel état elle est ? »

« C'est pour cela que je suis ici », lui répondit Grace calmement.

« Vous devriez être au boulot, en train de chercher Michael, au lieu de traîner ici et de vous rincer le gosier gratis. »

« Mark ! » le réprimanda Ashley.

« M'en branle ! » fit-il en balayant son intervention d'un geste. Se retournant vers Grace, il bafouilla : « Qu'est-ce que vous attendez pour retrouver Michael, putain ? »

Agacé par son attitude, mais sans se départir de son calme, Grace dit : « Mon équipe met tout en œuvre. »

« J'ai pas l'impression. Vous êtes censé boire, pendant votre service ? »

« C'est de l'eau minérale. »

Mark lorgna vers le verre de Grace.

Ashley se leva et les rejoignit. « Va faire un tour, Mark. »

Grace détecta une certaine tension dans sa voix. Décidément, quelque chose clochait, mais il ne trouvait pas quoi.

Puis Mark lui enfonça son index dans la poitrine et dit : « Vous savez ce que c'est, votre problème ? Vous vous en foutez royalement. »

« Qu'est-ce qui vous fait dire ça ? »

Mark Warren le gratifia d'un sourire imbécile et haussa le ton. « Allez, avouez. Vous n'aimez pas les riches, c'est ça? On peut aller se faire mettre, c'est ce que vous pensez? Vous êtes trop occupés avec vos radars, à flasher les conducteurs. Pourquoi est-ce que vous auriez quelque chose à foutre d'un gosse de riche qui fait des blagues qui tournent mal, hein? Alors que vous pourriez choper un bon gros bonus en arrêtant des automobilistes? »

Grace baissa d'un ton volontairement, sachant que cela inciterait Mark Warren à en faire autant : « Monsieur Warren, je n'ai aucun contact avec la police de la circulation, j'essaie simplement de vous aider. »

Mark se pencha pour tendre l'oreille. « Hein? J'ai rien entendu. Qu'est-ce que vous avez dit? »

Sans élever la voix, Grace poursuivit tranquillement : « Quand je faisais mes classes, nos supérieurs nous avaient un jour fait défiler pour nous inspecter. J'avais tellement poli la boucle de mon ceinturon qu'elle brillait comme une pièce d'or. Le chef m'avait alors demandé de retirer ma ceinture et avait montré l'autre face à tout le monde. Je ne l'avais pas frottée, et j'avais honte. Ça m'avait servi de leçon. Il ne faut pas se fier aux apparences. » Il lui jeta un regard énigmatique.

« Vous voulez dire quoi, au chuste? »

« Je vous laisse y réfléchir, monsieur Warren, la prochaine fois que vous faites laver votre BMW. »

Grace tourna les talons et partit.

47

Grace s'installa dans sa voiture. La pluie tambourinait sur le pare-brise, il était plongé dans ses pensées. Tellement absorbé qu'il ne s'aperçut pas qu'il y avait une contredanse sous son essuie-glace.

Les bâtards.

Il sauta de sa voiture, attrapa l'amende et déchira le plastique. Trente livres tout rond pour avoir dépassé de cinq minutes son temps de stationnement. Et pas moyen de la faire sauter, le boss avait définitivement mis fin à ce passe-droit.

J'espère que vous profitez de votre agréable week-end à Solihull, monsieur Branson. Il grimaça et jeta la prune devant le siège du passager, écœuré. Puis il se concentra de nouveau sur Mark Warren. Il y avait cinq ans de ça, il avait suivi un stage de quinze jours de psychologie médico-légale au centre de formation du FBI, à Quantico, aux États-Unis. Ça ne faisait pas de lui un expert, mais il avait appris à suivre son instinct et à décrypter certains aspects du langage corporel.

Et celui de Mark Warren ne tenait pas la route.

Cet homme venait de perdre quatre de ses meilleurs amis. Son associé était porté disparu, peut-être mort. Il aurait dû être choqué, sonné, accablé, pas agressif. C'était trop tôt pour la colère.

Et il avait noté sa réaction lors de sa remarque sur la voiture. Il avait touché un nerf sensible, ça ne faisait aucun doute.

Je ne sais pas ce que vous mijotez, monsieur Mark Warren, mais vous pouvez compter sur moi pour le découvrir.

Il sortit son téléphone, composa un numéro et attendit. Un samedi après-midi, il s'attendait à tomber sur un répondeur, mais une femme décrocha. Une voix douce, chaude. Impossible de deviner, à l'entendre, sa profession.

« Institut médico-légal de Brighton et Hove, bonjour. »

« Cleo, c'est Roy Grace. »

« Salut, Roy, comment vas-tu ? » La voix de Cleo Morey, qui était habituellement presque hautaine, se teinta soudain d'accents malicieux.

Involontairement, Grace se surprit à lui faire du gringue au téléphone. « On fait aller. Je suis impressionné de te trouver au boulot un samedi après-midi. »

« Les morts ne savent pas quel jour on est. » Elle hésita avant de poursuivre. « Les vivants non plus, enfin, pour la plupart. »

« *Pour la plupart ?* »

« J'ai l'impression que la majorité des gens ne savent pas quel jour on est, qu'ils font comme si, mais ne s'en soucient pas vraiment. Qu'est-ce que tu en penses ? »

« C'est un peu trop philosophique pour un samedi après-midi pluvieux. »

« Je suis des cours de philo à distance, à l'Université de tous les savoirs, et il faut bien que je pratique avec quelqu'un. Mes pensionnaires ne sont pas très bavards. »

Grace sourit. « Tu vas bien ? »

« Oui. »

« C'est un petit oui, ça. »

« Je me porte à merveille, je suis juste fatiguée. J'ai assuré la semaine seule : Doug est en vacances, on est en sous-effectif en ce moment. »

« Les gars qui sont morts mardi soir, ils sont toujours avec toi ? »

« Affirmatif. Josh Walker aussi. »

« Celui qui est mort après, à l'hôpital ? »

« Oui. »

« Il faudrait que je passe les voir. Je peux venir tout de suite ? »

« Ils ne bougent pas. »

Grace appréciait son humour noir. « Je suis là dans dix minutes. »

*
* *

La circulation de ce samedi après-midi était plus dense que prévu et il lui fallut près de vingt minutes pour atteindre le rond-point, tourner à droite, passer le panneau INSTITUT MÉDICO-LÉGAL DE BRIGHTON ET HOVE et le portail en fer forgé encadré de poteaux en briques. Les portes étaient ouvertes en permanence, 24 h sur 24. Comme pour symboliser, pensa-t-il, que la mort n'avait guère de respect pour les heures de bureau.

Grace connaissait beaucoup trop bien ce bâtiment terne sur lequel planait une horrible aura. Il s'agissait d'une structure allongée, de plain-pied, couverte d'un crépi granité. Sur le côté, il y avait un parking couvert suffisamment long et large pour accueillir une fourgonnette ou une ambulance. L'institut médico-légal était une zone de transit pour les gens qui avaient succombé à une mort violente ou inexpliquée, une halte dans leur aller sans retour vers le cimetière ou le crématorium. Les victimes de maladies fulgurantes, comme la méningite virale, y passaient pour que leur corps soit disséqué et que la recherche puisse sauver d'autres vies.

Mais l'autopsie constituait la dégradation suprême. Un être humain qui marchait, parlait, lisait, faisait l'amour – entre autres choses – un ou deux jours auparavant se retrouvait ici charcuté, étripé, comme un porc sur un étal de boucher.

Grace aurait préféré ne pas y penser, mais ne pouvait s'en empêcher. Il avait vu trop d'autopsies et connaissait trop bien leur déroulement. Le cuir chevelu était décollé, le haut du crâne scié, la cervelle extraite et découpée. La poitrine était fendue, tous les organes prélevés, tranchés et pesés. Certains morceaux étaient envoyés au laboratoire de toxicologie pour analyse. Les autres étaient fourrés dans des sacs en plastique blanc, comme des abats, et recousus à l'intérieur du cadavre.

Il se gara derrière une petite MG Sport bleue, celle de Cleo sans doute, et courut vers la sonnette de l'entrée pour échapper à la pluie. La porte, avec son panneau de verre dépoli, aurait pu être celle d'un pavillon de banlieue.

Quelques instants plus tard, Cleo Morey lui ouvrit avec un sourire engageant. Il avait beau la connaître depuis des années, à chaque fois qu'il la voyait, Grace ne pouvait s'empêcher d'être frappé par l'incongruité de la situation. Cette superbe

250

jeune femme blonde, trente ans grand maximum, blouse chirurgicale verte, épais tablier vert et bottes en plastique blanches, aurait pu être actrice ou mannequin, ou embrasser n'importe quelle carrière, son QI étant proportionnel à sa beauté. Mais non. Elle avait choisi de faire *ça* : réceptionner des cadavres, les préparer pour les autopsies, les laver après la dissection et tenter d'offrir des miettes de réconfort à la famille du défunt, systématiquement dévastée au moment d'identifier le corps. Et la plupart du temps, elle travaillait seule.

L'odeur frappa Grace immédiatement. Comme à chaque fois, les atroces relents douceâtres de désinfectant lui retournèrent le cœur.

Ils prirent à gauche, après l'étroit vestibule, et entrèrent dans le bureau des pompes funèbres, qui faisait aussi office de réception. C'était une petite pièce avec un radiateur mobile, des murs roses, un tapis rose, une rangée de chaises en L pour les visiteurs et un petit bureau métallique sur lequel se trouvaient trois téléphones, un tas de petites enveloppes kraft portant l'inscription « effets personnels » et un grand livre vert et rouge intitulé « registre mortuaire » en lettres d'or.

Accrochés à un mur se trouvaient une applique, une rangée de diplômes encadrés « santé publique », ainsi qu'un certificat plus grand attribué par l'Institut britannique des thanatopracteurs à Cleo Morey. Sur un autre, il y avait un écran de vidéosurveillance qui passait, en continu, des images tremblantes de l'entrée, de l'arrière du bâtiment, des deux côtés, ainsi qu'un plan rapproché sur la porte principale.

« Je t'offre un thé, Roy ? »

Ses grands yeux bleu clair le fixèrent une fraction de seconde de plus que nécessaire. Des yeux souriants. Incroyablement chaleureux.

« Je rêve d'une tasse de thé. »

« English breakfast, Earl Grey, Darjeeling, thé de Chine, camomille, menthe, thé vert ? »

« Je pensais être à la morgue, pas chez Starbucks. »

Elle sourit. « Nous vous proposons également du café : expresso, latte, colombien, moka... »

Il leva la main. « Lipton, ce sera parfait. »

« Lait entier, demi-écrémé, citron ? »

Il leva les deux mains. « Celui qui est entamé. Joe n'est pas encore là ? »

Il avait demandé à Joe Tindall, de l'identité judiciaire, de le rejoindre.

« Pas encore. Tu préfères qu'on l'attende ? »

« Ce serait mieux. »

Elle appuya sur le bouton de la bouilloire et disparut dans le vestiaire attenant. L'eau commençait à gazouiller quand elle revint avec une blouse verte, des chaussons bleus, un masque en gaze et des gants blancs en latex, qu'elle lui tendit.

Tandis qu'il les enfilait, elle prépara son thé et sortit une boîte en aluminium remplie de petits-beurre. Il en prit un et le grignota. « Tu as donc été seule toute la semaine. Ça te déprime pas, de n'avoir personne à qui parler ? »

« Je suis tout le temps occupée. On a eu dix admissions cette semaine. Eastbourne devait nous en envoyer d'autres, de leur morgue, mais ils ont eu trop de boulot eux aussi. Il doit y avoir un truc particulier à la dernière semaine de mai. »

Grace passa l'élastique du masque derrière sa nuque, mais le laissa pendre à son cou. D'après son expérience, les jeunes gens n'étaient pas morts depuis suffisamment longtemps pour qu'il en ait besoin. « Tu as eu la visite des familles des quatre garçons ? »

Elle acquiesça. « Et celui qui avait disparu, le futur marié, il a refait surface ? »

« Je reviens du mariage. »

« Je me disais que tu étais un peu trop bien habillé pour un samedi, Roy. » Elle sourit. « Le problème s'est donc résolu tout seul ? »

« Non, répondit-il. C'est pour ça que je suis là. »

Elle haussa les sourcils sans faire de commentaire. « Tu veux voir quelque chose, en particulier ? Je peux t'avoir une copie du rapport du médecin légiste. »

« Ce sont leurs ongles qui m'intéressent. Dès que Joe arrive, on commence par là. »

48

Suivi de Joe Tindall, qui enfilait ses gants, Grace regardait les mèches blondes de Cleo se balancer au-dessus du col de sa blouse verte. Ils passèrent devant la chambre stérile et continuèrent dans le couloir au sol dur, moucheté, jusqu'à la salle d'autopsie principale.

Celle-ci comptait deux tables en acier, l'une fixe, l'autre sur roulettes, un monte-charge hydraulique bleu et une rangée de portes de frigo du sol au plafond. Les murs étaient carrelés de gris et tout autour de la pièce courait une rigole. À l'extrémité de l'un des murs, couvert d'éviers, s'enroulait un tuyau d'arrosage jaune. En face se trouvaient d'immenses plans de travail en métal et une armoire aux portes en verre remplie d'instruments de chirurgie, et de quelques piles Duracell. Un tableau recensait le nom des personnes décédées, ainsi que le poids de leur cerveau, de leurs poumons, de leur cœur, de leur foie, de leurs reins et de leur rate. Un nom, celui d'Adrian Penny, accompagné de ses funestes mensurations, était inscrit au marqueur bleu.

Captant le regard de Grace, Cleo lança joyeusement. « Un motocycliste autopsié hier. Il voulait doubler un camion, mais n'avait pas vu qu'une poutrelle en acier dépassait sur le côté : s'est décapité tout seul, comme un grand. »

« Comment tu fais pour rester saine d'esprit ? » demanda Grace.

Elle sourit : « Qui a dit que je l'étais ? »

« Je ne sais pas comment tu peux faire ce métier. »

« Ce ne sont pas les morts, qui font souffrir, Roy. Ce sont les vivants. »

« Bien vu », concéda-t-il. Il aurait aimé connaître son point de vue sur les fantômes, mais estima que ce n'était pas le moment.

La pièce était froide. Le système de réfrigération ronronnait et un néon qui n'arrivait pas à s'allumer correctement cliquetait au-dessus d'eux. « Tu as une préférence ? Qui est-ce que tu veux voir en premier ? »

« Peu importe, je vais tous les regarder. »

Cleo se dirigea vers la porte 4 et l'ouvrit. Un courant d'air glacial s'engouffra, mais ce ne fut pas le froid qui pétrifia Grace : ce fut la vision des formes humaines, sur quatre niveaux, sous les bâches blanches. Cleo actionna le monte-charge, tourna la manivelle, approcha la table à roulettes, la déplia complètement, fit glisser le corps et referma la porte de la chambre froide. Puis elle retira le plastique. Apparut un homme blanc, bien en chair, cheveux longs, le corps et le visage couverts d'hématomes et de coupures. Ses yeux grands ouverts, malgré leur immobilité cireuse, témoignaient du choc. Son pénis flasque, ratatiné, gisait dans une épaisse toison pubienne. On aurait dit un rôdeur en hibernation. Grace jeta un œil à l'étiquette beige accrochée à son gros orteil. « Robert Houlihan. »

Il s'intéressa immédiatement aux mains du jeune homme. Elles étaient larges, massives, et les ongles étaient crasseux. « Tu as tous ses vêtements ? »

« Oui. »

« Très bien. » Grace demanda à Tindall de prélever de la terre sous les ongles.

Le TSC choisit un instrument pointu, demanda à Cleo un scellé, puis gratta soigneusement le bout de chaque doigt. Il étiqueta le sachet et le ferma hermétiquement.

Les mains du suivant, Luke Gearing, étaient sévèrement abîmées, mais mis à part quelques caillots de sang, ses ongles rongés étaient relativement propres. Il n'y avait pas de crasse non plus sous ceux de Josh Walker. Mais les mains de Peter Waring étaient particulièrement sales. Tindall effectua des prélèvements à chaque doigt et les emballa.

Ils examinèrent ensuite leurs vêtements. Il y avait de la boue sur toutes les chaussures, ainsi que des éclaboussures sur les habits de Robert Houlihan et de Peter Waring. Tindall enveloppa chaque pièce séparément.

« Tu les apportes au labo tout de suite ? » lui demanda Grace.

« J'avais prévu de rentrer chez moi. Ce serait sympa de voir la couleur de mon appartement avant la fin du week-end et d'avoir une vie privée. Ou de faire comme si. »

« Tu vas me maudire, Joe, mais il faut vraiment que tu t'y mettes tout de suite. »

« Génial ! Tu veux que je renonce au concert de U2 et que je jette les billets que j'ai payés cinquante livres chacun par la fenêtre ? Que je pose un lapin à ma copine et que je sorte mon sac à viande du bureau ? »

« U2 ? Elle est très jeune, hein ? »

« Oui, et tu sais quoi : elle est comme le lait sur le feu. À surveiller de près. »

« La vie d'un homme est peut-être en jeu. »

Exaspéré, Tindall lança : « Tu me rembourses les billets sur ton budget. »

« Ce n'est pas moi qui m'occupe de cette affaire. »

« Ah bon, et c'est qui alors ? »

« Glenn Branson. »

« Et il est où, celui-là ? »

« À un anniversaire, à Solihull. »

« De mieux en mieux. »

Tindall se déshabilla devant les vestiaires et jeta sa blouse dans une corbeille. « Profite de ta foutue soirée, Roy. Mais la prochaine fois, tu bousilleras le week-end de quelqu'un d'autre. »

« Je viendrai te tenir compagnie. »

« Pas la peine. »

Tindall claqua la porte derrière lui. Grace entendit le vrombissement du moteur. Puis il remarqua que, dans son dépit, l'expert médico-légal avait oublié le grand sac-poubelle noir qui contenait les prélèvements à analyser. Il hésita entre courir après lui ou les lui apporter directement et essayer de le calmer. Il opta pour la deuxième solution. Il comprenait son humeur massacrante. Il aurait réagi pareil, dans les mêmes circonstances.

Il se réfugia dans le bureau de Cleo, prit un deuxième biscuit et termina son thé, qui était froid. Puis il attrapa le sac noir et Cleo le raccompagna à la porte. Il était sur le point d'affronter la pluie quand il se retourna vers elle.

« Tu finis à quelle heure, ce soir ? »

« Dans une heure, environ. Si personne ne meurt d'ici là. »

Grace l'observa en se disant qu'elle était vraiment délicieuse. Et il sentit son cœur s'emballer en constatant qu'elle n'avait pas de bagues. Elle pouvait bien sûr les avoir enlevées pour travailler. « Je... Je me demandais... Enfin... Je veux dire... Tu fais quelque chose ce soir ? »

Ses yeux brillèrent. « J'ai rendez-vous, je vais au cinéma. » Et elle ajouta, comme pour le rassurer :

« Avec une vieille amie qui traverse un divorce difficile. »

Son assurance naturelle l'ayant complètement abandonné, Grace bafouilla : « Je ne savais pas si... Si tu étais mariée ou si... Si tu avais quelqu'un... Je... »

« Ni l'un, ni l'autre », lui répondit-elle avec un regard prometteur, soutenu, interrogateur.

« Est-ce que tu aimerais... Un soir... Peut-être... Prendre un verre avec moi ? »

Elle continua à le fixer et ses lèvres dessinèrent progressivement un grand sourire. « Ça me plairait beaucoup. »

Comme sur un nuage, il traversa le parking, sans se rendre compte qu'il pleuvait des cordes. Il venait d'appuyer sur le bouton d'ouverture des portières quand il entendit Cleo crier : « Roy, tu oublies quelque chose ! »

Il se retourna et la vit, tenant le grand sac noir.

49

« Espèce de crétin, dit Ashley à Mark qui était affalé, dépenaillé, à l'arrière de la limousine à côté d'elle. C'est pas croyable. Pourquoi fallait-il que tu agresses ce flic, nom de Dieu ? » Elle se pencha en avant pour vérifier que la vitre qui les séparait du chauffeur était bien fermée.

Mark mit une main autour de sa cheville et commença à grimper le long de sa jambe, sous sa robe de mariée. Elle le repoussa brutalement.

« Arrête ! Tiens-toi convenablement, par pitié. »

« C'est un bouffon. »

« Tu es complètement bourré. Tu pensais à quoi quand tu l'as provoqué avec les radars ? »

Mark lui jeta un regard embué. « Je voulais brouiller les pistes. »

À travers la fenêtre, elle vit qu'ils approchaient du Van Alen. Il était cinq heures et demie. « Comment ça : *brouiller les pistes* ? »

« Je ne serais pas agressif si j'avais quelque chose à cacher, tu crois pas ? »

« Et qu'est-ce qu'il voulait dire à propos du lavage de la BMW ? »

« Aucune idée. »

« Tu dois bien savoir. À ton avis ? »

L'interphone cliqua soudain et le chauffeur demanda : « Entrée principale ? »

« Ch'est bon », répondit Mark, et, se tournant vers Ashley : « Tu montes boire un verre ? »

« Je ne sais pas. J'ai plutôt envie de te tuer. »

« Quelle comédie, ce mariache... »

« C'était une très bonne parodie. Sauf que tu as failli tout faire planter. »

Mark dégringola de la voiture et manqua de mordre la poussière. C'est la poigne ferme d'Ashley qui le sauva. De nombreux passants se retournèrent, mais elle les ignora, son seul objectif étant d'accompagner Mark à l'intérieur avant qu'il ne fasse une nouvelle bourde.

Elle renvoya le chauffeur et aida Mark à atteindre l'entrée. Il fixa, hagard, l'interphone et parvint miraculeusement à composer le digicode.

Quelques minutes plus tard, ils étaient dans son appartement. Mark ferma la porte et le loquet.

« Je ne peux pas rester, Mark », annonça-t-elle.

Il commença à tripoter sa robe de mariée en dentelle. Ashley avait relevé son voile. Il se pencha en avant et l'embrassa sur la bouche. Elle le laissa faire et lui rendit son baiser un peu à contrecœur, puis le repoussa. « Je suis sérieuse. Je ne peux pas rester. Il faut que j'aille chez la mère de Michael jouer le rôle de la future mariée éplorée, ou je ne sais quel putain de rôle. Quel après-midi, mon Dieu, quel cauchemar. »

Mark chancela jusqu'à la cuisine américaine, ouvrit une armoire et sortit un pot de café. Il le regarda, interloqué, le remit à sa place, ouvrit le frigo et opta pour une bouteille de champagne Cristal.

« J'estime que nous devrions porter un véritable toast à ton mariage », annonça-t-il.

« Ce n'est pas drôle. Et tu as suffisamment bu pour aujourd'hui. »

La bouteille à la main, Mark s'affala sur le canapé et tapota le coussin, à côté de lui, pour inviter Ashley à le rejoindre.

Ashley marqua une hésitation dédaigneuse, puis s'assit à l'autre bout du canapé, aussi loin que possible, arracha son voile, croisa les jambes et donna un léger coup de pied pour enlever ses chaussures. « Mark, je veux savoir ce que Grace entend par cette histoire de voiture. »

« J'en ai aucune idée. »

Elle ne répondit rien.

« Tu m'aimes ? »

Secouant la tête de désespoir, elle se leva. « Oui, je t'aime. À ce moment précis, je me demande bien pourquoi, mais je t'aime. La mère de Michael m'attend, je suis censée aller pisser toutes les larmes de mon corps, et c'est ce que je vais faire. »

« Bois un coup d'abord. »

« Arrête, Mark... »

Il se redressa, chancela jusqu'à elle et la prit dans ses bras. Puis il lui fit des baisers dans le cou. « Tu sais, s'il n'y avait pas eu cet accident, le mariage aurait eu lieu. Tu serais madame Michael Harrison à l'heure qu'il est. »

Elle hocha la tête, émue une fraction de seconde.

Il la regarda dans les yeux. « Tu serais en route pour le Savoy, à Londres. Tu lui aurais fait l'amour ce soir, pas vrai ? »

« C'est ce que les épouses sont censées faire pendant leur nuit de noces. »

« Et qu'est-ce que tu aurais ressenti ? »

Elle prit son visage entre ses deux mains et chuchota : « J'aurais pensé à toi. »

« Tu l'aurais sucé ? Tu lui aurais taillé une pipe ? »

Elle se dégagea de son étreinte : « Mark ! »

« Tu l'aurais fait ? »

« Jamais de la vie. »

« Allez ! »

« On a passé un pacte, Mark. »

Il se dirigea vers l'évier, déchira la protection en aluminium et sortit deux verres de l'armoire. Il déboucha la bouteille, remplit les flûtes et lui en tendit une.

Elle la prit malgré elle et trinqua. « Tout était prévu, lui rappela-t-elle. On avait un plan A, on est passé au plan B. » Il avala une longue gorgée, sifflant la moitié de son verre. « Où ch'est qu'il est, le problème ? »

« Le premier problème, c'est que tu es bourré. Le deuxième, c'est que je ne suis pas madame Michael Harrison, ce qui veut dire que je ne possède pas la moitié de ses parts, le quart de *Double-M Properties*. »

« Le tiers », corrigea-t-il.

« Ouais. »

« Eh ben moi oui, selon notre pacte d'actionnaires et notre police d'assurance. »

« Si tant est qu'il soit mort. »

« Pourquoi tu dis *si tant est* ? »

« Tu as bien rebouché le trou laissé par le tube, n'est-ce pas ? Tu as utilisé de la superglue, comme je t'ai dit ? »

« Ouaich », fit-il en se tortillant.

Elle le fixait durement, semblait lire dans ses pensées : « Tu en es sûr ? »

« Ouaich. Le couvercle était vissé. J'ai tiré sur le tube et j'ai remis une tonne de terre. S'il était vivant, il nous aurait contactés, non ? »

Elle le regardait bizarrement.

« Tu veux que j'aille lui enfoncer un putain de pieu dans le cœur ? »

Elle but une gorgée de champagne, se dirigea vers la chaîne et passa en revue les CD. « Tu m'aimes comment ? »

« Comment ? Plus qu'il n'existe de mots pour le dire. »

Elle sortit un disque de son boîtier, le plaça sur la chaîne et appuya sur *play*. *Love is all around* envahit la pièce. Elle posa son verre, prit celui de

Michael et le mit de côté, passa ses bras autour de lui et l'invita à danser. Approchant ses lèvres de son oreille, elle lui susurra : « Si tu m'aimes, tu me diras toujours la vérité, n'est-ce pas ? »

Ils firent quelques pas et Mark lâcha : « Y'a quelque chose qui me tracache depuis plusieurs jours. »

« Dis-moi. »

« Tu sais que Michael et moi, on utilise nos Palm pour lire nos mails quand on n'est pas au bureau. On a fait attention à pas le mettre en copie, avec les gars, à propos de l'enterrement, mais je crois que j'ai foiré. »

« Qu'est-ce que tu veux dire ? »

« Je pense que je lui ai envoyé un message par erreur et qu'il a son Palm avec lui. »

Elle se dégagea, le fusilla du regard. « Il l'a avec lui ? »

« C'est possible. »

« Comment ça, *possible* ? »

« Je ne l'ai pas trouvé au bureau. Ni chez lui. »

« Il l'a dans la tombe, avec lui ? »

« Peut-être. »

« *Peut-être* ? »

Mark haussa les épaules.

« Tu as intérêt à vérifier, Mark. »

Il la fixait en silence. « Je te le dis juste parce que... »

« Parce que ? »

« Parce que ça pourrait être compromettant. »

« Tu ferais bien d'aller le récupérer, tu penses pas ? »

« On ne risque rien tant que personne ne le trouve. »

Ashley s'assit dans le canapé et but une gorgée de champagne. « Je n'en crois pas mes oreilles. Pourquoi est-ce que tu ne me l'as pas dit plus tôt ? »

Mark prit un air indécis. « Je pensais... Enfin, je... »

« Tu quoi ? »

Mark s'approcha d'elle pour trinquer. Ashley retira son verre brutalement.

« Tu ferais bien d'aller le chercher. Et vite. Genre, ce soir. *Capisce* ? »

50

En route pour le siège de la PJ, Grace brancha son kit mains-libres et appela Glenn Branson. « Ça boume à Solihull ? »

« Il pleut des cordes. Et à Brighton ? »

« Il pleut des cordes. »

« La sœur d'Ari est clouée au lit avec une migraine. »

« Ça promet d'être un superanniversaire. »

« D'un autre côté, j'ai marqué des points auprès de la belle-famille. Et le mariage, c'était comment ? »

« Un peu comme ta fête : l'hôte ne s'est pas montré. »

« C'est pas un scoop. Dis-moi, elle avait combien de membres de sa famille, Ashley ? »

« Je n'en ai vu qu'un seul. Un oncle. » Il s'arrêta à un feu. « Je voulais te demander : tu as vérifié le compte bancaire de Michael Harrison et ses cartes de retrait ? »

« On le surveille en permanence. Rien depuis mardi après-midi. Même chose pour son portable. Du nouveau de ton côté ? »

« L'hélico patrouille, mais on n'a rien trouvé. Nicholl et Moy bossent tout le week-end, ils font circuler la photo de Michael dans la presse et récupèrent les bandes de vidéo-surveillance de la zone suspecte. J'ai une équipe qui va les visionner. Il va falloir décider si on demande du renfort et si on fait une recherche approfondie de la région. Et il y a quelque chose, chez Mark Warren, qui me déplaît de plus en plus. »

« Du genre ? »

« Rien de précis, mais il nous cache quelque chose. Il va falloir enquêter sur son passé. »

« L'équipe du logiciel Holmes s'en occupe déjà. »

« Bien joué. Attends. » Le feu venait de passer au vert, Grace se concentra sur la route. « Je pense qu'il faudrait se pencher sur leur boîte, *Double-M Properties*. Voir les termes de leur police d'assurance. »

« J'ai des gars là-dessus aussi. Et je fais examiner leur société aux îles Caïmans. Ashley, tu en penses quoi ? »

« J'en sais rien. Je ne la cerne pas. Sa performance est convaincante. Mais je pense qu'il faudrait regarder de son côté aussi. Tu sais ce qui est bizarre chez elle ? »

« Le fait qu'elle n'ait pas de famille ? Tu as vu le film *Last Seduction*, avec Linda Fiorentino ? » La connexion passa moins bien et la voix de Branson devint hachée.

« Je ne me souviens pas. »

« Bill Pullman était dedans. »

« Ça me dit rien. »

« Elle joue dans *Men in Black*. »

« OK. »

« Ça vaut le coup, *Last Seduction*. Une prédatrice. La fin est très sombre. Bref, elle me fait penser à Ashley. »

« OK, je le verrai. »

« Va sur dvd.play.com. Ils ont de superprix. »

« Tu connais combien de personnes de vingt-sept ans qui n'ont pas de famille, pas d'amis ? Tu as vingt-sept ans, tu te maries, c'est le plus grand jour de ta vie et tu te débrouilles pour n'avoir qu'un oncle... »

« Elle est peut-être orpheline. Il va falloir se renseigner. »

« J'irai discuter avec la mère de Michael. Elle doit savoir quelques trucs sur sa future belle-fille. »

« La mienne en savait plus que moi sur Ari quand je me suis fait mettre la bague au doigt. »

« C'est ce que je viens de dire. »

*
* *

Dix minutes plus tard, Grace parcourait le couloir du centre opérationnel, au siège, en traînant le sac en plastique noir de l'institut médico-légal. Il s'arrêta devant une feuille accrochée sur un tableau rouge intitulée MOBILES LES PLUS FRÉQUENTS. Il

266

n'était parfois pas inutile de se rafraîchir la mémoire grâce à ces tableaux, même si la plupart des informations étaient gravées dans son esprit. Il parcourut le document.

Sexe. Jalousie. Racisme. Peur/colère. Vol. Pouvoir. Conserver son train de vie. Avantages. Argent. Homophobie. Haine. Vengeance. Problème psychiatrique.

Il passa au deuxième tableau, qui était intitulé RÉSUMÉ DE LA PROCÉDURE.
1. *Identification des suspects*
2. *Renseignements*
3. *Analyse scientifique de la scène de crime*
4. *Enquête de voisinage*
5. *Recherche des témoins*
6. *Enquête sur les victimes*
7. *Mobiles possibles*
8. *Médias*
9. *Autopsie*
10. *Audition des principaux témoins*
11. *Autres*

Médias, pensa-t-il. C'était une bonne histoire pour la presse. Il appellerait ses contacts, commencerait à déterrer l'affaire. Ça aurait peut-être un effet boule de neige. Il entra dans le petit labo immaculé de la police scientifique. Il appellerait Kevin Spinella, le journaliste de *L'Argus*.

Joe Tindall l'attendait dans la première des deux salles, la pièce pour les révélations de traces. Il y avait un tas de sacs bruns par terre, tous estampillés « pièce à conviction » à l'encre noire, un rouleau de papier kraft sur un plan de travail, un évier et un grand coffre d'air.

« Merci », lui dit Joe Tindall quand il lui tendit le sac. Son ton était moins amical que la première fois qu'ils s'étaient vus dans la journée, mais plus calme que la dernière.

Le TSC ouvrit le sac-poubelle noir et sortit les prélèvements de terre, puis les vêtements. La plupart étaient couverts de sang. Une odeur de putréfaction se dégagea. « La terre prélevée sous les ongles et les chaussures des victimes, tu veux la faire comparer à celle que tu m'as apportée plus tôt ? »

« À celle du véhicule suspect, oui. Tu peux me faire ça pour quand ? »

« La personne qu'il te faut s'appelle Hilary Flowers. Un nom parfait, tu ne trouves pas ? »

Grace sourit. « J'ai déjà bossé avec elle, elle est douée. »

« C'est la meilleure pour les pollens. Elle a eu des résultats fantastiques en grattant les narines de victimes. Mais elle coûte cher. »

Grace secoua la tête en signe de frustration. Quand il était entré à la police, la mission, c'était d'arrêter des criminels. Maintenant, tout étant sous-traité par des boîtes privées, le problème, c'était de respecter le budget. « Elle peut me faire ça pour quand ? »

« Il lui faut habituellement deux semaines. »

« Je n'ai pas deux semaines. On parle là d'un gars enterré vivant. Chaque heure compte, Joe. »

Tindall regarda sa montre. « Six heures vingt, un samedi soir. Il va falloir que la chance soit de notre côté. » Il décrocha le téléphone et composa un numéro. Grace surveillait son visage avec anxiété. Tindall laissa sonner, puis secoua la tête et chuchota : « Répondeur. »

Il laissa un message demandant de le rappeler de toute urgence et raccrocha. « C'est tout ce que je peux faire pour toi, Roy. Si la terre vient du même endroit, elle te le dira. Pollen, larves d'insecte, fossiles, composition du sol : il n'y a qu'à demander. »

« Tu penses à personne d'autre ? »

Joe Tindall jeta un nouveau coup d'œil à sa montre. « C'est samedi soir, Roy. Si je pars maintenant et que je roule à tombeau ouvert, je peux espérer voir la deuxième partie du concert de U2 – et tirer un coup après. Je pense que tu vas te rendre compte que tous ceux susceptibles d'analyser un échantillon de terre ont quelque chose de prévu ce soir. »

« Le gars qui est enterré vivant avait quelque chose de prévu aujourd'hui, Joe. Il était censé se marier. »

« C'est vraiment pas de pot. »

« C'est le moins qu'on puisse dire. »

« Je ne voudrais pas te paraître désinvolte, mais j'ai fait cent dix heures cette semaine. »

« Bienvenue au club. »

« Je ne peux rien faire, Roy, rien. Tu me connais. Si je pouvais te proposer quoi que ce soit, je le ferais. S'il y avait quelqu'un, en Angleterre, susceptible d'analyser tes prélèvements ce soir, je prendrais ma voiture et je les lui apporterais. Mais je ne connais personne d'autre. Hilary, c'est elle

269

qu'il te faut. Je te donne son numéro et tu essaies de la rappeler. C'est tout ce que je peux te dire. »

Grace nota le numéro.

51

Il montait dans son Alfa quand son téléphone indiqua l'arrivée d'un nouveau message.

Qui a parlé de relation ? Je parle juste de sexe xxx

Grace secoua la tête. Il désespérait de comprendre un jour les femmes. Mardi soir, Claudine avait été ignoble avec lui, lui avait dit tout le mal qu'elle pensait de la police pendant presque trois heures. Et maintenant, en réponse à son texto du matin, elle lui annonçait qu'elle voulait coucher avec lui ?

Le pire, c'est qu'il était excité. Pour la première fois depuis des années. Claudine n'était pas une beauté, mais ce n'était pas un laideron non plus. La perspective d'un samedi soir en célibataire lui donnait presque envie de prendre sa voiture pour Guilford et de faire l'amour à cette végétalienne antipolice.

Mais la tentation n'était pas irrésistible. Et au moment même, son esprit était occupé par des pensées plus prosaïques : il listait les choses à faire dans le cadre de l'affaire Michael Harrison.

* *
*

Il était un peu plus de sept heures et la pluie s'était calmée quand, accompagné de l'officier

Linda Buckley, en uniforme, trente-cinq ans, cheveux blonds, coupe courte, visage agréable, mais vif, il montait le chemin, à travers le jardin bien entretenu, qui menait au petit pavillon de Gillian Harrison. La sonnette déclencha des aboiements retentissants. La porte s'ouvrit, un petit chien blanc avec un nœud rose sur la tête jaillit et entreprit immédiatement de mordiller les chaussures de Grace.

« Bobo, viens là ! Bobo ! »

Il montra, par principe, sa carte de police à la femme qu'il reconnut du mariage avorté de l'après-midi. « Madame Harrison ? Commissaire Grace, de Brighton, et voici l'officier Buckley, du bureau d'aide aux familles, qui s'occupera de vous et d'Ashley Harper. Si vous avez besoin de quoi que ce soit, elle vous aidera. »

Pieds nus, cheveux blonds argentés savamment coiffés, élégante robe bleue ourlée de blanc, dégageant une forte odeur de fumée de cigarette, elle adressa un sourire fugace à la policière et un regard anxieux à Grace, qui éprouva immédiatement de l'empathie pour elle. « Oui, je me souviens de vous... Vous étiez à la réception, cet après-midi. »

« Pouvons-nous vous parler ? »

Ses yeux étaient remplis de larmes et du mascara avait coulé sur ses joues. « Vous l'avez retrouvé ? Vous avez trouvé mon fils ? »

Il secoua la tête. « Non, je suis profondément désolé. »

Elle hésita, puis proposa : « Vous voulez entrer ? »

« Merci. »

Il la suivit dans le salon, s'assit dans le fauteuil qu'elle lui indiqua, à côté d'une cheminée factice éteinte. « Vous voulez boire quelque chose ? Un verre de vin ? Du café ? »

« Je veux bien un verre d'eau », dit-il.

« Je ne veux rien, merci, dit l'officier. Voulez-vous que je vous aide ? »

« Non merci, c'est gentil. »

Le chien leva les yeux vers Grace et gémit.

« Bobo, tais-toi ! » ordonna-t-elle. Le chien la suivit fidèlement.

Grace observa la pièce. Il y avait une reproduction de la *Charrette à foin*, de John Constable, et une aquarelle des moulins de Jack et Jill à Clayton ; une grande photo, prise lors d'une cérémonie, de Michael Harrison, en costume, le bras autour de la taille d'Ashley Harper, en robe de soirée ; une autre photo de Michael, beaucoup plus jeune, en culottes courtes, à califourchon sur une bicyclette, et une photo de mariage en noir et blanc de Gill Harrison et feu son mari, se dit-il, d'après les infos que Glenn Branson lui avait données. Il voyait la ressemblance entre Michael et son père, un bel homme, grand, avec des cheveux châtains mi-longs. Vu les immenses revers et les pantalons larges, il se dit que la photo avait dû être prise au milieu des années soixante-dix.

Gill Harrison revint, suivie de son chien, avec un verre d'eau et un verre de vin. Elle tendit l'eau à Grace et s'assit sur le canapé, en face de lui.

« Je suis navré pour ce qui s'est passé aujourd'hui, madame Harrison, ça a dû être un véritable supplice pour vous », dit-il en prenant le verre et en avalant une gorgée d'eau fraîche, qu'il apprécia particulièrement.

Une jeune femme entra dans la pièce. Elle était bronzée, avait un visage légèrement busqué, de longs cheveux blonds, en désordre, portait un jean et un débardeur. Elle avait des piercings à la lèvre, à l'oreille et sur la langue.

« Voici Carly, ma fille. Carly, c'est le commissaire Grace, de la PJ, et l'officier Buckley, dit Gill Harrison. Carly est rentrée d'Australie pour le mariage. »

« Je vous ai vue à la réception, mais je n'ai pas eu l'occasion de vous parler », dit-il en se levant pour lui serrer une main qu'elle ne tendit qu'à contrecœur. Grace se rassit.

« Enchantée », dit la policière.

Carly s'assit à côté de sa mère et passa un bras autour de ses épaules pour la protéger.

« Vous êtes où, en Australie ? » demanda Grace, essayant d'être poli.

« À Darwin. »

« Je ne connais pas. Je suis allé à Sydney. »

« J'ai une fille qui habite là-bas », dit Linda Buckley avec entrain, pour tenter de briser la glace.

Carly haussa les épaules avec indifférence.

« Je voulais complètement annuler le mariage et la réception, dit Gill Harrison, mais Ashley a insisté. Elle pensait... »

« C'est une petite connasse », la coupa Carly.

« Carly ! » s'exclama sa mère.

« Excuse-moi. Tout le monde pense qu'elle est – elle fit une moue mièvre et battit des mains

273

comme un papillon – a-do-rable, mais moi, je pense que c'est une sale calculatrice. »

« Carly ! »

Carly embrassa sa mère sur la joue. « Je suis désolée, maman, mais c'est la vérité. » Elle se tourna vers Grace pour lui demander : « Vous auriez insisté pour maintenir la réception, vous ? »

Grace, les regardant toutes les deux, réfléchit avant de répondre. « Je ne sais pas, Carly. J'imagine qu'elle était prise entre deux feux. »

« Mon frère est le mec le plus gentil du monde. Ouais. »

« On dirait que vous n'aimez pas Ashley », dit-il, saisissant la balle au bond.

« Non, je ne l'aime pas. »

« Pourquoi ? »

« Je la trouve adorable », protesta Gill Harrison.

« Oh, arrête, maman ! Tu meurs d'envie d'avoir des petits-enfants, c'est tout. Et tu es soulagée que Michael ne soit pas gay. »

« Carly, ce n'est pas gentil de dire ça. »

« OK, mais c'est vrai. Ashley est une manipulatrice de première. »

Grace, soudain extrêmement intéressé, essaya de rester impassible. « Qu'est-ce qui vous donne cette impression, Carly ? »

« Ne l'écoutez pas, s'interposa Gill Harrison. Elle est fatiguée et hypersensible à cause du décalage horaire. »

« N'importe quoi. C'est une sangsue. C'est le fric qui l'intéresse. »

« Vous la connaissez bien ? » demanda Grace.

« Je l'ai rencontrée une seule fois. Une fois de trop. »

« Je la trouve délicieuse, intervint Gill Harrison. Elle est intelligente, bien élevée. On peut avoir une conversation décente avec elle. Elle a été très gentille avec moi. »

« Avez-vous rencontré sa famille ? » s'enquit Grace.

« La pauvre n'a plus que cet oncle canadien, un homme très gentil. Ses parents sont morts dans un accident de voiture lors de vacances en Écosse, elle n'avait que trois ans. Elle a été élevée par des parents adoptifs qui étaient de véritables brutes. À Londres d'abord, puis en Australie. Son père adoptif a essayé de la violer à plusieurs reprises au cours de son adolescence. Elle les a quittés à seize ans pour rejoindre le Canada, Toronto, où son oncle et sa tante l'ont recueillie. Sa tante est morte récemment, j'ai cru comprendre, et ça l'a beaucoup peinée. Je pense que Bradley et sa femme sont les seules personnes au monde qui lui ont témoigné de l'affection. Elle a fait son chemin toute seule. Je l'admire vraiment. »

« Pfui ! » fit Carly.

« Pourquoi est-ce que vous n'y croyez pas ? » lui demanda Grace.

« Je l'ai trouvée fausse dès que je l'ai rencontrée. Et après l'avoir vue aujourd'hui, j'en suis encore plus convaincue. Je ne peux pas dire pourquoi... Mais ce qui est sûr, c'est qu'elle n'aime pas mon frère. Elle voulait peut-être l'épouser à tout prix, mais c'est pas pareil qu'aimer. Si elle l'aimait vraiment, elle n'aurait pas fait ce cirque, cet après-midi, elle aurait été trop triste. »

Grace la considéra avec un intérêt grandissant.

« Vous voyez ce que je veux dire ? C'est une femme qui vous parle. Peut-être que je suis sous le coup du décalage horaire, comme dirait maman, mais je suis une femme, et j'aime mon frère. Pas comme cette petite pute de fiancée. »

« Carly ! »

« Oh, va te faire foutre, maman ! »

52

Une fois qu'Ashley l'eut quitté, toujours furieuse contre lui, Mark avait allumé la télévision, espérant attraper les informations régionales. Il avait essayé la radio aussi, mais c'était trop tard. Il était sept heures passées, il les avait manquées.

Il se changea, enfila un jean, des baskets, un sweat-shirt, un anorak léger et une casquette de base-ball qu'il enfonça sur son front. Il tremblait de nervosité et d'une overdose de caféine. Il avait déjà descendu deux grandes tasses de café serré, pour dessaouler, et terminait sa troisième. Il avala le marc et se dirigea vers la porte de son appartement. Il avait la main sur la poignée quand le téléphone sonna.

Il se pencha sur l'écran du combiné : *identité refusée*. Il hésita et décrocha.

« Bonjour, je suis Kevin Spinella, journaliste à *L'Argus*. J'aimerais parler à monsieur Warren. »

Mark se maudit. S'il avait eu les idées plus claires, il aurait répondu que Mark Warren était sorti, mais au lieu de ça, il s'entendit dire : « Oui, c'est moi. »

« Bonsoir, monsieur Warren, excusez-moi de vous déranger un samedi soir, je vous appelle à propos de votre associé, Michael Harrison. Je suis allé au mariage qui aurait dû avoir lieu cet après-midi à l'église All Saints, à Patcham. Vous étiez le témoin. J'ai préféré ne pas vous importuner dans l'église, mais je me demandais si nous pourrions échanger quelques mots maintenant. »

« Hm... Oui, bien sûr. »

« Si j'ai bien compris, Michael Harrison a disparu la nuit de son enterrement de vie de garçon, après qu'un terrible accident a tué quatre de ses amis. J'aimerais savoir pourquoi vous, son témoin, n'étiez pas là. »

« Pour l'enterrement de vie de garçon ? »

« Tout à fait. »

« J'aurais dû être là, bien sûr, expliqua Mark calmement, essayant de prendre un ton amical, pour donner une impression de parfait naturel. J'étais en déplacement professionnel dans le Nord. J'avais tout prévu pour rentrer dans les temps, mais mon avion a été retardé à cause du brouillard. »

« Où étiez-vous ? »

« À Leeds. »

« Je vois. Ce sont des choses qui arrivent... dans notre cher pays. »

« Vous avez tout compris ! » fit Mark, sentant qu'ils commençaient à sympathiser.

« J'ai cru comprendre, par la police, que vous ne savez pas ce qui était prévu pour la soirée. C'est exact ? »

277

Mark garda le silence quelques secondes. Il réfléchissait. *Fais gaffe.* « Non, dit-il, ce n'est pas tout à fait exact. Je veux dire, c'est tout à fait inexact. Nous avions prévu de faire une tournée des pubs. »

« Une tournée des pubs ! OK. Mais ce n'est pas au témoin d'organiser la soirée, normalement ? »

« Si, enfin, je crois. »

« Mais vous n'avez pas organisé l'enterrement de vie de garçon de Michael Harrison ? »

Mark essaya de se concentrer. Des signaux d'alarme clignotaient dans sa tête. « Si. Michael ne voulait rien de sophistiqué. Juste boire quelques verres avec ses potes. J'avais la ferme intention d'être là. »

« Qu'aviez-vous prévu précisément ? »

« On... euh... on avait prévu le truc habituel, vous savez, une série de pubs, le faire boire comme un trou et le ramener chez lui. On allait louer un minibus et les services d'un chauffeur, mais un gars de la bande a dit qu'il pouvait avoir un van et que ça ne l'embêtait pas de ne pas boire, alors on avait choisi ça. »

« À quel moment est-ce que le cercueil intervient ? »

Merde. Mark eut l'impression de s'embourber. « Un cercueil, vous dites ? »

« J'ai cru comprendre que vous vous étiez débrouillés pour avoir un cercueil. »

« Je n'ai jamais entendu parler de cercueil ! s'exclama Mark. Première nouvelle. » Pour renforcer l'effet de surprise, il répéta : « *Un cercueil* ? »

« Pensez-vous que vos amis aient organisé ça en votre absence ? » demanda le journaliste.

« Absolument. Je ne vois que ça. L'un d'eux, Robert Houlihan, travaille... travaillait... chez son oncle, aux pompes funèbres, mais nous n'avons jamais parlé de cercueil. Vous en êtes sûr ? »

« Les policiers m'ont dit qu'ils pensaient qu'il y avait un cercueil dans le camion avant l'accident. Savez-vous ce qui a pu arriver à Michael Harrison ? »

« Non. Je n'en sais rien, et je suis extrêmement inquiet. »

« J'ai parlé hier à la veuve d'un de vos amis, madame Zoë Walker. Elle m'a dit que vous aviez prévu de vous venger de tous les coups que Michael vous avait faits. Est-ce que le cercueil rentre dans ces plans ? »

« Comme je vous l'ai dit, je n'ai jamais entendu parler de cercueil. Ce pourrait être une idée de dernière minute. »

« Pensez-vous que vos copains aient pu enfermer Michael Harrison dans un cercueil et qu'il soit retenu quelque part ? »

Mark se concentra avant de répondre. « Écoutez, vous savez ce que c'est, quand une bande de potes se cuitent. Il leur arrive de faire des choses bizarres... »

« Je connais ça. »

Ils gloussèrent tous les deux. Mark se sentait un peu soulagé.

« Bon, merci pour votre disponibilité. Si vous entendez quoi que ce soit, seriez-vous d'accord pour m'appeler, si je vous laisse mon numéro ? »

« Bien sûr », répondit Mark en cherchant un stylo.

Dans l'ascenseur, quelques minutes plus tard, Mark repensait à la conversation. Il espérait ne pas avoir dit de bêtises et craignait la réaction d'Ashley si elle lisait ses propos rapportés dans le journal. Elle serait furieuse qu'il lui ait ne serait-ce qu'adressé la parole. Mais avait-il eu vraiment le choix ?

Il remonta la rampe de sortie du parking, tourna prudemment à gauche, puis se mêla au trafic dense de ce samedi soir. Il essayait de rouler lentement, tout en sachant qu'il était au-dessus du maximum autorisé. Il ne manquerait plus que ça : qu'il se fasse arrêter et qu'il doive souffler dans le ballon.

Vingt minutes plus tard, il se trouvait sur le parking d'un magasin de jardinage derrière le port du Newhaven, à seize kilomètres de chez lui. Étant donné que le magasin fermait ses portes à huit heures, et qu'il ne restait guère de temps, Mark se dépêcha d'acheter une pelle, un tournevis, un marteau, un burin, une petite lampe Maglite, des gants de jardinage en caoutchouc et une paire de bottes en plastique. À huit heures, il était de retour dans sa voiture, sur le parking quasi désert. Le ciel était étonnamment clair. Il ne ferait pas nuit avant deux bonnes heures – si tant est qu'il fasse nuit noire.

Il avait deux heures à tuer.

Il aurait dû manger quelque chose, mais il avait l'estomac trop noué. Il se demanda s'il avait envie d'un hamburger, d'un chinois, d'un indien. Rien ne le tentait. Ashley lui en voulait. Il ne l'avait jamais vue en colère, ça le rendait malade et ça lui faisait peur. Quelque chose entre eux s'était brisé. Il fallait qu'il retisse le lien, et le seul moyen, c'était de lui obéir. Faire ce qu'elle lui avait dit. Ce qu'il aurait dû faire depuis des jours, il le savait.

Il avait envie de l'appeler, de lui dire qu'il l'aimait, de l'entendre dire qu'elle l'aimait aussi, mais elle ne le dirait pas. Pas maintenant. Pas encore. Et elle avait raison de lui en vouloir. Il avait déconné, avait failli tout foutre en l'air. Nom de Dieu, pourquoi avait-il fallu qu'il provoque le flic ?

Il tourna la clé de contact et la radio se mit en marche. Huit heures. Les informations régionales. D'abord un sujet international – des mauvaises nouvelles d'Irak. Puis un dossier sur Tony Blair et l'Union européenne. Il dressa l'oreille quand un présentateur annonça allègrement : « La police du Sussex renforce ses recherches pour retrouver le promoteur immobilier de Brighton Michael Harrison. Sa fiancée, Ashley Harper, et leurs invités ont été tragiquement déçus de ne pas le voir se présenter à l'église All Saints de Patcham, cet après-midi, pour son mariage. Son absence confirme les soupçons quant à son incapacité à se déplacer depuis la nuit de son enterrement de vie de garçon, au cours de laquelle quatre de ses amis ont trouvé la mort. Le commissaire Roy Grace de la PJ du Sussex, qui est désormais responsable de l'enquête, a annoncé ce matin que la police considérait l'événement non plus comme une disparition, mais comme une affaire criminelle. »

Mark monta le son et entendit la voix du commissaire.

« Nous pensons que Michael Harrison a pu être victime d'une blague qui aurait mal tourné et nous aimerions que toutes les personnes ayant des informations sur le tragique événement de mardi dernier contactent l'état-major de la PJ de toute urgence. »

La vision de Mark se brouilla. Il eut l'impression que le parking tremblait et ses oreilles bourdonnaient comme s'il était dans un avion, au décollage, ou en train de faire de la plongée. Il se pinça le nez, souffla, et ses oreilles se débouchèrent. Ses mains étaient humides. Il se rendit compte que son corps entier ruisselait.

Respire à fond, se rappela-t-il. C'était un bon moyen de lutter contre le stress. Ashley le lui avait expliqué avant un rendez-vous avec un client particulièrement retors.

Assis dans sa voiture, tandis que le jour tombait, il écouta son cœur battre la chamade en respirant à fond.

Longtemps.

53

Quand un événement grave – meurtre, enlèvement, viol, attaque à main armée, fraude ou disparition – était considéré comme une affaire criminelle, il recevait un nom de code.

Toutes les investigations étaient désormais menées par la PJ. C'est pourquoi, à huit heures vingt, une heure où la plupart des gens normaux, qui ont une vie privée, sont soit chez eux, soit en train de s'amuser à l'extérieur, Roy Grace, maintenant officiellement chargé de l'enquête, grimpait les escaliers de la Sussex House. Il dépassa les photos de ses principaux supérieurs et l'exposition de matraques accrochées au mur.

Il avait décidé de changer le statut de l'affaire Michael Harrison – et pris les mesures inhérentes – quelques minutes après avoir quitté la maison de Gill Harrison. C'était une décision grave, qui impliquait un coût et un investissement énormes, en terme de travail, et il aurait immanquablement à se justifier devant le commissaire divisionnaire et Alison Vosper. À coup sûr, ce serait difficile. Il imaginait déjà les questions humiliantes qu'elle lui lancerait à la figure.

Nick Nicholl et Bella Moy, qui s'étaient depuis belle lurette assis sur leurs projets de week-end, étaient en route, accompagnés de leur nouvelle recrue, Emma-Jane Boutwood. Ils revenaient de la salle opérationnelle du poste de police de Brighton, où ils avaient récupéré toutes les informations disponibles qui, pour le moment, ne pesaient pas lourd.

Grace entra dans le centre opérationnel, traversa un open space recouvert de moquette verte dans lequel se trouvaient les bureaux des assistants des gradés. Chaque officier haut placé avait un bureau personnel et son nom inscrit sur une carte photochromique jaune et bleu sur sa porte.

À gauche, il put voir, à travers une immense baie vitrée, l'impressionnant bureau de celui qui était, en théorie, son supérieur immédiat – en pratique, c'était Alison Vosper : le commissaire divisionnaire Gary Weston. Gary Weston et Roy Grace avaient commencé quasiment ensemble. Ils avaient fait équipe à l'époque où Grace débutait à la PJ. Weston n'avait alors guère plus d'expérience que lui.

Ils n'avaient qu'un mois de différence et Grace se demandait, non sans jalousie parfois, comment Gary s'était débrouillé pour accomplir une ascension aussi vertigineuse – il finirait sans doute bientôt directeur de service, quelque part en Angleterre. Mais en son for intérieur, Grace connaissait la réponse. Gary Weston n'était pas meilleur que lui, ni plus diplômé – ils avaient suivi la plupart des formations internes ensemble –, mais jamais Roy ne serait aussi diplomate que lui. Il ne lui en voulait pas – ils étaient toujours amis –, mais il savait qu'il ne pouvait pas taire ses opinions, comme Gary avait si souvent à le faire.

Weston n'était pas dans son bureau à cette heure avancée. Huit heures trente, un samedi soir : le commissaire divisionnaire savait vivre et jonglait avec aisance entre la famille, les loisirs et le travail. Les photos encadrées de lévriers et de chevaux qui tapissaient les murs témoignaient de sa passion pour les courses. Celles de sa superbe épouse et de ses quatre jeunes enfants, stratégiquement posées sur chaque surface plane, indiquaient aux visiteurs quelles étaient ses priorités dans la vie.

Gary était sans doute à une course de lévriers ce soir. Partageait, dans la joie et la bonne humeur, un dîner avec sa femme et ses amis, se réjouissait d'avance à l'idée de passer un dimanche en famille. Grace entrevit son reflet fantomatique dans la vitre, traversa la pièce déserte et passa devant des répondeurs qui clignotaient, des fax silencieux et des économiseurs d'écran en éternel looping. Parfois, à des moments comme celui-là, il se sentait tellement déconnecté de la vraie vie qu'il se demandait si ça ressemblait à ça, l'existence d'un fantôme qui traverse, invisible, la vie des autres.

Grace passa sa carte magnétique devant le lecteur qui se trouvait au bout de la pièce, poussa la porte et longea un long couloir silencieux, moquette grise et odeur de peinture. Il vit un grand tableau en feutrine rouge intitulé « opération Lisbonne » sur lequel se trouvait la photo d'un homme de type oriental, avec une barbe clairsemée, entourée de photos des falaises de Beachy Head, toutes cerclées de rouge.

L'homme, non identifié, avait été retrouvé mort, il y avait quatre semaines, au pied de ce promontoire. On avait d'abord pensé qu'il s'était délibérément jeté dans le vide, comme tant d'autres, jusqu'à ce que son autopsie révèle qu'il était mort avant le grand saut.

Sur le mur d'en face était affichée « l'opération Cormoran », avec la photo d'une jolie ado brunette qui avait été retrouvée violée et étranglée dans la banlieue de Brighton.

Grace passa le bureau des assistants, une grande pièce où des officiers extérieurs se réunissaient pendant la durée de leur enquête, et entra dans la pièce juste en face nommée « CO1 ».

C'était là, dans le centre opérationnel, qu'étaient désormais gérées toutes les affaires criminelles. Tout avait l'air neuf et sentait le neuf, même les gens qui y travaillaient. Mis à part une familière odeur de cuisine chinoise, ce soir. Malgré les vitres teintées des fenêtres trop hautes pour qu'on puisse voir à travers, la pièce aux murs blancs était claire et spacieuse. Elle avait de bonnes vibrations, très différentes de celles qui régnaient dans les salles opérationnelles frénétiques et désordonnées que Grace avait connues jusqu'à présent.

Celle-ci avait presque quelque chose de futuriste, comme le centre spatial de Houston. En forme de L, elle était composée de trois postes de travail, trois bureaux en bois léger en forme de virgule pouvant accueillir jusqu'à huit personnes. Sur les immenses tableaux Weleda figuraient « opération Lisbonne », « opération Cormoran » et « opération Congère ». Sur chacun d'eux étaient punaisées des photos du crime et des listes de données. Un autre tableau serait bientôt intitulé « opération Salsa », du nom que l'ordinateur de Scotland Yard avait choisi, au hasard, pour désigner l'affaire Michael Harrison.

La plupart des noms de code n'avaient aucun lien avec les enquêtes proprement dites, mais il arrivait qu'ils doivent être changés. Grace se souvenait de la fois où le nom « Arien » avait été attribué au meurtre d'un homme noir retrouvé démembré dans le coffre d'une voiture. Il avait été modifié pour éviter toute controverse. Mais avec « opération Salsa », l'ordinateur avait, sans le savoir, vu juste : Grace avait la sensation d'avoir affaire à une histoire très olé olé.

286

Contrairement à la plupart des autres services, il n'y avait ici aucun effet personnel. Pas de photo de famille, de footballeur, pas de calendrier, pas de BD humoristique. Tous les objets de la pièce, sauf les meubles et le petit matériel de bureau, avaient un lien avec l'enquête. Sauf le pot de nouilles dans lequel piochait, avec une fourchette en plastique, le commandant Michael Cowan, les cheveux longs, l'air las, assis à l'extrémité d'une longue table.

À un autre bureau, le nez collé à un écran plat, un immense gobelet de Coca à la main, se trouvait Jason Piette, l'un des commandants les plus perspicaces que Grace connaisse. Roy aurait volontiers misé sur lui pour devenir, un jour, chef de la police de Londres, le poste le plus haut de la hiérarchie.

Chaque groupe de travail comprenait au minimum un chef, généralement un commandant, un procédurier, un officier de terrain habituellement moins gradé, un analyste, un indexeur et une dactylo.

Michael Cowan, jean et chemise à carreaux, accueillit Grace cordialement : « Comment ça va, Roy ? Tu m'as l'air bien habillé... »

« J'ai fait un effort pour vous, les gars. Apparemment, c'était pas la peine. »

« Ouais, ça va ! »

« C'est quoi, cette cochonnerie que tu manges ? Tu sais ce qu'il y a là-dedans ? »

Michael Cowan sourit en roulant des yeux : « Des trucs chimiques, ça m'aide à tenir. »

Grace secoua la tête. « Ça sent le chinois à emporter, par ici. »

Cowan indiqua, d'un signe de tête, le tableau blanc qui portait l'inscription « opération Lisbonne ». « Si tu veux emporter mon problème chinois, te gêne pas. J'ai décommandé une supernana pour être là. »

« J'échangerais volontiers avec toi », confessa Grace.

Michael Cowan lui jeta un regard inquisiteur : « Vraiment ? »

« Tu veux pas savoir, crois-moi. »

« C'est grave ? »

« Pire que ça. »

54

Dans le faisceau de ses phares, Mark vit apparaître une véritable collection de couronnes mortuaires, sur le bas-côté, au plus fort d'un virage à droite. Certaines étaient posées par terre, d'autres appuyées contre un arbre et une haie. Il y en avait beaucoup plus que la dernière fois qu'il était passé par là.

Soulevant le pied de l'accélérateur, il ralentit jusqu'à rouler au pas, fut parcouru par un frisson qui le glaça jusqu'au sang. Il ne les quitta pas des yeux, les fixa dans le rétroviseur, dans la lueur des phares arrière, jusqu'à ce qu'elles aient disparu dans l'obscurité, dans la nuit, dans l'oubli, dans le néant, adieu, à jamais. *Josh, Pete, Luke, Robbo.*

Lui, si l'avion n'avait pas eu de retard.

Le problème aurait alors, bien sûr, été différent. Il appuya sur l'accélérateur comme pour s'éloigner, se départir de sa chair de poule. Ça lui foutait la trouille. Son portable bipa, puis sonna. Le numéro d'Ashley apparut à l'écran.

Il décrocha avec le kit mains-libres, heureux de l'entendre, sévèrement en manque de compagnie humaine. « Salut. »

« Alors ? » Sa voix était aussi glaciale que quand elle avait quitté l'appartement.

« Je suis en route. »

« Seulement maintenant ? »

« J'ai attendu qu'il fasse nuit. On ne devrait pas se parler par portable. Je passe te voir quand je rentre ? »

« C'est une très mauvaise idée, ça, Mark. »

« Tu as raison. Je... Je... Comment va Gill ? »

« Elle est effondrée, à ton avis ? »

« Yep. »

« *Yep* ? Tu te sens pas bien ? »

« Pas trop. »

« Tu es sobre, maintenant ? »

« Bien sûr », fit-il, piqué au vif.

« Tu n'as pas l'air bien. »

« Je ne me sens pas bien, OK ? »

« OK. Mais tu vas le faire ? »

« C'est ce qu'on a convenu. »

« Tu m'appelles après ? »

« Bien sûr. »

Il raccrocha. Il entrait dans une zone brumeuse, une fine couche d'humidité se déposa sur le pare-brise. Les essuie-glaces firent un aller-retour en grinçant bruyamment. Il les éteignit.

L'environnement lui sembla familier. Il ralentit pour ne pas rater l'entrée du chemin.

Quelques instants plus tard, il passait la première, puis la deuxième grille. Les faisceaux des phares transperçaient la brume comme des rayons laser. La voiture tanguait dangereusement entre les nids-de-poule, piquait du nez entre deux accélérations. Il roulait trop vite, effrayé qu'il était par les arbres qui semblaient l'oppresser dangereusement des deux côtés. Il vérifiait régulièrement dans le rétroviseur, au cas où.

Au cas où quoi, exactement ?

Il n'était plus loin, maintenant. Il fut distrait par le murmure de la radio. Il l'éteignit et se rendit vaguement compte que sa respiration s'accélérait, que la sueur continuait à couler le long de ses tempes, de son dos. Il piqua violemment du nez quand ses roues avant s'enfoncèrent dans une flaque et quand de la boue gicla sur le pare-brise avec un bruit d'arbalète. Il ralluma les essuie-glaces et ralentit. Sainte Mère, c'était profond. Il ne s'était pas rendu compte qu'il avait plu autant depuis la dernière fois. C'est alors que... *Merde, oh non, merde, non !*

Les roues tournèrent à vide et s'embourbèrent.

Il appuya sur l'accélérateur. La BMW vibra, glissa latéralement et retomba dans l'ornière.

Mon Dieu, non !

Il ne pouvait pas rester coincé, ne le pouvait pas, ne le pouvait pas. Comment justifier sa présence ici, à dix heures et demie ?

Respire à fond...

Il inspira, les yeux grands ouverts sur l'obscurité, guettant chaque ombre devant, derrière, sur

290

les côtés, puis appuya sur le bouton de verrouillage centralisé des portes, entendit le clic, mais ne se sentit pas réconforté pour autant. Il alluma le plafonnier et regarda le tableau de bord. Il y avait moyen d'activer l'option tout-terrain, d'enclencher une vitesse spéciale. Il avait vu ces voyants des centaines de fois, mais n'avait jamais pris la peine de connaître leur fonctionnement.

Il se pencha vers la boîte à gants, sortit le manuel d'utilisation, parcourut frénétiquement le sommaire et se rendit aux pages indiquées. Il poussa un levier, appuya sur un bouton, reposa le livret et sollicita l'accélérateur. La voiture dérapa puis, à son grand soulagement, repartit.

Il reprit à 10 km/h. La voiture était bien plus stable, à présent, et passait sans difficulté les nombreux nids-de-poule, comme sur un tapis roulant. Puis il prit à droite, vers la clairière. Un bébé lapin sauta dans les phares et fit demi-tour. Puis il revint et se mit à galoper à côté de la voiture, droit devant. Mark ne savait pas s'il l'avait écrasé ou pas, et il s'en foutait. Tout ce qu'il voulait, c'était continuer à la même vitesse, coller au chemin de terre, sans patiner.

La petite clairière avec ses mousses et ses herbes rabougries était devant lui maintenant. Il constata avec soulagement que la tôle ondulée, camouflée sous les plantes qu'il avait arrachées, était là aussi.

Il se gara sur une partie relativement stable pour ne pas risquer de s'embourber à l'arrêt, éteignit le moteur, mais laissa les feux de route allumés. Il enfila ses bottes neuves, attrapa la Maglite, mit un pied au sol et s'enfonça dans la boue.

291

Il y eut un instant de silence complet. Puis un faible froissement dans les buissons. Il se tourna et dirigea son faisceau comme pour poignarder la forêt. Retenant sa respiration, il entendit un craquement, puis un tintement, comme celui d'une pièce dans une boîte en fer, et un gros faisan battit maladroitement en retraite entre les arbres.

Il balaya l'espace avec la lampe, de gauche à droite, transi de peur, ouvrit le coffre, enfila les gants, puis sortit les outils qu'il avait achetés et les apporta au bord de la tombe.

Il marqua un temps d'arrêt, les yeux rivés sur la tôle ondulée, l'oreille aux aguets. Le moteur du véhicule cliqueta. Des gouttes d'eau tombaient des arbres, autour de lui, mais, à part ça, tout était calme. Le silence était total. Un escargot avait élu domicile au bord de la plaque. Sa coquille semblait cramponnée, comme à une épave. Très bien. La tôle donnait l'impression d'être là depuis toujours.

Il posa les outils et la lampe par terre, saisit un bout de la tôle et la déplaça. La tombe apparut, telle une crevasse. Il attrapa la Maglite, se releva et resta quelques instants immobile, enraciné. Il n'avait pas le courage de faire un pas en avant.

Comme si Michael pouvait être tapi là-dedans, prêt à lui sauter à la gorge.

Lentement, centimètre par centimètre, il s'approcha du bord, et, dans un geste de panique, pointa la lampe vers la fosse rectangulaire.

Il soupira.

Tout était comme il l'avait laissé. La terre était là, intacte. Il se sentit coupable quelques instants. « Je suis désolé, mon ami, murmura-t-il. Je... »

Il n'y avait rien à dire. Il retourna à la voiture et éteignit les phares. Pas la peine de signaler sa présence, au cas où quelqu'un se promènerait dans les bois. À cette heure avancée, il en doutait, mais sait-on jamais.

Il lui fallut presque une heure de dur labeur avant que la pelle ne heurte le couvercle du cercueil. Il y avait beaucoup plus de terre qu'il avait pensé. D'accord, il en avait rajouté un peu la dernière fois, mais quand même... Il continua à creuser pour déterrer la totalité du cercueil et les vis en laiton, à chaque coin. Le minuscule trou pour le tube, qu'il avait bouché avec de la terre, semblait s'être élargi, allongé. Ou était-ce le fruit de son imagination ?

Il posa la pelle au-dessus du trou, attrapa le tournevis et dévissa le couvercle. Se posa ensuite un problème qu'il n'avait pas anticipé : le cercueil occupait la totalité de la cavité, il n'y avait pas de place pour se glisser sur les côtés. Le seul endroit accessible était le couvercle, mais en montant dessus, il ne pourrait pas le soulever.

Il recula, prit la Maglite entre les dents, le tournevis dans une main, se mit à plat ventre et se pencha au-dessus du vide. En tendant les bras, il atteignait facilement le cercueil.

Puis il se mit à trembler. Qu'allait-il trouver ? Il enleva la lampe de sa bouche et appela doucement : « Michael ? » Puis plus fort : « Michael ? Eh ! Michael ? »

Puis il cogna plusieurs fois le cercueil avec le manche du tournevis. Il savait que si Michael était vivant, et conscient, il aurait entendu ses pas et les

293

coups de pelle contre le couvercle. Sauf qu'il était peut-être trop faible pour répondre.

S'il était toujours vivant.

Un grand *si*. Cela faisait quatre jours, maintenant. Et de toute évidence, il n'avait plus d'air. Il remit la Maglite dans sa bouche et la mordit à pleines dents. *Il fallait qu'il le fasse. Qu'il récupère ce putain de Palm. Putain de mission.* Parce qu'un jour, quelqu'un trouverait la tombe, l'ouvrirait, découvrirait le corps et récupérerait cette saloperie de Palm avec tous les mails dedans. Et ce flic, le commissaire Grave, ou un nom comme ça, tomberait sur le message qu'il avait envoyé à Michael lundi, dans lequel il lui expliquait qu'ils lui réservaient un traitement de faveur, lui donnait des indices, trop cryptés pour que Michael se soit douté de quoi que ce soit, mais suffisamment clairs pour que le flic comprenne tout.

Mark enfonça la lame du tournevis sous le couvercle, souleva de quelques centimètres et glissa les doigts dans l'interstice. Maintenant le couvercle de la main gauche, il reposa le tournevis et leva le plus haut possible, sans réellement prêter attention à la cavité profonde, irrégulière, qui avait été creusée de l'intérieur.

Dans le faisceau de lumière, il découvrit une étendue d'eau noire, luisante, les restes ramollis d'un magazine flottant à la surface et de gros seins.

Il hurla. La lampe, qui était dans sa bouche, tomba, l'éclaboussa et heurta le fond du cercueil avec un bruit sourd.

Il n'y avait personne à l'intérieur.

55

En retombant, le couvercle claqua comme une arme à feu. Mark essaya de se remettre sur pied, trébucha et s'étala dans la boue. Il s'agenouilla, pivota à trois cent soixante degrés pour scanner l'obscurité, haletant, gémissant, pris de panique, ne sachant de quel côté fuir. Dans sa voiture? Dans les bois?

Mon Dieu, Seigneur, Seigneur.

Toujours à quatre pattes, il recula et fit un nouveau tour sur lui-même. Michael était-il là? L'observait-il, prêt à bondir?

Prêt à l'aveugler avec une torche?

Il se leva, courut à sa voiture, ouvrit violemment la portière et grimpa à l'intérieur. Le stupide plafonnier l'inonda de lumière. Puis il claqua la portière, appuya sur le bouton de verrouillage centralisé, mit le contact, passa une vitesse, alluma les phares et écrasa l'accélérateur. La BMW décrivit un grand arc, les feux balayèrent la forêt, faisant surgir et disparaître des ombres. Il effectua un cercle complet, puis un deuxième et un troisième.

Mon Dieu.

Qu'est-ce qui avait bien pu se passer?

Et il n'avait pas le putain de Palm. Il fallait qu'il y retourne, qu'il vérifie. Il le fallait.

Comment est-ce que...

Comment avait-il bien pu sortir? Revisser le couvercle? Et remettre la terre par-dessus?

À moins que...

À moins qu'il n'ait jamais été enfermé ?

Mais s'il n'avait pas été là-dedans, pourquoi ne s'était-il pas présenté à son mariage ?

Des pensées se bousculaient dans sa tête. Tout se mélangeait. Il voulait appeler Ashley, mais, bien sûr, il connaissait la question qu'elle lui poserait en premier.

Tu as récupéré le Palm ?

Il roula jusqu'au bord de la tombe, resta quelques instants assis dans sa voiture, aux aguets. Puis il descendit de voiture, s'allongea sur le ventre et, sans prendre la peine de remonter ses manches, plongea les mains dans l'eau froide. Il sentit le satin, au fond, doux, les côtés rembourrés, puis ratissa le cercueil. Il trouva une torche, qu'il récupéra. Elle ne marchait plus. Sa main heurta un petit objet métallique rond. Il le saisit et l'examina dans le faisceau de sa lampe. Ça ressemblait à un bouchon de bouteille de whisky.

Il se retourna et jeta un regard affolé autour de lui. Puis il replongea les mains dans le cercueil et l'explora sur toute sa longueur. Une page du magazine s'enroula autour de son poignet. Rien d'autre. Rien de rien. Le cercueil était vide.

Il se releva, replaça la tôle ondulée, jeta sans conviction quelques brins d'herbe dessus, puis se réfugia dans sa voiture. Il referma la portière, verrouilla de nouveau et fit demi-tour pour rejoindre le chemin en terre. Il accéléra brusquement, passa en force les ornières et autres nids-de-poule, puis les deux grilles, et atteignit la route principale.

Il déprogramma le mode 4 x 4 et prit la direction de Brighton sans cesser de jeter des coups d'œil dans son rétroviseur, s'alarmant à chaque fois qu'une paire de phares apparaissait derrière lui. Il avait une envie folle d'appeler Ashley, mais ne savait pas quoi lui dire.

Nom de Dieu, où se trouvait Michael ?

Où ?

Où ?

Il passa les couronnes mortuaires, jeta un coup d'œil aux voyants orangés de son tableau de bord, puis ses yeux reprirent leur va-et-vient entre la route et le rétro. Était-il victime de sa propre imagination ? Hallucinait-il ? *Allez, les gars, c'est quoi, votre secret ? Qu'est-ce que vous savez que je ne sais pas ? Vous avez enterré un cercueil vide ? OK, mais Michael, vous en avez fait quoi ?*

Il commença à se calmer, à avoir les idées un peu plus claires et tenta de se convaincre que ce n'était plus si grave, désormais. Michael n'était pas là. Il n'y avait pas de cadavre. Personne ne pouvait lui reprocher quoi que ce soit.

Bloquant le volant avec ses genoux, il enleva ses gants et les jeta devant le siège passager. Mais bien sûr ! C'était du Michael tout craché. Michael le bouffon. Avait-il tout organisé ?

Même l'annulation de son mariage ?

Des pensées plus inquiétantes lui vinrent à l'esprit. Michael était-il au courant, pour Ashley et lui ? Est-ce que ça faisait partie de sa vengeance ? Ils se connaissaient depuis longtemps, depuis l'âge de treize ans. Michael était intelligent, mais il avait une façon bien à lui de gérer les problèmes. C'était possible qu'il ait découvert le pot aux roses. Même si Ashley et lui avaient été incroyablement prudents.

Il plongea dans ses souvenirs. Se remémora le premier jour où Ashley était venue au cabinet, pour postuler au poste de secrétaire, à la suite d'une annonce passée dans *L'Argus*. Elle était entrée avec tant d'allure, si élégante, si belle, à des années-lumière des personnes qui s'étaient présentées avant et après elle. Elle ne boxait pas dans la même catégorie.

Il sortait d'une longue relation, il était libre et l'avait désirée comme il n'avait jamais désiré personne auparavant. Ils avaient accroché tout de suite et Michael ne s'en était pas rendu compte. À la fin de la deuxième semaine, à l'insu de Michael, ils avaient commencé à coucher ensemble.

Deux mois plus tard, elle annonçait à Mark que Michael avait flashé sur elle et l'avait invitée au restaurant. Elle ne savait pas quoi faire.

Mark avait été furieux, mais ne le lui avait pas avoué. Toute sa vie, depuis qu'il connaissait Michael, il avait vécu dans son ombre. C'était toujours Michael qui ramenait les plus belles filles à la fin des soirées, c'était lui qui avait charmé son banquier, ce qui lui avait permis de fonder une première boîte, qu'il avait fait fructifier. Pendant ce temps, Mark gagnait un salaire de misère dans un cabinet de comptables.

Quand ils avaient décidé de monter une société ensemble, c'était Michael qui avait fait l'apport initial et pris les deux tiers des parts. Maintenant, leur affaire valait plusieurs millions de livres et Michael se taillait la part du lion.

Quand Ashley était entrée, ce jour-là, c'était la première fois qu'une femme le regardait en premier.

298

Et l'autre trou du cul avait osé l'inviter à dîner.

La suite, c'était Ashley qui en avait eu l'idée. Elle n'avait qu'à épouser Michael et manigancer un divorce. Le piéger avec une pute et le filmer avec une caméra cachée, par exemple. Elle serait en possession de la moitié de ses parts, et avec les trente-trois pour cent de Mark, ils détiendraient la majorité. Prise de contrôle de la compagnie. Bye bye, Michael !

Mortellement simple.

De meurtre, il n'en avait jamais été question.

56

Enveloppée dans son peignoir blanc en éponge, cheveux détachés sur les épaules, Ashley ouvrit la porte d'entrée et considéra Mark, couvert de boue, avec un mélange d'incrédulité et de colère.

« Tu es fou de venir ici ? lui lança-t-elle en guise de bienvenue. À cette heure-ci ? Il est minuit vingt, Mark ! »

« Laisse-moi entrer. Je ne pouvais pas prendre le risque de t'appeler. Il faut qu'on parle. »

Alarmée par l'urgence de son ton, elle se radoucit, recula, puis vérifia soigneusement que tout était calme dans sa petite rue. « Tu ne t'es pas fait suivre ? »

« Non. »

Elle regarda ses pieds. « Mais Mark, qu'est-ce que tu fous ? Regarde tes bottes ! »

Il fixa ses bottes en plastique couvertes de boue, les retira et les porta à l'intérieur. Il entra dans le salon et son œil fut attiré par les lumières de la chaîne murale qui clignotaient en silence.

Fermant la porte, elle lui jeta un regard inquiet. « Tu as une mine atroce. »

« Sers-moi quelque chose à boire. »

« Tu as assez bu pour aujourd'hui. »

« Je suis bien trop sobre maintenant. »

Elle l'aida à enlever son anorak et lui demanda : « Je te sers quoi ? Un whisky ? »

« Du Balvenie si tu en as, sinon, n'importe quoi. »

« Tu devrais prendre un bain. » Elle se dirigea vers la cuisine. « Alors dis-moi, c'était horrible ? Tu as récupéré le Palm ? »

« Il y a un problème. »

Ashley fit volte-face comme si elle avait reçu une balle dans le dos. « Quel genre de problème ? »

Mark la fixait, au désespoir. « Il n'était pas là. »

« Pas là ? »

« Non... Il... J'en sais rien... Il... »

« *Il*, le cercueil ? Le cercueil n'était pas là ? »

Mark lui raconta ce qui s'était passé. La première réaction d'Ashley fut de tirer soigneusement tous les rideaux. Puis elle lui versa un whisky et se servit un café noir. Ils s'assirent face à face sur les canapés.

« Est-il possible que tu sois allé au mauvais endroit ? »

« Comment ça ? Comme s'il y avait deux cercueils ? Non. C'est moi qui avais suggéré cet endroit. On voulait le laisser avec un magazine porno et une bouteille de whisky. J'ai retrouvé les deux, enfin, le bouchon de la bouteille. »

« Et le cercueil était vissé, couvert de terre ? »

Enveloppant sa tasse des deux mains, elle souffla dessus et trempa les lèvres dans son café. Mark vit son peignoir s'entrouvrir et dévoiler en partie sa généreuse poitrine blanche. Il eut soudain envie d'elle. Maintenant, envers et contre tout, malgré la panique, il avait juste envie de la prendre dans ses bras et de lui faire l'amour.

« Oui. Tout était exactement comme jeudi, quand j'ai... »

« Pris le tube ? »

Il avala une gorgée de whisky. Elle lui souriait avec empathie maintenant. Il pourrait peut-être rester une heure ou deux. Faire l'amour. Il avait besoin d'oublier ce cauchemar.

Mais son expression s'assombrit. « Est-ce que tu es sûr qu'il était dans le cercueil quand tu as enlevé le tube ? »

« Bien sûr, qu'il y était. Je l'ai entendu crier, nom de Dieu ! »

« Tu ne l'as pas imaginé ? »

« Si je l'ai imaginé crier ? »

« Tu étais dans un sale état. »

« Tu aurais été dans le même état. C'est mon associé. Mon meilleur ami. Je ne suis pas un meurtrier. Je... »

Elle le gratifia d'un sourire résolument cynique.

« Je fais tout ça pour toi... parce que... parce que je t'aime, Ashley. » Il avala une gorgée.

« Il est peut-être là en ce moment, dit-elle. Peut-être qu'il rôde, qu'il nous espionne... »

Mark secoua la tête. « J'en sais rien. S'il n'était pas dans le cercueil, pourquoi est-ce qu'il n'est pas venu au mariage ? Mais quelqu'un y était. Il y a des marques à l'intérieur. Quelqu'un a gratté, pour essayer de s'échapper. »

Ashley enregistra l'information sans réagir.

« Peut-être qu'il sait, pour nous. Je ne vois que ça. Putain, il *doit* être au courant. »

« C'est impossible, affirma Ashley. Il ne se doute de rien. Il me parlait beaucoup de toi, me disait à quel point tu avais envie de te fixer, de trouver la femme de ta vie, d'avoir des enfants. Il déplorait le fait que tu n'arrives pas à trouver une fille stable. »

« Génial. Il était très doué pour me valoriser. »

« Il ne pensait pas à mal, Mark, il se faisait du souci pour toi. »

« Mais pourquoi est-ce que tu prends sa défense ? »

« C'est mon fiancé. »

« Très drôle. » Mark reposa son verre sur la table basse carrée et enfouit son visage dans ses mains.

« Il faut que tu te ressaisisses. Réfléchissons avec logique, OK ? »

La tête entre les mains, il acquiesça.

« Michael était là-bas jeudi soir, quand tu as retiré le tube et rebouché le trou, c'est bien ça ? »

Mark ne fit aucun commentaire.

« On sait que c'est un petit plaisantin. Donc, d'une façon ou d'une autre, il sort du cercueil et décide de faire croire qu'il est toujours à l'intérieur. »

Mark lui jeta un regard de dégoût. « La bonne blague. Tu penses qu'il est sorti et qu'il sait que j'ai

302

retiré le tube qui lui permettait de respirer ? Il n'y a qu'une raison pour laquelle j'aurais fait ça... »

« Tu te trompes. Comment saurait-il que c'est toi ? N'importe qui aurait pu passer par là. »

« Ashley, reviens sur terre. Tu imagines quelqu'un qui se promène dans les bois, découvre une tombe, voit un tube, l'arrache et jette une tonne de terre sur le cercueil ? »

« Je dis juste ce qui me passe par la tête. »

Mark la regarda intensément. Il se demanda soudain si Ashley n'était pas de mèche avec Michael, s'ils n'avaient pas fomenté ce plan pour le piéger.

Puis il repensa à toutes ces journées et soirées qu'il avait passées avec elle, ces derniers mois, aux choses qu'elle lui avait dites, à la façon qu'ils avaient de faire l'amour, à leur projet de... Il se souvint du mépris avec lequel elle parlait de Michael et évacua complètement l'hypothèse d'un coup monté.

« J'ai une autre idée, dit-elle. Les autres – Pete, Luke, Josh et Robbo – savaient que tu serais en retard. Peut-être que ce sont eux, et Michael, qui voulaient te faire une blague. Et ça a mal tourné. »

« OK, dit-il. Supposons que Michael n'était pas dans le cercueil jeudi et que j'ai imaginé ses cris. Alors où est-il, nom de Dieu ? Où est-il depuis mardi ? Pourquoi ne nous a-t-il pas contactés ? Pourquoi n'est-il pas venu au mariage ? Tu peux me répondre ? »

« Non. Sauf si les autres t'ont fait une blague, et à lui aussi. Peut-être qu'il est attaché ou enfermé quelque part. »

« Ou qu'il a fait une fugue ? »

« Il n'a pas fugué, répliqua Ashley, j'en suis absolument certaine. »

« Comment peux-tu en être aussi sûre ? »

Elle braqua son regard sur Mark. « Parce qu'il m'aime. Il m'aime vraiment, éperdument. Voilà pourquoi. Tu as tout remis comme c'était ? »

Mark hésita, puis mentit pour ne pas avoir à admettre qu'il avait paniqué et s'était enfui.

« Oui. »

« Donc soit tu attends, conclut-elle, soit tu le retrouves et tu t'en charges. »

« Je m'en charge ? »

Son regard était explicite.

« Je ne suis pas un assassin, Ashley. J'ai beaucoup de défauts, mais... »

« Tu n'as peut-être pas le choix, Mark. Réfléchis. »

« Il n'a rien de concret à me reprocher. Aucune preuve. » Il se tut, pensif. « Je peux attendre ici ? »

Elle se leva, marcha vers lui, posa ses deux mains sur ses épaules et lui massa doucement le dos. Puis lui déposa un baiser dans le cou. « J'adorerais que tu restes, chuchota-t-elle, mais ce serait de la folie. On aurait l'air de quoi si Michael débarquait ? Ou la police ? »

Mark tourna la tête pour l'embrasser sur les lèvres. Elle lui autorisa un baiser et se dégagea, « Vas-y, fonce ! Et trouve Michael avant qu'il ne te trouve. »

« Je ne peux pas faire ça, Ashley. »

« Tu en es capable. Tu l'as déjà fait, jeudi soir. Ça n'a peut-être pas marché, mais tu as prouvé que tu en étais *capable*. Alors vas-y, fais-le. »

Il traversa la pièce en chaussettes, l'air abattu, enfila ses bottes et Ashley lui apporta son anorak sale. « Il faut faire attention à ce qu'on se dit au téléphone. Les flics sont de plus en plus curieux. Partons du principe qu'ils nous ont mis sur écoute », dit-elle.

« Tu as raison. »

« Je t'appelle demain matin. »

Mark ouvrit la porte avec méfiance, comme s'il s'attendait à ce que Michael soit derrière avec un revolver ou un couteau. Mais la rue était déserte, baignait dans la lueur des lampadaires, la réverbération sur les véhicules immobiles et le silence de la ville, troublé uniquement par les cris stridents, au loin, de deux chats qui se disputaient.

57

Une fois de temps en temps, Roy Grace prenait sa filleule, Jaye Somers, huit ans, pour le dimanche. Ses parents, Michael et Victoria, tous deux policiers, avaient été des amis de Sandy et lui, et ils avaient été d'un grand soutien tout au long des années difficiles qui avaient suivi la disparition de sa femme. Avec leurs quatre enfants, âgés de deux à onze ans, ils étaient comme une seconde famille.

Aujourd'hui, il allait devoir décevoir Jaye et lui expliquer, en allant la chercher, qu'ils ne pourraient passer que quelques heures ensemble, qu'il devrait ensuite retourner travailler pour aider quelqu'un qui avait des soucis.

Il ne lui disait jamais à l'avance ce qu'il lui réservait, et dans les premières minutes de leur excursion, dans la voiture, elle s'amusait toujours à deviner où il l'emmenait.

« À mon avis, on va voir des animaux aujourd'hui ! » annonça-t-elle.

« Ah bon ? »

« Oui. »

C'était une jolie petite fille, longs cheveux blonds argentés, minois angélique, joie de vivre et rire contagieux. Aujourd'hui, elle était bien habillée, comme à chaque fois. Elle portait une robe verte brodée de dentelle blanche et une minuscule paire de baskets roses aux pieds. Ses expressions et ses réflexions étaient parfois incroyablement matures. Grace avait quelquefois l'impression d'avoir en face de lui un adulte miniature, et non pas un enfant.

« Et qu'est-ce qui te fait dire ça ? »

« Hum, voyons... » Jaye se pencha en avant et tripota les boutons de l'autoradio, sélectionna un CD et appuya sur un chiffre. C'était le premier morceau de l'album de Blue. « Tu aimes Blue ? »

« Hum hum. »

« Moi, j'aime les Scissor Sisters. »

« Ah bon ? »

« Ils sont cool. Tu les connais ? »

Grace se souvint que Glenn Branson était fan. « Bien évidemment. »

« Je suis sûre qu'on va voir des animaux. »

« Quelle sorte d'animaux ? »

Elle monta le son, balançant les bras en rythme. « Des girafes. »

« Tu veux voir des girafes ? »

« Les girafes ne rêvent pas beaucoup », l'informa-t-elle.

« Ah bon ? Tu en as discuté avec elles ? »

« À l'école, on a des cours sur les rêves des animaux. Les chiens rêvent beaucoup. Les chats aussi. »

« Mais pas les girafes ? »

« Non. »

Il sourit. « Et comment tu sais ça ? »

« Je le sais, c'est tout. »

« Et les lamas ? »

Elle haussa les épaules.

C'était une belle matinée de fin de printemps, le soleil était haut et chaud, éblouissant à travers le pare-brise. Grace sortit ses lunettes de soleil de la boîte à gants. Le ciel laissait espérer, aujourd'hui du moins, que c'en était fini de la longue période de mauvais temps. Et Jaye était une enfant rayonnante, qu'il aimait beaucoup avoir à ses côtés. Il oubliait habituellement ses préoccupations pendant les précieuses heures passées en sa compagnie.

« Et qu'est-ce que tu fais d'autre, à l'école ? »

« Des trucs. »

« Quel genre de trucs ? »

« L'école, c'est pas intéressant en ce moment. »

Grace conduisait très prudemment quand Jaye était avec lui. Il quitta lentement Brighton, direction la campagne. « La dernière fois, tu m'avais dit que tu aimais beaucoup aller à l'école. »

« Les maîtresses sont bêtes. »

« Toutes ? »

« Sauf madame Dean, elle est gentille. »

« Qu'est-ce qu'elle enseigne ? »

« Les rêves des girafes. » Elle éclata de rire.

Grace s'arrêta – la circulation était immobilisée à l'approche d'un rond-point. « C'est tout ? »

Jaye garda le silence quelques instants, puis annonça soudain : « Maman pense que tu devrais te remarier. »

Surpris, Grace demanda : « Ah bon ? »

Jaye hocha la tête avec conviction.

« Et toi, qu'est-ce que tu en penses ? »

« Je pense que tu serais plus heureux si tu avais une copine. »

Ils arrivèrent au rond-point. Grace prit la deuxième sortie, pour contourner Brighton. « Eh bien, fit-il, on sait jamais. »

« Pourquoi est-ce que tu n'as pas de copine ? »

« Parce que... » Il hésita. « Tu sais, c'est pas si facile de trouver la bonne personne. »

« Moi, j'ai un copain », annonça Jaye.

« Ah bon ? Raconte-moi. »

« Il s'appelle Justin. Il est dans ma classe. Il m'a dit qu'il voulait se marier avec moi. »

Grace lui jeta un coup d'œil. « Et toi, tu veux l'épouser ? »

Elle secoua vigoureusement la tête. « Il est beurk ! »

« C'est ton copain, mais il est beurk ? C'est quoi, cette histoire ? »

« Je pense que je vais rompre », dit-elle, sérieuse comme tout.

C'était une autre raison pour laquelle il adorait ces journées avec Jaye : avec elle, il gardait le contact avec le monde des jeunes. Mais là, pendant quelques instants, il se sentit complètement perdu. Avait-il une copine, à huit ans ? Jamais de la vie...

Son portable, qui était dans le vide-poche de sa portière, sonna. Il décrocha plutôt que d'utiliser le mode haut-parleur, au cas où on lui donnerait des informations qui pourraient choquer Jaye. « Roy Grace », dit-il.

Une jeune femme répondit : « Commissaire Grace ? »

« Lui-même. »

« Ici l'officier Boutwood. »

« Emma-Jane ? Salut. Bienvenue dans l'équipe. »

Sa voix trahissait son anxiété. « Merci. Je suis à la PJ. Le lieutenant Nicholl m'a demandé de vous appeler. Il y a du nouveau. »

« Dites-moi. »

Encore plus nerveuse, elle dit : « Eh bien, monsieur, ce ne sont pas de bonnes nouvelles. Des promeneurs ont trouvé un corps dans la forêt d'Ashdown, à trois kilomètres à l'est de Crowborough. »

Au cœur de la zone suspecte, se dit Grace immédiatement.

« Un jeune homme, poursuivit-elle, vingt-huit, vingt-neuf ans, qui correspond au profil de Michael Harrison. »

Jetant un coup d'œil à Jaye, il demanda : « Dans quel état est-il ? »

« Je n'ai pas de détail. Le docteur Churchman est en route. Le lieutenant Nicholl aimerait savoir si vous pourrez vous rendre sur place. »

Il regarda de nouveau Jaye. Il n'avait pas le choix. « J'y serai dans une heure. »

« Merci, monsieur. »

Tandis qu'il raccrochait, Jaye l'informa : « Maman dit que les gens ne devraient pas utiliser leur téléphone portable quand ils conduisent. C'est très dangereux. »

« Ta maman a tout à fait raison. Jaye, je suis désolé, je vais devoir te ramener à la maison. »

« Mais on n'a pas encore vu les girafes. »

Il mit son clignotant pour prendre la prochaine sortie et faire demi-tour. « Je suis désolé. Un jeune homme a disparu et il faut que j'aide à le retrouver. »

« Je peux aider, moi aussi ? »

« Pas cette fois, Jaye, je suis désolé. » Il appela chez elle. Par chance, ses parents étaient là. Il fit un résumé de la situation à sa mère et fit la route en sens inverse. Il expliqua à Jaye qu'il viendrait la chercher le dimanche suivant. Ils iraient voir les girafes, promis juré.

Dix minutes plus tard, tenant la main de Grace, Jaye trottait vers l'entrée de sa maison. Sa déception était palpable.

Lui se sentait dans la peau du salaud.

310

58

Une voiture de police pleine de boue était stationnée au bord de la route, pour lui signaler l'entrée du chemin. Grace se rangea derrière elle, puis la suivit sur presque deux kilomètres.

Le chemin était détrempé, truffé de nids-de-poule, à peine praticable pour sa voiture. Le carter touchait, les roues avant dérapaient, glissaient, tournaient à vide. De la boue giclait au-dessus du capot et venait exploser contre son pare-brise. Grace, qui avait offert à son Alfa un lavage de luxe juste avant d'aller chercher Jaye, pesta. Puis un massif de jonc raya l'aile dans un crissement d'ongles. Il déversa un nouveau flot d'injures. Il était sur les nerfs, contrarié d'avoir déçu Jaye, mais surtout irrité par la découverte du corps.

Il ne pouvait pas encore être *sûr* qu'il s'agissait de Michael Harrison, mais il était difficile de ne pas faire le rapprochement. C'était dans ce coin que Michael Harrison avait été vu pour la dernière fois et l'âge, la taille, la carrure correspondaient.

Ça ne présageait rien de bon.

Ils prirent un dernier virage et Grace aperçut un groupe de véhicules et un ruban jaune délimitant la scène du crime. Il y avait deux voitures de police, une camionnette de l'identité judiciaire, un véhicule civil vert – sans doute le van des pompes funèbres – et une Lotus Elise Sport décapotable qui appartenait à Nigel Churchman, le médecin légiste local, dont Grace connaissait le penchant pour les jouets pour grands garçons. Mais comment avait-il fait pour arriver jusque-là?

Il se gara et ouvrit la portière, s'attendant à être agressé par le parfum nauséabond de la mort. Mais non. L'odeur des pins, des fleurs, de la terre, bref, de la forêt, chatouilla ses narines. On ne savait pas qui c'était, mais ce qui était sûr, c'est qu'il n'était pas mort depuis longtemps, se dit-il en descendant de voiture, ses mocassins s'enfonçant instantanément dans le sol bourbeux.

Il se dirigea vers son coffre, sortit d'un sac un imperméable blanc et des surbottes, les enfila et passa sous le ruban de sécurité. Joe Tindall, vêtu lui aussi de l'imper de service et de bottes blanches, se tourna vers lui, un gros appareil photo à la main.

« Salut, lui lança Grace. Tu passes un bon week-end? »

« Comme toi, répondit Tindall, amer, en faisant un signe de tête vers le buisson, derrière lui. Tu savais que ma mère voulait que je sois comptable? »

« Je ne t'imagine pas du tout apothicaire. »

« Il paraît que la plupart des comptables ont une vie », répliqua-t-il.

« Mais quel genre de vie? »

« Le genre où ils passent leurs dimanches en famille, avec leur femme et leurs enfants. »

« Tous ceux que je connais qui ont des enfants n'espèrent qu'une chose : s'en débarrasser pour la journée. Surtout le dimanche. » Il lui donna une tape amicale dans le dos. « L'herbe est toujours plus verte chez le voisin. »

Tindall fit un signe de tête vers le corps, à peine visible dans la densité du sous-bois. « Lui non plus ne profite pas de son dimanche, même allongé dans l'herbe verte. »

« Ce n'est peut-être pas la meilleure image dans le cas présent », fit Grace en s'approchant du cadavre au-dessus duquel bruissaient une douzaine de mouches à viande. Churchman, bel homme, musclé, visage juvénile, en imper blanc, se tenait accroupi, un dictaphone à la main.

Grace découvrit un jeune homme légèrement enrobé, coupe en brosse, chemise à carreaux, jean baggy et bottes marron, couché sur le dos, la bouche ouverte, les yeux fermés, le visage blanc cireux. Il portait une boucle en or à l'oreille droite. Sa figure ronde, figée par la mort, avait des airs de petit garçon.

Grace essaya de se souvenir des photos de Michael Harrison qu'il avait vues. La couleur des cheveux était la même, ses traits concordaient, même si Michael lui avait semblé plus beau garçon. Mais Grace savait que les gens changent après leur mort, quand la peau se contracte et que le sang sèche.

Nigel Churchman tourna la tête. « Roy ! Comment vas-tu ? »

« Ça va, et toi ? »

Le médecin hocha la tête.

« Qu'est-ce que tu en dis ? »

« Je ne sais pas encore. Trop tôt pour se prononcer. » Il souleva délicatement la tête du jeune homme avec ses gants en plastique. Grace avala sa salive, tandis que des douzaines de petites

313

mouches s'envolaient bruyamment, à contrecœur. Il y avait une entaille profonde, irrégulière, à l'arrière du crâne, recouverte par des cheveux emmêlés et du sang pourpre, coagulé.

« Il a reçu un coup violent avec un instrument contondant », déclara Churchman. Et avec son habituel humour à froid, il ajouta : « Ça lui a pas réussi. »

« Je te trouve plus tordu à chaque fois que je te vois. »

Churchman lui fit un grand sourire, comme si c'était un compliment. « Tu parles comme ma femme. »

« Je croyais que vous étiez divorcés. »

« Je confirme. »

Ils furent interrompus par des crissements aigus, puis des éclats de voix provenant du talkie-walkie d'un policier, derrière eux. Grace se retourna et vit un officier transmettre un rapport à la radio. Puis il observa de nouveau le cadavre, son visage, ses vêtements, sa montre bon marché et son bracelet encore plus cheap, simple bout de ficelle verte à son poignet droit. Il balaya d'une main les mouches agglutinées au-dessus de son visage. Oui, le cadavre était au bon endroit, mais pouvait-on être sûr qu'il s'agissait de Michael Harrison ?

« Il n'a rien sur lui ? Pas de carte, pas de papiers ? »

« On n'a rien trouvé. »

Grace se pencha sur le jeune homme et se demanda s'il se serait habillé comme ça pour son enterrement de vie de garçon. Il avait imaginé

Michael Harrison plus classe. Ce jeune homme n'avait pas le profil d'un chef d'entreprise. Mais il ne méritait pas pour autant d'être là, le crâne fendu, bouffé par les mouches bleues.

« Tu saurais me dire depuis combien de temps il est là ? » demanda Grace.

Churchman se redressa en déployant son mètre quatre-vingt-deux. « Bonne question. Pas longtemps. Pas de signe de première colonisation larvaire. Pas de décoloration de la peau. Étant donné les conditions climatiques actuelles, plusieurs jours d'humidité et de chaleur, il se serait détérioré rapidement. Il est là depuis vingt-quatre heures maximum. Peut-être moins. »

Le cerveau de Grace tournait à plein régime. Il pensait à tous ces jeunes hommes, entre vingt et trente ans, portés disparus au cours des dernières semaines. Il connaissait trop bien les statistiques, après toutes ces années passées à rechercher Sandy. Deux cent cinquante personnes, en Angleterre, étaient portées disparues chaque année. Un tiers d'entre elles n'étaient jamais retrouvées. Certaines étaient mortes et leur cadavre avait été dissimulé avec suffisamment de soin pour qu'on ne le trouve jamais. D'autres avaient fugué et réussi à échapper aux efforts de la police pour les retrouver. Certaines avaient fui à l'étranger et changé d'identité.

Il ne voyait jamais qu'une fraction des enquêtes pour disparition, celles dans des circonstances suspectes, dont la police s'occupait, et encore, seulement celles dont il était chargé – le pourcentage était infime.

315

Les dates concordaient, l'allure aussi. Enfin, *vaguement*. Il n'y avait qu'un moyen d'être sûr.

« Amenons-le à la morgue, dit-il. Trouvons quelqu'un pour l'identifier. »

59

Une serviette autour de la taille, Mark sortit prudemment de la douche des vestiaires de son club de sport. Il avait bien transpiré, mais avait été très mauvais au tennis. Il avait mal joué contre son partenaire habituel du dimanche matin, Tobias Kormind, un banquier mince, nerveux et pugnace, le teint olivâtre, moitié danois, moitié américain. Il ne battait jamais Tobias mais, en général, il lui prenait un set. Aujourd'hui, distrait et incapable de se concentrer, il n'avait remporté que quelques jeux.

Mark aimait bien Tobias, car il n'avait jamais fait partie de la clique des vieux amis de Michael. Tobias était créatif et avait de bons contacts dans le milieu de la finance londonienne. Il avait donné à Mark quelques tuyaux pour développer *Double-M Properties* au-delà de Brighton et bâtir un empire immobilier international, mais Michael n'avait jamais rien voulu savoir. Il n'avait jamais compris l'intérêt de faire des paris sur l'avenir. Tout ce qu'il voulait, c'était continuer petit à petit, prudemment, un projet à la fois, acheter, vendre, passer au suivant.

Tobias lui donna une tape amicale dans le dos. « J'imagine que tu avais la tête ailleurs, ce matin, hein ? »

« T'as raison, je suis désolé. »

« Tu sais, tu as vécu des trucs terribles, cette semaine. Tu as perdu quatre de tes meilleurs amis et ton associé s'est évanoui dans la nature... » Tobias, complètement nu, se frottait vigoureusement les cheveux avec une serviette.

« Et les flics, ils font quoi ? Il faut les pousser, tu sais, les harceler, comme tout le monde. Ils sont sans doute débordés et ne répondent qu'à ceux qui les sollicitent sans arrêt. »

Mark sourit. « Ashley est du genre tenace. Elle leur met la pression. »

« Comment va-t-elle ? »

« Elle tient le coup. Elle essaye. C'était dur pour elle, hier. Des gens qu'elle n'avait pas réussi à prévenir sont venus pour le mariage. »

Tobias n'avait jamais rencontré Michael, ni Ashley. Il n'avait donc pas grand-chose à ajouter. « C'est pas bon signe, s'il n'est pas venu à son mariage. »

Mark hocha la tête en enfonçant la clé dans la serrure de son casier. Quand il l'ouvrit, son portable, qu'il avait laissé à l'intérieur, bipa deux fois. L'écran l'informa qu'il avait quatre nouveaux messages.

S'excusant auprès de Tobias et s'éloignant de quelques pas, il les écouta. Le premier était de sa mère, qui lui demandait s'il y avait du nouveau et lui rappelait de ne pas être en retard pour le déjeuner, aujourd'hui dimanche, étant donné qu'elle allait à un concert l'après-midi. Le suivant était d'Ashley. Elle avait l'air inquiète. « Mark ? Mark ? Oh, j'imagine que tu es sur les courts. Appelle-moi dès que tu as ce message. » Le suivant aussi. « C'est moi, j'essaye de nouveau... » Le quatrième également. « Mark... Je t'en prie, rappelle-moi, c'est très urgent. »

Livide, il s'éloigna davantage de Tobias. *Michael avait-il réapparu ?*

Toute la nuit, il avait réfléchi pour essayer de comprendre comment Michael avait pu sortir du cercueil. Il avait aussi cherché ce qu'il pourrait bien lui dire s'il refaisait surface. Michael croirait-il qu'il n'était au courant de rien ? Il suffisait qu'il retrouve ce message, sur son Palm, pour tout comprendre. Mark – et les autres – lui en avaient envoyé plusieurs, pour le titiller.

Il appela Ashley, redoutant le pire. Elle était bouleversée, mais avait quelque chose de protocolaire dans la voix. Au cas où ils seraient sur écoute, se dit-il.

« Je... Je ne sais pas exactement ce qui se passe, bredouilla-t-elle. Il y a une demi-heure environ, j'ai reçu ce coup de fil d'une jeune policière, Emma-Jane quelque chose. Attends... » Elle se tut quelques instants. Mark entendit un froissement de papier, puis sa voix : « Lieutenant Boutwood. Elle m'a demandé si Michael portait une boucle d'oreille. »

« Je lui ai dit que quand on avait commencé à sortir ensemble, il en avait une, mais que je lui avais dit de l'enlever car je pensais que c'était mauvais pour son image. »

318

« Tu avais raison », répondit Mark.

« Tu penses qu'il aurait pu la remettre pour son enterrement de vie de garçon ? »

« C'est possible. Il aimait bien faire quelques folies quand il sortait. Pourquoi ? »

« Elle vient de me rappeler. Ils ont trouvé un corps qui correspond à la description de Michael, dans les bois, près de Crowborough. » Elle se mit à pleurer. L'illusion était parfaite, au cas où quelqu'un écouterait leur conversation.

« Oh, mon Dieu ! Sont-ils sûrs que c'est lui ? »

Entre deux longs sanglots, elle soupira : « Je ne sais pas. Ils ont demandé à la mère de Michael d'aller à la morgue pour identifier le corps. Elle vient d'appeler pour me demander d'y aller avec elle. Ils nous attendent dès que possible. »

« Tu veux que je vienne ? Je pourrais vous y conduire toutes les deux. »

« Ça ne te dérange pas ? Je... Je ne pense pas être en état de prendre le volant, et Gill non plus. Elle est effondrée. Mon Dieu, Mark, c'est horrible. » Et elle se remit à pleurer.

« Ashley, j'arrive tout de suite. Je passe prendre Gill d'abord, elle est sur ma route. Je serai là dans une demi-heure. »

Elle pleurait si fort qu'il n'était pas sûr qu'elle l'ait entendu.

60

En route pour Brighton, Grace appela Jaye pour s'excuser d'avoir dû la ramener si tôt.

« C'est quoi, son nom, au garçon qui a disparu ? »

Grace hésita, puis se dit qu'il n'y avait pas de risque à le lui dire : « Michael. »

« Pourquoi est-ce qu'il se cache, oncle Roy ? Il a pas été sage ? »

Il sourit. Les enfants avaient une conception du monde beaucoup plus simple que les adultes. Mais c'était une bonne question. Il avait appris depuis longtemps à ne rien prendre pour argent comptant, à faire le tour de chaque question, à ouvrir chaque porte, à sortir des sentiers battus. Il était important de considérer que Michael Harrison pouvait jouer un rôle actif dans sa disparition, même si, à l'heure actuelle, son corps devait être à la morgue.

« Je ne sais pas », répondit-il.

« Qu'est-ce qui se passera si tu ne retrouves pas Michael ? »

C'était une question innocente, mais qui raviva de vieilles émotions.

« Je pense qu'on va le retrouver. » Il ne voulait pas mentionner la découverte du corps.

« Mais que se passera-t-il si tu ne le retrouves pas ? insista-t-elle. Combien de temps est-ce que tu le chercheras ? »

Il sourit tristement de son innocence. Jaye était née un an après la disparition de Sandy et ne se

320

doutait pas de la charge affective de ses questions. « Aussi longtemps qu'il le faudra. »

« Ça peut être long, s'il est vraiment bien caché, non ? »

« C'est possible. »

« Ça veut dire qu'on risque de ne pas aller voir les girafes avant des années ? »

Dès qu'il eut terminé sa conversation avec Jaye, Grace composa le numéro d'Emma-Jane à la salle opérationnelle. « Alors, pour la boucle d'oreille ? »

« Michael Harrison en portait une tout le temps. Une petite boucle en or. Jusqu'à ce que sa fiancée lui demande de l'enlever. Mais c'est possible qu'il l'ait remise pour son enterrement de vie de garçon. »

Mauvaise nouvelle, pensa-t-il. « OK. Les portables. On doit avoir les numéros de Mark Warren et d'Ashley Harper quelque part. Je veux que vous contactiez les opérateurs et que vous leur demandiez le détail des appels depuis – il réfléchit quelques instants – samedi dernier. »

« Ça risque d'être difficile avant demain, monsieur. J'ai déjà eu du mal à obtenir quoi que ce soit d'opérateurs téléphoniques le dimanche. »

« Faites tout votre possible. »

« Oui, monsieur. »

*
* *

Dix minutes plus tard, pour la deuxième fois du week-end, Grace se dirigeait vers le long bâtiment de plain-pied qui abritait l'institut médico-légal de Brighton et Hove. La belle lumière de mai n'avait aucun impact sur son aspect sinistre, comme si le crépi gris était là pour empêcher tout rayon de soleil de s'y aventurer. Seuls les cadavres refroidis et les âmes défuntes avaient le droit d'entrer.

Exception faite de Cleo Morey.

Il espérait qu'elle travaillerait aujourd'hui aussi. L'espérait même *très fort*, tandis qu'il se dirigeait vers l'entrée et sonnait. Quelques secondes plus tard, pour son plus grand plaisir, Cleo lui ouvrit la porte. Vêtue de son habituelle tenue de travail, blouse verte, tablier vert, bottes blanches – la seule dans laquelle il l'ait jamais vue –, elle le gratifia d'un grand sourire, visiblement ravie de le voir.

Et pendant un moment, il resta planté là, la gorge nouée, comme un gamin à son premier rendez-vous avec une fille qu'il sait intimement être trop bien pour lui. « Salut ! » Puis il ajouta : « On ne peut pas continuer à se voir comme ça... »

« Je préfère que tu entres en marchant, plutôt que les pieds devant », plaisanta-t-elle.

Il secoua la tête en souriant. « Merci beaucoup. »

Elle le fit entrer dans son minuscule bureau aux murs roses. « Je t'offre un thé, un café, une boisson fraîche ? »

« Tu me servirais le thé comme en Cornouailles ? »

« Bien sûr, avec des scones, de la confiture de fraises et de la crème fraîche ? »

« Et des brioches aux raisins, toastées ? »

« Évidemment. » Elle rejeta ses cheveux en arrière, sans le quitter des yeux, flirtant ouvertement avec lui. « C'est donc ta conception du jour de repos ? »

« Absolument. Les gens ne vont-ils pas à la campagne, le dimanche ? »

« Si, confirma-t-elle en allumant la bouilloire. Mais en général, ils vont voir des fleurs et des animaux sauvages. Pas des cadavres. »

« *Ah bon ?* feignit-il. Je me disais bien qu'il y avait quelque chose qui clochait dans ma vie. »

« Dans la mienne aussi. »

Un silence s'installa entre eux. Une chance à saisir, se dit-il. La bouilloire émit un léger sifflement, de la vapeur s'échappa du bec en plastique. « Tu m'as dit que tu n'étais pas mariée... Tu ne l'as jamais été ? demanda-t-il. Tu as une famille ? »

Elle se tourna et posa sur lui un regard confiant, chaleureux, détendu. « Tu veux dire, un ex, deux virgule deux enfants, un chien et un hamster ? »

« Ce genre de choses. » Grace lui sourit. Sa trouille s'était envolée, il se sentait bien avec elle. Extrêmement bien.

« J'ai un poisson rouge, dit-elle. Ça compte ? »

« Vraiment ? Moi aussi. »

« Comment s'appelle-t-elle ? »

« C'est un mâle. *Il* s'appelle Marlon. »

Elle éclata de rire. « C'est un nom absurde pour un poisson rouge. »

« Par chance, il ne le sait pas », répondit Grace.

Elle secoua la tête. Elle faisait un grand sourire quand l'eau arriva à ébullition. « En fait, j'adore. »

« Et le tien, comment il s'appelle ? »

Elle le fit patienter en soutenant malicieusement son regard avant d'avouer, avec une fausse timidité : « *Poisson.* »

« *Poisson ?* répéta Grace. Il s'appelle comme ça ? »

« *Elle*. C'est une femelle. »

« OK. J'imagine que c'est facile à retenir. Poisson. »

« C'est pas aussi original que *Marlon* », fit-elle.

« C'est pas mal, j'aime bien. Ça a un certain je-ne-sais-quoi... » Puis il saisit sa chance, même si les mots vinrent maladroitement. « J'imagine que tu n'es pas libre cette semaine pour un verre... »

L'enthousiasme de sa réponse le prit par surprise. « *J'adorerais !* »

« Super. Quand est-ce que... Je veux dire : demain, ça te dirait ? »

« Le lundi, ça me va très bien. »

« Génial ! Hum... » Il se creusa la tête pour trouver un endroit. Brighton regorgeait de bars sympas, mais sur le coup, aucun ne lui venait à l'esprit. Devait-il proposer un bar tranquille ? Un endroit animé ? Un restaurant ? Les lundis soir étaient calmes de toute façon. Un pub, pour un premier rendez-vous, c'était pas mal, se dit-il. « Tu habites dans quel coin ? » lui demanda-t-il.

« Juste au-dessus du parc The Level. »

« Tu connais le pub The Greys ? »

« Bien sûr ! »

« OK. On dit huit heures ? »

« J'y serai. »

La bouilloire siffla bruyamment et ils sourirent. Elle versait l'eau du thé quand on sonna à la porte. Elle sortit de la pièce et revint flanquée de cette grande perche de Nicholl, habillé de façon décontractée. « Bonjour, Roy. »

« Tu veux du thé ? Le service est extra, ici. »

« Earl Grey, thé vert, camomille, Darjeeling ? » proposa Cleo.

324

Un peu perdu, le jeune officier, qui était toujours très sérieux, très premier degré, demanda : « Vous n'auriez pas du thé normal ? »

« Un Lipton ! » annonça Cleo.

« Qu'est-ce que tu en penses ? » demanda Grace sans détour.

« Gillian Harrison, la mère de Michael Harrison, est en route pour identifier le corps », répondit Nick.

« Je l'ai arrangé pour qu'il soit présentable », ajouta Cleo.

Elle était, entre autres choses, douée pour ça : réceptionner un corps, aussi amoché, aussi mutilé soit-il, et lui donner une apparence convenable, l'impression de reposer en paix, avant que la famille ou un proche ne vienne l'identifier. Parfois, c'était impossible. Ils se rendirent dans la chambre de présentation moquettée, avec son immuable vase en argent et ses fleurs en plastique, qui faisait également office de chapelle multiconfessionnelle pour les nombreuses personnes qui souhaitaient ce réconfort, et Grace constata qu'elle avait fait du bon travail.

Le jeune homme était allongé sur le dos, sa tête reposait sur un oreiller en plastique qui cachait habilement la profonde entaille à l'arrière du crâne. Cleo avait enlevé la boue, lavé son visage et ses mains, domestiqué ses cheveux et arrangé ses vêtements. À part son teint albâtre, il donnait l'air de profiter du dimanche pour piquer un roupillon après une nuit bien arrosée, se dit Grace.

« Emma-Jane s'occupe des relevés des portables », lui dit Nick Nicholl.

« Il faut savoir d'où vient le vent avant de décider quoi que ce soit, dit Grace en observant le corps. Voyons d'abord si c'est notre homme. » On sonna à la porte d'entrée.

« On ne va pas tarder à être fixés », dit Cleo en sortant de la pièce.

Quelques instants plus tard, elle revint avec Gill Harrison, pâle comme neige, et Ashley Harper, le visage fermé, qui lui tenait la main. Linda Buckley, du bureau d'aide aux familles, se tenait quelques pas derrière elles. La mère de Michael Harrison donnait l'impression d'avoir été interrompue dans son jardinage. Complètement échevelée, elle portait un K-way informe sur une veste blanche sans manche, un pantalon en polyester marron et des mules hors d'âge. Ashley, au contraire, en costume marine et chemisier blanc amidonné, semblait avoir mis ses habits du dimanche.

Les deux femmes firent un signe de la tête en reconnaissant Grace et passèrent devant lui. Il les regarda attentivement suivre Cleo vers la chambre de présentation. Pendant quelques minutes, il ne put détacher son regard d'elle. Il la vit dire aux deux femmes quelques mots avec un parfait équilibre entre professionnalisme et empathie. Plus il l'observait, plus elle lui plaisait.

Gill Harrison dit quelque chose et se retourna, en sanglots. Ashley secoua la tête et se tourna également pour passer un bras réconfortant autour des épaules de la mère de son fiancé.

« Vous en êtes certaine, madame Harrison ? » demanda Cleo.

« Ce n'est pas mon fils, ânonna-t-elle. Ce n'est pas lui, c'est pas Michael. »

« Ce n'est pas Michael », confirma Ashley à Cleo. Puis elle s'arrêta devant Grace et lui dit : « Ce n'est pas Michael. »

Grace vit que les deux femmes disaient la vérité. La confusion de Gill Harrison était compréhensible. Mais il était surpris qu'Ashley ne soit pas plus soulagée que ça.

61

Deux heures plus tard, Grace, Glenn Branson – qui revenait tout juste de Solihull –, Nick Nicholl, Bella Moy et Emma-Jane Boutwood étaient assis autour de la table qui leur avait été attribuée pour l'opération Salsa. Grace sourit pour rassurer leur nouvelle recrue, Emma-Jane, une jolie fille mince au visage alerte, ses longs cheveux blonds coiffés en chignon, et commença à leur lire le rapport qu'il avait dicté depuis son départ de l'institut médico-légal, et qu'Emma-Jane venait juste de taper. C'est comme ça qu'il aimait mener ses enquêtes : en gardant en permanence une vue d'ensemble.

« Dix-huit heures quinze, dimanche 29 mai, commença-t-il à lire à haute voix. Ceci est le premier rapport de l'opération Salsa, enquête portant sur Michael Harrison, vingt-neuf ans, disparu il y a cinq jours. Je vais maintenant résumer la situation. »

Grace passa en revue les événements ayant conduit à la disparition de Michael, puis il évoqua les suspects. « Pour le moment, nous n'avons pas de preuve qu'un meurtre ait été commis. Je trouve cependant le comportement de Mark Warren, son associé, et d'Ashley Harper, sa fiancée, suspect. Je suis également mal à l'aise avec Bradley Cunningham, l'oncle canadien d'Ashley. J'ai l'impression qu'il n'est pas celui pour qui il se fait passer. Juste une impression pour le moment. »

Il fit une pause pour boire un peu d'eau et reprit : « Ressources humaines. La division d'East Down a très généreusement proposé de mettre des hommes à notre service. Nous avons effectué des battues dans la zone de l'accident de mardi dernier et avons intensifié les recherches ces derniers jours. Je demande désormais l'intervention de la police fluviale et des hommes-grenouilles du Sussex, qui inspecteront tous les lacs, rivières et réservoirs de la région. Nous allons également demander un nouveau passage de l'hélicoptère. La visibilité et les conditions climatiques s'étant améliorées, ce pourrait être déterminant. »

Il passa au chapitre suivant, « Réunions ». Grace annonça qu'ils feraient le point tous les jours à huit heures trente et dix-huit heures trente. Il les informa que l'équipe informatique Holmes était sur le pied de guerre depuis vendredi. Il parcourut la liste intitulée « Techniques d'investigation », qui comprenait le point « Communication/Médias » et les informa que la disparition de Michael Harrison était au programme de la prochaine émission télévisée *Crimewatch* s'il n'avait pas réapparu entre-temps.

Le point suivant était « Analyses médico-légales ». Grace rappela que les échantillons de terre prélevés sur la voiture de Mark Warren étaient analysés, ainsi que ceux recueillis sur les vêtements et les corps des quatre amis décédés. Hilary Flowers, la géologue à laquelle ils faisaient appel, fournirait un premier compte rendu le lendemain.

Il arriva au chapitre « Problèmes soulevés par le responsable de l'enquête » et détailla ses observations sur le comportement anormal de Mark Warren et d'Ashley Harper, sans oublier la découverte d'un compte bancaire de *Double-M Properties* aux îles Caïmans.

Atteignant la fin du rapport, il résuma : « Je propose les hypothèses suivantes :

Un. Michael Harrison est retenu quelque part et ne peut pas s'échapper.

Deux. Michael Harrison est mort, soit à la suite de son enfermement, soit par meurtre.

Trois. Michael Harrison a délibérément pris la fuite. »

Puis il demanda à son équipe s'il y avait des questions. Glenn Branson leva la main et demanda si le corps non identifié qui avait été découvert dans les bois avait un lien avec les événements.

« À moins qu'il y ait, dans la forêt d'Ashdown, un serial killer préposé aux hommes de vingt-neuf ans, je ne pense pas. »

La réponse de Grace provoqua un petit gloussement, malgré la gravité de la situation.

« Qui va s'occuper de ce crime ? » demanda Branson.

« La division d'East Downs, répondit Grace. On a assez de pain sur la planche. »

« Roy, tu envisages de faire surveiller Ashley Harper et Mark Warren ? » demanda Branson.

Il y avait songé. Mais suivre quelqu'un vingt-quatre heures sur vingt-quatre nécessitait parfois trente personnes – trois équipes se relayant toutes les huit heures. Si les suspects étaient commodes. Davantage quand c'était compliqué. Ça demandait un investissement considérable en termes de temps et d'effectif, et Grace savait par expérience que ses chefs n'approuvaient la surveillance que quand c'était absolument nécessaire – comme pour les gros trafics de drogue ou quand une vie était en danger. S'ils ne progressaient pas rapidement, il aurait peut-être à faire la demande.

« J'y ai pensé, mais oublie pour l'instant. Ce qu'il faut faire, c'est visionner toutes les bandes de vidéosurveillance de Brighton et Hove à partir de jeudi dernier, de l'aube jusqu'au lendemain, vendredi, une heure du matin. Mark Warren s'est déplacé avec sa BMW. Les détails sont dans le dossier. J'aimerais savoir où il est allé. » Et il ajouta. « Ah oui ! Michael Harrison a un yacht au Sussex Motor Yacht Club. Il faut vérifier qu'il est toujours là. On aurait l'air con d'organiser une chasse à l'homme et de découvrir que le gars a levé l'ancre. »

Il regarda l'officier Boutwood. « Vous pourrez réduire le nombre de bandes à visionner à partir des informations communiquées par les opérateurs téléphoniques. Vous avez avancé sur ce point ? »

« Pas encore, monsieur. C'est prévu pour demain, à la première heure. Personne ne peut me renseigner aujourd'hui. »

Grace regarda sa montre. « Demain, à dix heures, il faut que je sois au tribunal. Je ne sais pas si je serai retenu toute la journée. On se voit donc à huit heures trente. » Il se tourna vers Branson. « Notre contact, à East Downs, est le commandant Jon Lamb. Il a déjà mis son équipe au travail. Ce serait bien que tu lui parles. »

« Je l'appelle dans deux minutes. »

Grace se tut, survola son rapport pour être sûr de n'avoir rien oublié. Il voulait en savoir davantage sur la personnalité de Michael Harrison, sur sa relation avec Mark Warren, et sur Ashley Harper. Puis il leva les yeux vers son équipe. « Il est presque sept heures et demie, dimanche soir. Je pense que vous devriez rentrer chez vous, vous reposer. La semaine qui nous attend risque d'être chargée. Merci d'avoir sacrifié votre week-end. »

Branson, pantalon baggy branché et haut en coton, classe, avec fermeture Éclair, le raccompagna sur le parking. « Qu'est-ce que tu en penses, vieux sage ? »

Grace enfonça ses mains dans ses poches et répondit : « J'ai le nez dans le guidon depuis plusieurs jours. Mais toi, qu'est-ce que tu en dis ? »

Branson leva les bras et les laissa retomber en signe de frustration. « Eh mec, pourquoi tu me fais toujours ce coup-là ? Tu ne peux pas tout simplement répondre à mes questions ? »

« J'en sais rien. Dis-moi. »

« Merde, tu me fais vraiment chier, des fois ! »

« Ah bon ? Tu passes un charmant week-end en famille, tu me laisses faire ton boulot et ça te fait chier ? »

Indigné, Branson s'exclama : « Un *charmant* week-end en famille ? Trois heures d'autoroute aller, trois heures retour, avec une enquiquineuse et deux gosses qui hurlent, tu appelles ça un *charmant* week-end en famille ? La prochaine fois, tu vas à Solihull avec eux et je fais le sale boulot ici, OK ? »

« Marché conclu. »

Grace arriva au niveau de sa voiture. Branson hésita. « Alors, d'après toi ? »

« Il ne faut pas se fier aux apparences, voilà mon avis. »

« C'est-à-dire ? »

« Je ne peux pas être plus précis. Pour le moment. J'ai un mauvais feeling avec Mark Warren et Ashley Harper. »

« Mauvais, du genre ? »

« *Très* mauvais. »

Grace lui donna une tape amicale dans le dos, monta dans sa voiture et se dirigea vers le portail sécurisé. Quand il eut rejoint la route principale, avec sa vue panoramique sur Brighton et Hove, et sur la mer, avec le soleil encore haut dans un ciel bleu cobalt, il lança la chanson *Riddles*, de Bob Berg, et commença à se détendre. Pendant quelques délicieuses minutes, il oublia son enquête et pensa à Cleo Morey.

Et sourit.

Puis ses pensées le ramenèrent au travail. Il avait un aller-retour à faire dans la soirée. Direction le sud de Londres. Avec un peu de chance, il serait rentré avant minuit.

62

Mark, en jean, sweat et chaussettes, faisait les cent pas dans son appartement, un verre de whisky à la main, incapable de s'asseoir et d'avoir les idées claires. La télévision était allumée, mais le son était éteint, et l'acteur Michael Kitchen arpentait à grands pas, le visage impénétrable, un paysage dévasté par la guerre que Mark reconnut vaguement – c'était tourné dans le sud de l'Angleterre, près de Hastings.

Il avait verrouillé sa porte et mis la chaînette de sécurité. Situé au quatrième étage, le balcon ne présentait aucun danger. Michael avait peur du vide de toute façon.

Il faisait presque complètement nuit à présent. Dix heures. Dans un peu plus de trois semaines, ce serait le plus long jour de l'année. À travers la baie vitrée, il vit une lumière danser sur l'océan. Un petit bateau ou un yacht.

Ça faisait des semaines qu'ils n'étaient pas sortis en mer avec *Double-MM*, leur voilier de course. Il avait prévu d'aller à la marina aujourd'hui, pour faire quelques réparations. Un bateau, ça nécessitait un entretien permanent : il y avait toujours quelque chose qui fuyait, qui rouillait, se détachait, se décollait.

À la vérité, ce bateau lui pesait. Il ne savait pas si le jeu en valait la chandelle. Et il avait une peur bleue des tempêtes. La voile avait toujours été importante pour Michael. Pour devenir son associé, il avait dû partager sa passion. On n'a rien sans rien.

Bien sûr, ils s'étaient amusés, s'étaient éclatés, même. Ils avaient eu de superbes journées de vent, sous un ciel azur, avaient passé plein de weekends vers Devon et la Cornouaille, parfois sur la côte française ou les îles anglo-normandes. Mais s'il ne devait jamais remonter sur un bateau, ça ne le dérangerait pas plus que ça.

Où est-ce que tu te caches, putain, Michael ?

Il but une gorgée de whisky, s'assit dans le canapé, se pencha en arrière et croisa les jambes. Il était complètement déboussolé. Michael et Ashley auraient dû être dans l'avion, vers leur romantique lune de miel, aujourd'hui. Il ne s'était pas demandé comment il l'aurait supporté, la perspective d'Ashley faisant l'amour à Michael, plusieurs fois certainement. C'était la moindre des choses, pendant une lune de miel. À moins qu'elle ait trouvé un prétexte. Elle lui avait promis de le faire, mais comment aurait-elle pu se défiler pendant quinze jours ?

Et de toute façon, il savait qu'elle et Michael avaient déjà couché ensemble, ça faisait partie du plan. Mais au moins, elle lui avait dit que Michael n'était pas une affaire au lit.

Sauf si c'était un mensonge.

Il fit tourner les glaçons dans son verre et avala une nouvelle gorgée. Il avait appelé les veuves de Pete, de Luke et de Josh, et le père de Robbo, prétendant à chaque fois s'informer sur les funérailles – alors que c'était en réalité pour savoir si personne n'avait été au courant des plans de mardi soir, pour être sûr que rien ne l'incriminait et pour avoir des indices sur ce qu'ils avaient pu manigancer.

Michael était là-bas jeudi soir, il en était sûr. Il n'avait pas rêvé. Pas possible. Donc, il y était jeudi soir, mais hier soir, il n'y était plus. Le cercueil était bien vissé. Et Michael n'était pas Houdini.

Donc si Michael y était jeudi et n'y était plus maintenant, quelqu'un avait dû le faire sortir. Et revisser le couvercle. Mais pourquoi ?

Une blague de Michael ?

Et s'il était dehors, pourquoi n'était-il pas venu au mariage ?

Il secoua la tête. Il revenait toujours au point de départ. Michael n'était pas dans le cercueil et il avait cru entendre sa voix. Ashley en était persuadée. Il le croyait parfois, mais n'arrivait pas à s'en convaincre complètement.

Il fallait qu'il en discute avec Ashley une fois de plus. Et si Michael était sorti et avait découvert leurs plans ? Il aurait sûrement demandé des comptes à l'un d'eux depuis.

Il se leva et se demanda s'il devait aller voir Ashley. Elle l'inquiétait. Elle se comportait envers lui avec une telle froideur... Comme si tout ça était de sa faute. Il savait ce qu'elle lui dirait.

Il recommença à arpenter la pièce. Si Michael était vivant, s'il avait réussi à sortir du cercueil, que comprendrait-il à la lecture des mails sur son Palm ?

Mark réalisa soudain que, dans la panique des derniers jours, il n'avait pas pensé à une façon simple de vérifier : Michael conservait une copie de son Palm dans le serveur.

Il alla dans son bureau, ouvrit son ordinateur portable et se connecta. Puis jura. Le foutu serveur était en panne.

Et il n'y avait qu'une façon de le relancer.

63

Max Candille était presque trop beau pour être vrai, se disait Roy Grace à chaque fois qu'il le voyait. Vingt-cinq ans, des cheveux blonds peroxydés, des yeux bleus et des traits parfaits : c'était l'Apollon des temps modernes. Il aurait sûrement pu être mannequin ou star de cinéma. Au lieu de cela, il avait choisi de vivre dans une modeste maison mitoyenne dans la banlieue de Purley et de se consacrer à ce qu'il appelait son *don*. Mais même comme ça, il était en train de devenir une figure médiatique. La façade terne de la maison, avec ses madriers faux Tudor et sa pelouse impeccable, devant laquelle était garée une Smart étincelante, ne laissait pas deviner l'occupation de son occupant.

À l'intérieur de la maison, tout était blanc – du moins au rez-de-chaussée, la seule partie que Grace connaisse. Les murs, les tapis, les meubles, les sculptures modernes élancées, les tableaux, même les deux chats qui rôdaient, telles des versions miniatures des guépards de Siegfried et Roy, étaient blancs. Et assis devant lui dans un fauteuil rococo chargé, avec une armature blanche et un tissu en satin blanc, se trouvait le médium, col roulé blanc, jean Calvin Klein blanc et bottes en cuir blanches.

Il tenait délicatement une toute petite tasse d'infusion entre son pouce et son index et parlait avec une voix qui ne laissait planer quasiment aucun doute sur ses préférences sexuelles.

« Vous avez l'air fatigué, Roy. Vous travaillez trop dur ? »

« Excusez-moi encore de venir si tard », dit Grace en sirotant l'expresso que Candille lui avait préparé.

« Les esprits n'ont pas la même notion du temps que les vivants, Roy. Je ne me considère l'esclave d'aucune horloge, regardez ! »

Il posa son thé, leva les deux mains et remonta ses manches pour prouver qu'il ne portait pas de montre. « Vous voyez ? »

« Vous avez de la chance. »

« Oscar Wilde est mon héros, en matière de temps. Il n'était jamais ponctuel. Un soir, il s'était présenté extrêmement tard à un dîner et l'hôtesse, très mécontente, lui avait montré du doigt l'horloge en disant : " Monsieur Wilde, ne savez-vous donc pas quelle heure il est ? " Et il avait répondu : " Ma chère, dites-moi, je vous prie, comment cette vilaine petite machine peut-elle savoir ce que le magnifique soleil aux rayons d'or nous réserve ? " »

Grace sourit. « C'est une belle histoire. »

« Allez-vous me dire ce qui vous amène aujourd'hui ou dois-je le deviner ? Serait-ce lié à un mariage ? Je chauffe ? »

« Vous n'avez pas grand mérite pour cette devinette, Max. »

Candille sourit. Grace estimait le bonhomme. Il n'avait pas toujours raison, mais son taux de réussite était élevé. Grace, qui avait de l'expérience dans ce domaine, ne croyait aucun médium capable de tout découvrir, c'est pourquoi il aimait en consulter plusieurs, quitte à recouper leurs informations.

Aucun médium n'avait pour le moment pu lui dire ce qui était arrivé à Sandy. Il en avait pourtant vu plusieurs. Les mois qui avaient suivi sa disparition, il avait rendu visite à tous ceux qui avaient un quelconque renom. Il avait essayé à plusieurs reprises avec Max Candille, qui avait été suffisamment honnête, dès leur premier rendez-vous, pour lui dire qu'il ne savait pas, qu'il était tout simplement incapable de rentrer en contact avec elle. Certaines personnes laissaient derrière elles une trace, des vibrations dans l'air ou sur des objets leur ayant appartenu, lui avait expliqué Max. D'autres, rien. C'était comme si Sandy n'avait jamais existé, avait-il ajouté. Il ne l'expliquait pas, ne savait pas si elle avait effacé ses propres empreintes ou si quelqu'un l'avait fait pour elle. Il ne savait pas si elle était morte ou vivante.

Mais il semblait bien plus catégorique dans le cas de Michael Harrison.

Il prit le bracelet qu'Ashley avait donné à Grace et le lui rendit brusquement, comme s'il s'était brûlé les doigts. « Pas à lui », dit-il avec conviction.

Fronçant les sourcils, Grace demanda : « Vous en êtes sûr ? »

« J'en suis absolument certain. »

« C'est sa fiancée qui me l'a donné. »

« Alors il faut que vous vous demandiez, et que vous lui demandiez, *pourquoi* elle a fait ça. Ce bracelet n'appartient en aucun cas à Michael Harrison. »

Grace l'emballa et le glissa délicatement dans sa poche. Max Candille était impulsif – et *pas* toujours juste. Cependant, recoupant sa réaction avec les commentaires de Harry Frame, Grace conclut qu'il y avait un problème.

« Que pouvez-vous me dire à propos de Michael Harrison ? » lui demanda Grace.

Le médium se leva, sortit de la pièce en soufflant sur la paume de sa main pour envoyer des baisers à ses chats et revint avec un exemplaire du tabloïd *News of the World*. « Mon magazine préféré, confessa-t-il à Grace. J'aime savoir qui baise qui. C'est bien plus intéressant que la politique. »

Grace aimait le lire de temps en temps, mais pour rien au monde il ne l'aurait avoué. « J'en suis sûr », répondit-il.

Le médium feuilleta quelques pages et tendit la revue à Grace pour qu'il puisse lire le titre et voir la photo de Michael Harrison. « Le fiancé porté disparu. »

Puis le médium le parcourut avec lui. « Vous voyez, il y a même une citation de vous : " Nous considérons désormais la disparition de Michael Harrison comme une affaire criminelle, a déclaré le commissaire Roy Grace, de la police du Sussex. Et nous avons demandé à nos hommes de passer la zone suspecte au peigne fin. " »

Puis il regarda Grace et lâcha : « Michael Harrison est vivant, j'en suis sûr. »

« Vraiment ? Où ? Il faut que je le retrouve. J'ai besoin de votre aide pour ça. »

« Je le vois dans un endroit confiné, sombre. »

« Un cercueil ? »

« Je ne sais pas, Roy. C'est trop flou. Il n'a plus beaucoup d'énergie. » Il ferma les yeux et se mit à tourner lentement la tête de gauche à droite. « Non, vraiment plus beaucoup. Ses batteries sont presque à plat. Pauvre garçon. »

« Que voulez-vous dire ? »

Le médium referma les yeux. « Il est faible. »

« Faible comment ? » demanda Grace, inquiet.

« Il s'éteint, son pouls est fuyant, beaucoup trop lent. »

Grace le regarda. *Comment Max savait-il ça ?* Était-il en relation avec un autre monde ? Était-ce une simple intuition ? « Cet endroit confiné, sombre, se trouve-t-il dans la forêt ? En ville ? Sous terre ou pas ? Sur l'eau ? »

« Je ne vois pas, Roy. Je ne sais pas. »

« Combien de temps lui reste-t-il ? » demanda Grace.

« Pas beaucoup. Je ne sais pas s'il va s'en sortir. »

64

« Alors, Mike, je t'explique. Tout le monde n'a pas son jour de chance le même jour. C'est donc un peu exceptionnel, ce qui nous arrive. Parce que c'est ton jour de chance et c'est mon jour de chance. Ça en fait de la chance, hein ? »

Michael, affaibli, tremblant de fièvre, quasi délirant, regardait fixement au-dessus de lui, mais ne distinguait rien dans l'obscurité. Il ne reconnaissait pas la voix de l'homme. On aurait dit un accent australien avec des intonations du sud de Londres. Il parlait très vite, avec des inflexions nerveuses. Davey et l'un de ses accents ? Non, se dit-il. Son cerveau partait en vrille. Confusion totale. Il ne savait pas où il était. Dans le cercueil ?

Mort ?

Une pulsation cognait dans sa tête, sa gorge était sèche. Il essaya d'ouvrir la bouche, mais ses lèvres ne se séparèrent pas. De la glace coulait dans ses veines.

Je suis mort.

« Tu étais dans cet horrible caveau, tout mouillé, ramollo, vermoulu, maintenant tu es dans un joli lit de camp, sec et confortable. Tu allais mourir. À présent, peut-être que tu ne vas pas mourir. Mais j'insiste lourdement sur le *peut-être* ! »

La voix s'éloigna dans l'obscurité. Michael coulait à pic, sombrait inexorablement dans une cage d'ascenseur, voyait les murs défiler. Il essaya de crier, mais ses lèvres ne voulaient pas bouger. Quelque chose compressait sa bouche. Tout ce qu'il pouvait faire, c'était gémir de peur.

Puis la voix revint, très proche, comme si l'homme était avec lui dans l'ascenseur. « Tu as entendu parler du chat de Schrödinger, Mike ? »

Ils s'enfonçaient toujours. Combien d'étages ? Peu importe.

« Tu as suivi des cours de physique, à l'école ? »

C'était qui ? Où était-il ? « Davey ? » essaya-t-il de dire. Mais seul un murmure sortit.

« Si tu as deux ou trois notions en science, Mike, tu as dû en entendre parler. Le chat de Schrödinger était dans une boîte, à la fois mort et vivant. Comme toi maintenant, mon ami. »

Michael sentit qu'il perdait connaissance. L'ascenseur se balançait au bout de ses câbles. L'obscurité filait, tournoyait. Il ferma les yeux. Il sentit une bouffée de chaleur et vit une lumière rouge sous ses paupières. Il ouvrit les yeux et les referma aussitôt, aveuglé par un faisceau surpuissant.

« À mon avis, tu ne devrais pas t'endormir maintenant. Il faut rester éveillé, Mike. Je peux pas te laisser mourir, je me suis donné assez de mal comme ça. Je te donnerai de l'eau et un peu de glucose dans un instant, il faut réintroduire les aliments progressivement. J'ai été formé pour ce genre de trucs, tu es entre de bonnes mains. J'ai suivi un entraînement dans la jungle. Je sais ce qu'il faut faire pour survivre et pour aider les autres à survivre. Tu as de la chance d'être tombé sur moi. Je vais te garder éveillé. On va bavarder tous les deux, faire connaissance, sympathiser, OK ? »

Michael essaya de nouveau de parler. Seul un murmure sortit. Il essayait de se souvenir de cette sensation d'avoir été sorti du cercueil, d'avoir été allongé sur quelque chose de doux dans une camionnette – ou était-ce le soir de son enterrement de vie de garçon ? C'était peut-être un de ses potes? N'étaient-ils pas morts? Mark? Tout ce qu'il voulait, c'était fermer les yeux et dormir.

De l'eau froide fouetta son visage par surprise. Il écarquilla les yeux, cligna des cils à travers l'obscure humidité.

« J'essaie juste de t'empêcher de dormir, sans rancune, mec. » L'accent semblait plus australien que londonien à présent.

Michael frissonna. L'eau lui avait provisoirement rafraîchi les idées. Il essaya de bouger les bras, pour voir s'il était dans le cercueil ou pas, mais il n'y arrivait pas. Il tenta d'écarter les jambes, mais ne le pouvait pas non plus. Comme si elles étaient attachées. Il essaya de lever la tête, pour toucher le couvercle, mais il n'eut la force de la soulever que de quelques millimètres.

« J'imagine que tu te demandes qui je suis et où tu es. »

Michael plissa de nouveau les yeux, ébloui par un faisceau blanc qui brûlait sa rétine comme un rayon de soleil. Il émit un grognement.

« C'est pas grave, Mike, te force pas à répondre. C'est du ruban adhésif. Pas facile de s'exprimer avec ça. Je parle et tu écoutes. Jusqu'à ce que tu ailles mieux. Qu'est-ce que tu en dis? »

Michael se sentit soulagé. Mais en même temps, profondément angoissé. Tout ça n'avait aucun sens. Il se demanda s'il rêvait ou s'il hallucinait. « Premièrement, Mike, je te donne les consignes de la maison. Tu ne demandes pas comment je m'appelle et tu ne demandes pas où tu es. T'as compris? »

« Je te le rappellerai plus tard, de toute façon. Tu as vu ce film de Stephen King, *Misery*? »

Michael entendit la question, mais il ne savait si elle s'adressait à lui ou à quelqu'un d'autre. Son attention dérivait. *Misery*. Il se souvenait vaguement. Kathy Bates. Il essaya de demander si Kathy Bates était dedans, mais il ne pouvait pas bouger ses lèvres. « Mnhhhh », fit-il.

« C'était un chouette film. Souviens-toi, James Caan est séquestré par une fan psychopathe, Kathy Bates, qui lui mutile les jambes avec une masse pour qu'il ne puisse pas s'enfuir. Mais ce n'était pas fidèle au roman, tu sais ça, Mike ? Tu savais pas ? »

« Mnhhhh. »

« Dans le roman, elle lui coupe une jambe et la cautérise avec un chalumeau. Faut être un peu malade pour faire ça, tu crois pas ? »

Michael fixait l'obscurité, essayait de deviner ses traits, de mettre un visage sur cette voix, de vérifier si elle venait d'au-dessus, d'en dessous, ou de lui.

« Tu crois pas, Mike ? »

« Mnhhhh. »

« Je vous écoute depuis cinq jours, toi et ton copain Davey. J'ai cru comprendre qu'il t'avait pas mal crispé. Ça m'aurait exaspéré, moi aussi, si j'avais été à ta place. » L'homme éclata de rire. « C'est vraiment pas de bol. Tes copains t'enferment et la seule personne au monde qui sait que tu es encore en vie, c'est un débile ! » Il se tut quelques secondes et reprit. « Bien sûr, j'étais avec vous, Mike, mais je ne voulais pas vous interrompre. Code d'honneur des espions : ne jamais s'immiscer dans une conversation. Enfin, c'est mon principe. Comment tu te sens ? »

Michael sentait son crâne palpiter, l'obscurité tournoyer de plus en plus vertigineusement.

« Tu vas bien. Vingt-quatre heures de plus dans la tombe et tu aurais pu y rester. Mais ça va aller, maintenant. Je vais te retaper. Tu as de la chance. J'ai été formé chez les Marines australiens. Aux transmissions. Je sais tout sur les techniques de survie. Tu n'aurais pas pu mieux tomber, Mike. Et ça, ça vaut bien un défraiement, qu'est-ce que tu en penses ? Je parle d'argent, Mike. De beaucoup d'argent ! De pognon ! »

« Mnhhhh. »

« Mais je suis au regret de te dire qu'il va me falloir un certificat d'authenticité, Mike. Tu vois ce que je veux dire ? Une preuve que c'est toi. Tu me suis ? »

Michael plissa les yeux, aveuglé une nouvelle fois. Puis il les rouvrit et entrevit un éclat métallique.

« Ça va faire un petit peu mal, mais ne t'inquiète pas, je vais pas te faire un coup à la Kathy Bates. Je ne suis pas fou. Je ne vais pas t'estropier. J'ai juste besoin d'un certificat, c'est tout. »

Dans son délire, Michael ressentit une douleur atroce à son index gauche. Il hurla à la mort, une tornade d'air remonta de ses voies respiratoires jusqu'à sa bouche et il mugit à travers le ruban adhésif, comme un animal à l'agonie.

65

Roy Grace arriva, en pleine forme, à Brighton peu avant minuit. Le double expresso de Candille le boostait comme du kérosène. Sans raison particulière, il décida de faire un petit détour du côté du bureau de *Double-M Properties*, qui se trouvait près de la gare.

Il fut surpris de trouver la BMW de Mark Warren juste devant le bâtiment. Il se gara, sortit de sa voiture et leva les yeux. Le troisième étage était éclairé. De nouveau, sur une simple intuition, il marcha jusqu'à l'interphone et sonna au nom de la société.

Quelques instants plus tard, il entendit la voix métallique, mal assurée, de Mark Warren : « Oui ? »

« Monsieur Warren, commissaire Grace. »

Il y eut un long silence, puis Mark Warren dit : « Montez. » Le système d'ouverture de la porte grésilla, Grace entra et monta les trois étages, composés de marches étroites.

Mark ouvrit la porte en verre dépoli et le fit entrer. Il était blanc comme un linge et semblait fort mal à l'aise. « C'est une sacrée surprise, monsieur », dit-il maladroitement.

« Je passais par là, j'ai vu de la lumière, je me suis demandé si on pouvait avoir une petite conversation. Peut-être aimeriez-vous que je vous communique les dernières nouvelles. »

« Hum, oui, merci. »

Mark jeta un coup d'œil anxieux à la porte qui était ouverte derrière lui, qui menait à un bureau dans lequel il était visiblement en train de travailler. Il l'accompagna dans une tout autre direction et ils entrèrent dans une salle de conférence froide, sans fenêtre. Il alluma la lumière et lui tendit une chaise, à une table rutilante.

Mais avant de s'asseoir, Grace plongea la main dans sa poche et en sortit le bracelet qu'Ashley lui avait donné. « J'ai trouvé ça dans l'escalier. Ça appartient à quelqu'un qui travaille ici ? »

Mark le regarda fixement. « Dans l'escalier ? »

Grace hocha la tête.

« En fait, il est à moi. Il a de minuscules aimants aux extrémités. Je le porte pour soigner mon tennis elbow. Je... Je ne sais pas comment il est arrivé là. »

« Vous avez de la chance que je l'aie vu. »

« Vous avez raison. Merci. » Mark semblait vraiment désorienté.

Grace remarqua une rangée de photos encadrées au mur : un hangar sur le port de Shoreham, une haute maison Régence en mitoyenneté et un bloc plus moderne, qu'il savait être sur London Road, à la périphérie de Brighton. « Tout ça est à vous ? » demanda-t-il. Mark tripota son bracelet, puis l'enfila à son poignet droit.

« Impressionnant, fit Grace en hochant la tête devant les bâtisses. On dirait que les affaires marchent bien. »

« Ça va, merci. »

Se remémorant les reproches assassins que lui avait faits Ashley pour avoir été désagréable avec le commissaire, la veille, au mariage, Mark faisait à présent de gros efforts pour être poli. « Je peux vous servir un café ou autre chose ? »

« Rien, merci quand même, répondit Grace. Vous êtes à parts égales, vous et Michael Harrison ? »

« Non. Il est majoritaire. »

« Ah. C'est lui qui a effectué l'apport initial ? »

« Oui, enfin, aux deux tiers. J'ai mis le reste. »

Surveillant son langage corporel, Grace demanda : « Et ça ne pose pas de problème entre vous, ce déséquilibre ? »

« Non, monsieur, on s'entend bien. »

« Parfait. Eh bien... » Grace étouffa un bâillement. « Nous renforçons nos recherches dans la zone demain matin. Comme vous le savez peut-être, nous avons eu une fausse alerte aujourd'hui. »

« Le corps d'un jeune homme. Qui était-ce ? »

« Un gars du coin. Un jeune qui était, m'a-t-on dit, un peu retardé. Pas mal de policiers le connaissaient : son père a une dépanneuse, il travaille souvent avec la circulation. »

« Pauvre gars. Il a été assassiné ? »

« On dirait, répondit Grace prudemment. Si je ne me trompe pas, vous avez un compte bancaire aux îles Caïmans, avec Michael... »

Sans sourciller, Mark répondit : « Oui, nous avons une société là-bas : *HW Properties International*. »

« Deux tiers un tiers ? »

« Exact. »

Grace se souvint qu'il y avait au moins un million de livres sur ce compte. Une somme plus que replète. « Quel type d'assurance avez-vous, avec Michael? Une assurance-vie l'un sur l'autre, en tant qu'associés? »

« Nous avons l'assurance associés classique. Vous voulez voir le contrat? »

« Pas tout de suite, mais plus tard, oui. Pourrez-vous me faxer le document demain? »

« Sans problème. »

Grace se leva. « Bon, je ne vais pas vous déranger davantage ce soir. Vous êtes occupé? Vous travaillez souvent le dimanche après minuit? »

« Le week-end, j'aime bien mettre l'administratif à jour. C'est le seul moment où les téléphones ne sonnent pas. »

Grace sourit. « Je vois ce que vous voulez dire. »

Mark regarda la tête du commissaire disparaître dans la cage d'escalier, referma la porte en s'assurant que le loquet était baissé et retourna dans son bureau, ralluma son ordinateur et s'attela de nouveau à la tâche ardue qu'il avait entamée quelques heures auparavant : lire toutes les sauvegardes de Michael, remonter des semaines en arrière et supprimer toutes les allusions à l'enterrement de vie de garçon.

Ashley avait passé son après-midi à faire la même chose sur les ordinateurs portables de Peter, Luke, Josh et Robbo, en faisant croire à leur famille qu'elle cherchait des indices sur la disparition de Michael.

Grace ferma la porte de l'immeuble derrière lui et se rendit jusqu'à sa voiture. Mais il ne monta pas tout de suite. Il s'appuya contre la portière côté passager et leva les yeux vers les fenêtres du troisième. Il réfléchissait, réfléchissait...

Il n'aimait pas Mark Warren. Le garçon était un menteur. Et quelque chose le tracassait. Ashley Harper, elle aussi, était une menteuse. Elle lui avait délibérément donné un bracelet qui n'appartenait pas à Michael.

Et qu'est-ce que le bracelet de Mark Warren faisait chez elle, d'ailleurs ?

66

« Mon Dieu, oh, mon Dieu. » Michael pleurait de douleur, levant sa main gauche au maximum, empêché en cela par le ruban adhésif qui soudait ses deux bras à son corps. Du sang gouttait du moignon de son index, tranché à la première phalange. Il fixait les lumières aveuglantes qui l'aspergeaient. « *Qu'est-ce qui se passe ? Mais qu'est-ce que vous foutez ?* »

« Ça va aller, Mike, relax ! »

Une main fine, poilue, tenait son bras avec une poigne de fer. L'homme portait une imposante montre de plongée. En ombre chinoise contre les lumières éblouissantes, Michael vit enfin la tête de son agresseur : deux yeux derrière une cagoule noire.

Puis il vit de la crème blanche déborder d'un tube, et, juste après, eut l'impression que son doigt avait été plongé dans la glace. Il hurla de nouveau. La douleur était intolérable.

« Je sais ce que je fais, Mike. Ne t'inquiète pas. Ça ne s'infectera pas. J'aimerais que tu m'appelles Vic. Compris ? Vic. »

« Vhrrr », grommela Michael.

« Très bien. C'est normal qu'on s'appelle par notre prénom. On est associés, d'ac ? Autant s'appeler par le prénom. »

Son assaillant sortit une longue bande de gaze blanche et pansa le bout sanguinolent de son doigt en serrant de plus en plus fort, jusqu'au garrot. Puis il colla un morceau de sparadrap pour le maintenir. « Je t'explique mon point de vue, Mike. Je t'ai sauvé la vie. Je mérite une récompense, non ? Et d'après ce que j'ai lu dans les journaux et vu à la télé, j'ai l'impression que tu es blindé. Pas moi, c'est toute la différence. Tu veux de l'eau ? »

Michael hocha la tête. Il essayait d'avoir les idées claires, mais la douleur lancinante, abrutissante, dans son doigt, rendait la chose difficile.

« Si tu veux boire, il va falloir que j'enlève le ruban adhésif que tu as sur la bouche. Je le fais seulement si tu ne cries pas. Promis, Mike ? »

Il hocha la tête.

« Je suis un homme de parole. Toi aussi ? » Michael secoua la tête une nouvelle fois.

Un bras traversa son champ de vision. L'instant suivant, Michael eut la sensation qu'on lui arrachait la moitié du visage. Sa bouche s'ouvrit pour gober l'air. Son menton et ses joues étaient en feu. Puis la main s'approcha de nouveau, avec une bouteille d'eau minérale en plastique ouverte, et fit couler un filet dans la bouche de Michael. C'était froid, c'était bon. Michael happa goulûment, recracha un trop-plein et de l'eau coula sur son menton et dans son cou. Il avala une gorgée de travers et s'étouffa.

La bouteille fut retirée. Il continua à tousser. Quand il fut remis, il se sentit plus vaillant. L'air était froid et humide, ça sentait l'huile de moteur, comme s'il se trouvait dans un parking souterrain.

Levant les yeux vers la cagoule, il demanda : « On est où ? »

« Tu as la mémoire courte, Mike. Je t'ai dit de ne jamais demander où tu es, ni qui je suis. »

« Vous... Vous avez dit Vic... Que vous vous appelez Vic. »

« Pour toi, Mike, je m'appelle Vic. »

Un silence s'installa entre eux.

Ses idées se clarifiant rapidement, Michael commença à avoir de plus en plus peur de cet homme. Il était plus terrifié que dans le cercueil. « Comment... Comment m'avez-vous trouvé ? »

« Je passe mes journées dans mon camping-car, Mike. Je vérifie les antennes relais des opérateurs téléphoniques dans toute l'Angleterre. J'allume la CB, je bavarde avec des copains dans le monde entier. Quand il n'y a personne à qui parler, je balaye toutes les fréquences, j'écoute parfois les conversations des flics. Avec mon kit, je peux capter tout ce que je veux. Les portables, tout. Je t'ai dit que j'étais aux transmissions, chez les Marines australiens. »

Michael acquiesça.

« Donc mercredi, après le boulot, je suis tombé sur cette gentille conversation que tu avais avec Davey. J'ai enregistré la fréquence et j'ai capté pas mal de vos discussions. J'ai lu le journal, j'ai entendu parler du cercueil. Alors j'ai branché mon cerveau et je me suis demandé : si j'emmenais mon meilleur pote faire la tournée des pubs, pourquoi est-ce que je prendrais un cercueil ? Peut-être pour le cacher quelque part ? Faut être un peu malade, non ? Je suis donc allé au bureau d'urbanisme de Brighton pour chercher le nom de ton cabinet et – sacrebleu ! – je découvre que vous avez demandé un permis de construire pour un terrain forestier que vous avez acheté l'année dernière, juste dans le coin où vous faites votre tournée des grands ducs. Je me suis dit : c'est une coïncidence ou est-ce une coïncidence ? Et puis j'ai pensé que tes copains étaient de gros fainéants. Qu'un soir de beuverie, ils n'auraient pas envie de te traîner trop loin. Qu'ils choisiraient un chemin accessible en voiture, par exemple. »

« C'est là que j'étais ? » demanda Michael.

« Et tu y serais encore, mec. Maintenant parle-moi de cet argent que tu as planqué aux îles Caïmans. »

« Que voulez-vous dire ? »

« Je t'ai dit : je capte les conversations des flics sur ma radio. Tu as du blé aux îles Caïmans, n'est-ce pas ? Un peu plus d'un million, si j'ai bien compris. Ne serait-ce pas une récompense raisonnable, pour t'avoir sauvé la vie ? C'est donné, Mike, si tu veux mon avis. »

67

Il était sept heures vingt, le lendemain matin, quand Grace arriva à la Sussex House. Le ciel était bleu foncé, zébré de nuages. Un flic avec lequel il avait bossé à ses débuts, dans la police de proximité, était un expert en nuages et pouvait prévoir le temps qu'il ferait rien qu'en les observant. De mémoire, ceux de ce matin étaient des cumulonimbus. Temps sec. Parfait pour les recherches.

Dans la plupart des postes de police, il aurait pu commander un petit déjeuner complet, œuf au plat, bacon, etc. Et il en aurait eu besoin pour se retaper, se dit-il en traversant le long couloir dans lequel étaient alignés des distributeurs. Il enfonça une pièce dans la machine et attendit que le gobelet en plastique se remplisse de café au lait. Le prenant pour aller dans son bureau, il se rendit compte combien il était fatigué. Toute la nuit, il s'était retourné, allumant la lumière pour prendre des notes, l'éteignant, la rallumant. L'opération Salsa se décantait en lui goutte à goutte. Les réactions et les anomalies alimentaient ses réflexions comme une perfusion, quand une lueur grise se glissa sous les rideaux et les premiers chants d'oiseau s'élevèrent dans l'aube naissante.

Le bracelet. La BMW rentrant au parking si tard, couverte de boue. Mark Warren au bureau à minuit, un dimanche. L'oncle canadien d'Ashley Harper, Bradley Cunningham. Les expressions et le comportement d'Ashley Harper à la morgue.

Les résultats des visionnages, peut-être. Il regarda la pile de lettres qu'il n'avait pas ouvertes depuis une semaine, alluma son ordinateur et découvrit une liste de messages encore plus longue. Sa porte s'ouvrit et il entendit un joyeux « Bonjour, Roy ».

C'était Eleanor Hodgson, son assistante personnelle, à qui il avait demandé de venir particulièrement tôt ce matin. Elle tenait une feuille à la main.

« Vous avez passé un bon week-end ? » lui demanda Grace.

« Très bon. Je suis allé au mariage de ma nièce samedi et j'ai vu plein d'amis hier. Et vous ? »

« J'ai réussi à aller à la campagne hier », concéda-t-il.

« C'est bien ! Vous aviez besoin de faire un break et de respirer un peu d'air frais. » Elle l'observa de plus près. « Vous êtes très pâle, vous savez. »

« Ne m'en parlez pas. » Il prit la feuille tout en sachant ce que c'était : son agenda pour la semaine. Elle le lui remettait tous les lundis matin, aussi loin qu'il s'en souvienne.

Il s'assit. L'odeur du café était plus qu'alléchante, mais il savait que le liquide était trop chaud pour être bu. Il passa en revue son agenda, qu'il allait falloir délester de tout ce qui n'était pas indispensable, maintenant qu'il était responsable de l'affaire. À dix heures, il était attendu au tribunal pour la suite du procès Suresh Hossain. Impossible d'y échapper. À treize heures, il avait rendez-vous chez le dentiste à Lewes. Annuler. À quinze heures, il devait voir des gars de la PJ du pays de Galles pour échanger des informations sur un truand de Swansea retrouvé mort avec une queue de billard dans l'œil, dans une décharge près de Newhaven. Il faudrait remettre le rendez-vous à plus tard.

Mercredi, il était censé suivre un cours sur les empreintes génétiques au centre de formation de Bramshill. Le principal événement de jeudi était l'AG de l'équipe de cricket de la police du Sussex, association dans laquelle il s'était porté volontaire pour être secrétaire honoraire. Vendredi, il n'avait rien pour le moment, et samedi, il y avait une simulation d'attentat terroriste au port de Shoreham, à laquelle il n'était pas obligé de participer.

Une semaine qui aurait été ultralégère sans le procès Hossain, et maintenant l'opération Salsa. Mais il savait par expérience que les semaines finissent rarement comme on pense.

Il demanda à Eleanor de tout reporter, sauf ses convocations au tribunal, puis parcourut rapidement son courrier, dictant ses réponses aux plus urgents. Il passa en revue ses mails et, étant donné que le temps était compté et qu'il était piètre dactylo, dicta ses réponses aussi. Puis il s'engagea dans le labyrinthe de couloirs, direction la salle opérationnelle. Il s'y sentait déjà comme chez lui.

La réunion de huit heures trente portant sur l'opération Salsa fut brève. Il n'y avait rien eu de nouveau pendant la nuit – sauf ce qu'il avait glané auprès de Max Candille, et qu'il gardait pour lui, et sa visite au cabinet *Double-M*. Il espérait que les choses avanceraient d'ici à la réunion de dix-huit heures trente.

Grace entra dans Lewes, s'arrêta à une station-service pour acheter un sandwich œufs-bacon qu'il mâchonnait encore lorsqu'il arriva au tribunal. Il était neuf heures cinquante et il commençait déjà à trouver la journée très longue.

Les audiences du matin concernaient des propositions remises en privé au juge par le représentant du ministère public. Grace en était réduit à patienter dans la salle d'attente, à dicter des notes à Eleanor au téléphone et à discuter avec Glenn Branson. N'ayant pas le temps de faire l'aller-retour pendant la suspension d'audience de midi, Grace décida d'aller chez le dentiste, après tout, pour son bilan bisannuel. À son grand soulagement, il eut confirmation que ses dents étaient en bonne santé. Le dentiste lui reprocha simplement de ne pas brosser ses gencives avec suffisamment de soin. Mais au moins, il n'avait pas de carie. C'était sa grande crainte. Depuis toujours.

Quand il revint au tribunal, à quatorze heures, il découvrit que sa présence ne serait pas nécessaire pendant le reste de la journée. Il rentra au bureau. Vu le temps que lui prenait l'opération Salsa, il avait pris du retard dans tous ses autres dossiers. Il fit le maximum pour gérer les plus urgents.

L'après-midi fut calme jusqu'au briefing de six heures trente. Il comprit immédiatement, à voir les visages de ses collègues, qu'il s'était passé quelque chose. C'est Bella Moy qui lui annonça la nouvelle.

« Je viens de recevoir un coup de fil de Phil Wheeler, le père du garçon assassiné. »

« Alors ? »

« Il a dit qu'il ne savait pas si c'était important, mais que son fils lui avait dit qu'il discutait avec Michael Harrison par talkie-walkie. Depuis jeudi. »

68

Ashley passa derrière Mark, qui, accroché à son bureau et scotché devant son ordinateur, essayait de rattraper le retard accumulé. L'architecte, le métreur et l'entreprise de construction attendaient impatiemment des réponses relatives aux nombreuses questions soulevées par le service de l'urbanisme quant au projet le plus ambitieux de *Double-M* : la construction de vingt maisons dans la forêt d'Ashdown.

Elle glissa ses bras autour de son cou, se pencha et vint caresser sa joue de ses lèvres. Il sentit le parfum frais, entêtant, de son eau de toilette estivale et les notes citronnées de ses cheveux. Les yeux rougis, il leva les bras et prit son visage entre ses mains. « On va s'en sortir », dit-il.

« Bien sûr. *Échec* ne fait pas partie de notre vocabulaire, n'est-ce pas ? »

« Absolument. »

Se penchant davantage, elle lui déposa un baiser sur le front.

Mark jeta un coup d'œil inquiet à la porte du bureau qui n'était pas verrouillée, redoutant l'arrivée de quelqu'un à chaque seconde du jour et de la nuit.

Elle l'embrassa de nouveau. « Je t'aime », dit-elle.

« Je t'aime aussi, Ashley. »

« C'est vrai ? Tu n'as pas été très démonstratif, ces derniers jours », le gronda-t-elle.

« Parce que toi, tu m'as couvert de tendresse, peut-être ? »

« Oublions tout ça. » Elle lui mordilla l'oreille, puis, déboutonnant la chemise de Mark, elle glissa ses mains sur son torse et commença à agacer ses tétons entre son index et son pouce. Elle le sentit réagir immédiatement, l'entendit prendre une respiration brusque et vit sa poitrine se gonfler. Retirant ses mains, elle saisit la souris, cliqua sur fermer et lui chuchota à l'oreille : « Baise-moi. »

« Ici ? »

« Ici et maintenant ! » Mark se leva, un peu paniqué, et jeta un coup d'œil à sa montre. « Les femmes de ménage arrivent à six heures et demie, elles vont... »

Ashley défit la ceinture de son costume et ouvrit sa braguette. Puis elle baissa son pantalon et son slip dans un même geste rapide et précis. « On tire juste un coup, alors ? » Elle s'arrêta pour observer, comme pour mieux l'apprécier, son pénis gorgé de sang et dit : « Eh bien, on dirait qu'il y en a un qui est content de me voir ! »

Et elle le prit dans sa bouche.

Mark regardait fixement par la fenêtre. Ils étaient en plein dans le champ de vision des immeubles d'en face. Il voulut se décaler et se prit les pieds dans son pantalon. Il se pencha en avant, chercha à l'aveugle les boutons du chemisier d'Ashley, glissa les mains et dégrafa son soutien-gorge. Quelques minutes plus tard, il était complètement nu, à part ses chaussures et ses chaussettes, au-dessus d'elle, en elle. Profondément. L'odeur poussiéreuse de la maigre moquette en nylon se mélangeait avec le parfum d'Ashley.

Puis la sonnerie métallique de l'interphone retentit.

« Merde, fit-il, affolé. Qui ça peut être, putain ? »

Ashley le plaqua contre elle, lui lacérant le dos de ses ongles.

« Ne réponds pas », ordonna-t-elle.

« Et si c'est Michael qui vient voir s'il y a quelqu'un ? »

« Quelle mauviette ! » dit-elle en relâchant son emprise.

Ignorant la remarque, Mark se remit sur pied et clopina jusqu'à la réception, où Ashley travaillait habituellement, et regarda dans le petit moniteur noir et blanc relié à la caméra de la porte d'entrée. Il vit un homme avec un casque de moto, qui tenait un paquet. Il appuya sur l'interphone. « Oui ? »

« J'ai un pli pour monsieur Warren, *Double-M Properties*. »

« Pouvez-vous le glisser dans la boîte aux lettres ? »

« Il me faut une signature. »

Mark pesta. « Je descends tout de suite. »

Il enfila ses vêtements, enfonça les pans de sa chemise dans son pantalon et envoya un baiser à Ashley. « Je reviens tout de suite. »

« Ne t'en fais pas pour moi, je continue sans toi », dit-elle sans sourire.

Il descendit les escaliers quatre à quatre, ouvrit la porte et prit la petite enveloppe matelassée qui portait son nom imprimé sur une étiquette, mais pas celui de l'expéditeur, des mains d'un colosse en cuir qui arborait « Coursiers Fast Track » sur son blouson. Il signa le récépissé, prit le double, ferma la porte et remonta les escaliers.

Sur le reçu, le nom de l'expéditeur, écrit à la main, indiquait « JK Entreprise ». Mark n'avait aucune idée de ce qui pouvait se trouver à l'intérieur. Il y avait tellement de paperasse pour le permis de construire qu'il n'arrivait plus à suivre. C'était sans doute des détails techniques fournis par le métreur. C'était bien lui : envoyer un coursier alors que la poste aurait fait l'affaire. Il l'ouvrirait plus tard. À l'instant précis, il n'avait qu'une idée en tête : retrouver Ashley, qui gisait nue sur la moquette du bureau. Et il était hyper super-excité.

De façon complètement inattendue, il jouit quelques secondes après l'avoir pénétrée, et c'était fini.

« Désolé, fit-il en prenant appui sur ses coudes. Ça... »

« Ça t'excite de voir des coursiers à moto? » balança-t-elle, ne plaisantant qu'à moitié.

« Ben voyons. »

« Beaucoup d'hommes sont gay sans le savoir. Tu sais, un biker en cuir, ça peut être très érotique pour un homme. »

« Qu'est-ce que tu me fais? »

« À ton avis? Tu me plantes, nue, alors que j'étais à deux doigts de l'orgasme, tu descends voir un mec en cuir et dans la seconde qui suit, tu décharges alors que tu viens à peine de me pénétrer. »

Il bascula sur le côté et s'assit, submergé par une vague de mélancolie. « Je suis désolé, dit-il. J'ai juste trop de trucs dans la tête en ce moment. »

« Et moi, non? »

« Peut-être que tu les gères mieux que moi. »

« Je ne sais pas ce que tu es capable de gérer, Mark, mais je croyais que tu étais le mec fort et que Michael était le mec faible. »

Il se pencha et mit son visage dans ses mains. « Ashley, on est tous les deux tendus, OK? »

« Tu ne devrais pas être tendu, tu viens juste d'avoir un superorgasme. »

« OK, OK, OK, je me suis excusé. Tu veux que je m'occupe de toi? Je peux te faire jouir à la main, enfin... tu vois ce que je veux dire. »

Elle se leva brusquement et rassembla ses vêtements.

« Oublie, je ne suis plus d'humeur. »

Ils se rhabillèrent tous les deux en silence. C'est Ashley qui, en mettant du rouge à lèvres, finit par le briser. « Tu sais ce qu'on dit, Mark? Le sexe, quand c'est bien, c'est un pour cent de la relation, quand c'est nul, c'est quatre-vingt-dix-neuf pour cent. »

« Je croyais que c'était génial, entre nous, d'habitude. »

Elle vérifia son maquillage dans son miroir de poche, comme si elle s'apprêtait à sortir. « Moi aussi, je croyais. Avant. »

Mark s'approcha d'elle et l'enlaça. « Ashley, ma chérie, c'est bon, je me suis excusé. Je suis tellement stressé. On devrait partir quelques jours. »

« Ben voyons, ça ferait bonne impression, tu crois pas ? »

« Je veux dire, quand tout ça sera terminé. »

Elle lui lança un regard d'acier. « Quand est-ce que tout ça sera terminé ? »

« Je ne sais pas. »

Elle rangea son miroir dans son sac à main. « Mark, mon chéri, ce ne sera jamais terminé tant que Michael sera vivant. On le sait tous les deux. On s'est grillés, jeudi soir, quand tu as enlevé le tube respiratoire. » Elle lui déposa un rapide baiser sur la joue. « À demain. »

« Tu t'en vas ? »

« Oui, je m'en vais. Je pars toujours, à la fin de la journée. Ça pose problème ? Je croyais qu'on était censé sauver les apparences... »

« Oui, tu as raison, mais je... »

Elle le fixa quelques secondes. « Ressaisis-toi, par pitié. Compris ? »

Il hocha la tête sans conviction. L'instant d'après, elle n'était plus là.

Il resta encore une heure, répondit à quelques mails, puis, incapable de se concentrer à cause du bruit des femmes de ménage, il décida d'emmener quelques dossiers chez lui.

Se dirigeant vers la sortie, il prit au passage le paquet qu'il avait réceptionné un peu plus tôt et le déchira. Il y avait à l'intérieur un petit objet soigneusement emballé dans de la cellophane, et scotché. Il fronça les sourcils en se demandant ce que ça pouvait être. Une nouvelle carte SIM ? Une pièce d'ordinateur ? Il sortit une paire de ciseaux du tiroir, fit une entaille, pressa et regarda de plus près.

Il pensa d'abord que c'était une blague, un de ces doigts en plastique qu'on trouve dans les boutiques de farces et attrapes. Puis il vit le sang.

« Non ! cria-t-il, soudain pris de vertige. Non, non ! »

Le bout de doigt sectionné tomba de l'emballage et atterrit sans un bruit sur la moquette.

Reculant avec horreur, Mark vit qu'il y avait une enveloppe dans le paquet.

69

Grace quitta la route principale pour s'engager sur un chemin, dans la grande périphérie de Lewes. Il passa un panneau de vente à la ferme, une cabine téléphonique et vit, sur la gauche, un haut grillage dominé par un fil de fer barbelé à moitié effondré. Le portail, grand ouvert, donnait l'impression de ne pas avoir été fermé depuis des années. Accroché à l'un des battants se trouvait un panneau passé, craquelé, sur lequel on lisait WHEE-LER, DÉPANNAGE, et sur un autre, beaucoup plus petit, CHIEN MÉCHANT.

Grace n'avait jamais vu un tel amoncellement de bric et de broc, un endroit qui fasse aussi péquenaud. La maison était complètement déglinguée et il régnait, dans la cour, un désordre absolument indescriptible.

Une impressionnante dépanneuse bleue émergeait du chaos. Le terrain était rempli d'une douzaine de carcasses partiellement ou totalement cannibalisées, certaines broyées, d'autres méchamment rouillées. Une petite Toyota qui donnait l'impression d'être tout juste arrivée avait été soulagée de toute pièce détachable.

Il y avait des tas de bûches coupées et à couper, un tréteau en bois, une tronçonneuse rouillée, un préfabriqué décrépi contre lequel reposait un panneau fatigué indiquant SAPINS DE NOËL À VENDRE et un bungalow en bois qui semblait sur le point de s'effondrer.

Il entra, éteignit le moteur et entendit les féroces aboiements d'un chien de garde rompre le silence de cette chaude soirée. Il resta prudemment dans sa voiture, s'attendant à voir surgir un molosse. La porte du bungalow s'ouvrit, mais c'est une armoire à glace qui en sortit, la cinquantaine, des cheveux gras se raréfiant, une barbe de trois jours et une imposante brioche difficilement contenue dans un débardeur filet. Sous sa salopette, son ventre donnait l'impression d'être sur le point de tomber en avalanche.

« Monsieur Wheeler ? » demanda Grace en s'approchant, peu rassuré par les aboiements du chien, de plus en plus menaçants.

« Oui ? » Le bonhomme avait un visage doux, de grands yeux tristes et d'énormes mains crasseuses. Il sentait la graisse de moteur.

Grace sortit sa carte de police et la lui montra. « Commissaire Grace, de la PJ du Sussex. Toutes mes condoléances pour votre fils. »

L'homme resta impassible, puis Grace le vit trembler. Il serra les poings et une larme coula à chaque coin de ses yeux. « Vous voulez entrer ? » proposa Phil Wheeler d'une voix hésitante.

« Si vous avez quelques minutes, j'aimerais bien vous parler. »

L'intérieur de la maison ressemblait à s'y méprendre à l'extérieur et l'odeur indiquait la présence d'un gros fumeur. Grace suivit Phil Wheeler dans un salon miteux, meublé d'un canapé, de deux fauteuils et d'un vieux poste de télévision. Chaque centimètre carré du sol et du mobilier était couvert de pochettes de vinyles et de magazines de moto, de country et de western. Sur le buffet, il y avait la photo d'une femme blonde posant ses mains sur les épaules d'un petit garçon sur un scooter, quelques objets sans valeur, mais rien aux murs. Sur la cheminée, une horloge sise dans le ventre d'un cheval de course en porcelaine ébréchée indiquait sept heures dix. Grace fut surpris de constater, en la comparant avec celle de sa montre, que l'heure était plus ou moins exacte.

Débarrassant un fauteuil de ses nombreuses pochettes de disque, Phil Wheeler dit, comme pour se justifier : « Davey aimait ces trucs. Il les écoutait tout le temps. Il aimait collectionner... »

Il se tut brusquement et sortit de la pièce. « Thé ? » cria-t-il.

« Ça va », répondit Grace, doutant de la charte hygiénique de la cuisine.

Une audition de ce genre aurait été déléguée par la plupart des commissaires, mais Grace était un fervent partisan du terrain. C'était sa façon de faire et c'était l'un des aspects de son travail qu'il trouvait le plus intéressant, le plus gratifiant, même si c'était parfois, comme à présent, particulièrement difficile.

Phil Wheeler revint quelques minutes plus tard, balaya d'un revers de la main magazines et autres pochettes pour s'asseoir sur le canapé et sortit une boîte à priser de sa poche. Il l'ouvrit avec l'ongle de son pouce, prit une feuille et commença à rouler d'une main. Grace ne pouvait détacher son regard : il avait toujours été fasciné par les gens qui savaient faire ça.

« Monsieur Wheeler, on m'a dit que votre fils avait discuté avec une personne portée disparue, Michael Harrison, par talkie-walkie. »

Phil Wheeler passa la langue sur le papier et le colla. « Je ne comprends pas comment quelqu'un a pu vouloir faire du mal à mon petit. C'était le garçon le plus gentil du monde. » Tenant sa roulée à la main, il fit un signe de moulinet. « Le pauvre, il avait, vous savez, de l'eau dans le cerveau, une encéphalite. Il était un peu lent, mais tout le monde l'aimait. »

Grace sourit avec sympathie. « Il avait de nombreux amis parmi les agents de la circulation. »

« C'était un bon gars. »

« C'est ce qu'on m'a dit. »

« Il était toute ma vie. »

Grace attendit. Wheeler alluma sa cigarette avec une allumette Swan Vesta et, quelques secondes plus tard, la douce odeur chatouilla ses narines. Il inspira à fond, appréciant l'arôme, mais pas sa mission. Parler à des personnes qui viennent de perdre un être cher avait toujours été, selon lui, la pire tâche à accomplir.

« Pouvez-vous m'en dire un peu plus sur leurs conversations ? Sur ce talkie-walkie ? »

L'homme inhala et de la fumée sortit de sa bouche et de ses narines tandis qu'il répondit : « Je me suis énervé contre lui, disons... vendredi ou samedi. Je ne savais pas qu'il avait ce truc. Il a fini par me dire qu'il l'avait trouvé près de ce terrible accident, mardi, avec les quatre gars. »

Grace acquiesça.

« Il n'arrêtait pas de parler de son nouveau copain. Pour être franc, je n'ai pas fait très attention. Davey vivait, comment dire, dans son monde. La plupart du temps, il discutait avec les gens qui étaient dans sa tête. » Il posa sa cigarette dans un petit cendrier en alu, sécha ses yeux avec un mouchoir en boule et renifla. « Il parlait tout le temps. Il fallait parfois que je décroche, pour ne pas devenir dingue. »

« Vous souvenez-vous de ce qu'il a dit sur Michael Harrison ? »

« Il était tout content – je crois que c'était vendredi – parce que quelqu'un lui avait dit qu'il pouvait être un héros. Il adorait les séries policières américaines, à la télé – il rêvait de devenir un héros. Il me racontait qu'il était la seule personne au monde à savoir où quelqu'un se trouvait et qu'il allait devenir un héros. Mais je n'ai pas fait très attention. La journée était chargée – deux accidents. Je n'ai pas fait le lien. »

« Vous avez le talkie-walkie ? »

Il secoua la tête. « Davey a dû le prendre avec lui. »

« Savait-il conduire ? »

« Non. Il aimait bien prendre le volant de la dépanneuse. Je le laissais faire, sur des petites routes, en gardant le contrôle discrètement, vous voyez ? Mais non, il n'aurait jamais pu conduire, il n'avait pas les capacités. Il avait un VTT, c'est tout. »

« On l'a retrouvé à dix kilomètres d'ici. Pensez-vous qu'il soit allé à la recherche de Michael Harrison ? Pour essayer d'être un héros ? »

« Samedi après-midi, j'avais une voiture à remorquer. Il n'a pas voulu venir, il m'a dit qu'il avait un truc important à faire. »

« Un truc important ? »

Philip Wheeler haussa tristement les épaules. « Il aimait croire qu'il était indispensable. »

Grace sourit, se disant, en privé : *Qui n'est pas comme ça ?* Puis il demanda : « Davey vous a-t-il dit où Michael Harrison pouvait se trouver ? »

« Non, je n'ai pas fait le rapprochement. Je n'ai donc pas fait très attention à ce qu'il disait. »

« Pourrais-je voir la chambre de votre fils ? »

Phil Wheeler tendit le doigt par-dessus l'épaule de Grace. « Dans le préfa. Davey s'y plaisait bien. Vous pouvez y aller. Ne m'en voulez pas si je... je... » Il sortit son mouchoir.

« C'est normal, je comprends. »

« C'est ouvert. »

Grace traversa la cour jusqu'au Portakabin. Le chien qu'il n'avait toujours pas vu, qui devait être à l'arrière du bungalow, se remit à aboyer, encore plus agressif. Fixé au mur à côté de la porte se trouvait un panneau destiné aux intrus : RIPOSTE ARMÉE !

369

Il appuya sur la poignée, ouvrit la porte et posa le pied sur un revêtement de carrés de moquette, dont plusieurs se décollaient aux coins. Le sol était presque entièrement recouvert par des chaussettes, des slips, des T-shirts, des emballages de bonbons, une boîte de McDonalds béante dont le couvercle était moucheté de ketchup coagulé, des pièces automobiles, des enjoliveurs, de vieilles plaques d'immatriculation américaines et plusieurs casquettes de base-ball. L'endroit était encore plus foutraque que le bungalow et ça sentait les pieds, un peu comme dans un vestiaire.

L'espace était principalement occupé par un lit et une télévision instable qui hésitait entre couleur et noir et blanc, sur laquelle défilait le générique de *New York District*. Grace n'aimait pas les séries télévisées anglaises – ça finissait toujours par l'agacer de voir les procédures improbables et les décisions stupides prises par les enquêteurs. Les séries américaines semblaient plus excitantes, mieux ficelées. Mais c'était peut-être parce qu'il ne connaissait pas suffisamment bien les rouages de la police américaine pour être trop critique.

Les murs étaient couverts de pubs qui semblaient avoir été déchirées de magazines. En y regardant de plus près, Grace constata que toutes concernaient les États-Unis : les voitures, les armes, la nourriture, les vacances...

Il enjamba la boîte de hamburger et se pencha sur un très vieil ordinateur Dell – une disquette dépassait de l'unité centrale – qui partageait l'espace qui servait de bureau avec un carton de Twinkies, un Bart Simpson en plastique de vingt centimètres et un grand bloc-notes ligné sur lequel se trouvaient quelques mots griffonnés au bic, avec une écriture d'enfant.

Grace s'approcha et s'aperçut qu'il s'agissait d'une sorte de schéma. Il y avait deux lignes à côté : « *A26. Nord Krowburg. 2 crille. 3 kim. Ferme blan.* »

C'était un plan.

En dessous se trouvait une succession de chiffres : 0771 52136. On aurait dit un numéro de portable. Grace le composa, mais rien ne se passa. Il consacra vingt minutes à farfouiller, ouvrit chaque tiroir, mais ne trouva plus rien d'intéressant. Il prit le bloc-notes et le montra à Phil Wheeler.

« Davey vous a-t-il parlé de ça ? »

Phil Wheeler secoua la tête. « Non. »

« Est-ce que ces indications vous disent quelque chose ? »

« Deux grilles, trois kilomètres, ferme blanche ? Non, ça ne me dit rien. »

« Le numéro ? Vous le reconnaissez ? »

Il le regarda, lut les chiffres à haute voix. « Non, il ne m'évoque aucun numéro. »

Grace décida qu'il avait obtenu du bonhomme tout ce qu'il pouvait en tirer pour ce soir. Il se leva, le remercia et lui présenta de nouveau ses condoléances.

« Attrapez le bâtard qui a fait ça, commissaire. Faites au moins ça pour Davey et pour moi. »

Grace promit qu'il ferait de son mieux.

70

Littéralement en nage, Mark Warren s'acharna sur la serrure de la porte de son appartement, redoutant une seconde qu'elle ait été forcée. Puis il l'ouvrit avec appréhension, entra, verrouilla derrière lui et passa la chaînette de sécurité.

Sans se préoccuper du tas de courrier qui l'attendait, il posa sa sacoche, arracha sa cravate, déboutonna sa chemise et jeta sa veste et sa cravate sur le canapé. Il se servit quatre doigts de Balvenie, sortit quelques glaçons du congélateur, les lança dans son verre et avala goulûment une gorgée.

Il ouvrit la sacoche en cuir de son ordinateur portable, sortit l'enveloppe matelassée qui était arrivée un peu plus tôt en gardant le bras tendu, sans vraiment oser la regarder. Il la posa sur une table noire laquée à l'autre bout de la pièce, prit le mot qu'il avait déjà lu au bureau, retourna vers la table basse, avala une longue gorgée de whisky et s'assit.

Le mot était bref, imprimé depuis un ordinateur sur une simple feuille A4. Il disait : « Si tu fais analyser l'empreinte digitale par la police, tu découvriras que c'est celle de ton ami et associé. Toutes les 24 heures, je couperai un morceau toujours plus important de son corps. Jusqu'à ce que tu fasses exactement ce que je te dis. »

Ce n'était pas signé.

Mark finit son verre de whisky. Il se resservit – quatre gros doigts –, garda les mêmes glaçons et relut le mot. Et une nouvelle fois. Il entendit une sirène, dehors, et tressaillit. Puis l'interphone sonna, provoquant une crise de panique. Mark se dirigea vers l'écran de contrôle en priant pour que ce soit Ashley. Les deux fois où il avait essayé de la joindre, du bureau, puis de l'ascenseur, juste avant de rentrer chez lui, il était tombé directement sur son répondeur.

Mais ce n'était pas Ashley. C'était le visage d'un homme qu'il commençait à voir trop souvent à son goût : le commissaire Grace. Il se demanda s'il ne valait pas mieux l'ignorer, le laisser partir, il reviendrait une autre fois. Mais peut-être avait-il du nouveau. Il décrocha le combiné et dit à Grace de monter. Il appuya sur le bouton pour ouvrir la porte et, quelques secondes plus tard, Grace cognait. Il avait à peine eu le temps d'attraper au vol le mot et l'enveloppe à bulles et de les fourrer dans un placard.

« Bonsoir, monsieur », fit Mark Warren en ouvrant la porte, prenant soudain conscience qu'il était un peu éméché et que sa voix le trahissait. Il serra la main de Grace en gardant le bras tendu afin que le policier ne sente pas son haleine.

« Ça ne vous dérange pas si j'entre quelques minutes ou êtes-vous occupé ? »

« Jamais trop occupé pour vous, monsieur. Je suis là pour vous aider vingt-quatre heures sur vingt-quatre. Quelles sont les nouvelles ? Puis-je vous servir quelque chose à boire ? »

« Un verre d'eau, s'il vous plaît », dit Grace, qui commençait à avoir la gorge sèche.

Ils s'installèrent l'un en face de l'autre dans de profonds canapés en cuir et Grace l'observa quelques instants. Le bonhomme était dans un sale état, nerveusement. Il semblait avoir du mal à coordonner ses mouvements et sentait fort l'alcool. Fixant ses yeux, Grace lui demanda : « Qu'avez-vous mangé, à midi ? »

Les pupilles de Mark obliquèrent vers la gauche, puis revinrent au centre. « J'ai mangé un sandwich à la dinde et aux cranberries acheté à l'épicerie du coin. Pourquoi ? »

« Il faut se nourrir, c'est important. Surtout quand on est stressé. » Il gratifia Mark d'un sourire d'encouragement et sirota un peu d'eau du verre élancé, ostensiblement chic et cher, que Mark lui avait donné. « J'ai une énigme à résoudre, Mark, et je me demandais si vous pourriez m'aider. »

« Bien sûr... Je vais essayer. »

« Un certain nombre de caméras de contrôle ont remarqué une BMW X5 immatriculée à votre nom entre Brighton et Lewes dans la nuit de jeudi. » Grace fit une pause et sortit son Blackberry de sa poche. « À 00:29, puis à 00:40. » Grace préféra ne rien dire sur les résultats des analyses géologiques qui lui avaient été transmis à la dernière réunion. Comme une araignée tissant sa toile autour de sa proie, il se pencha en avant. « Vous avez fait une balade nocturne vers la forêt d'Ashdown, peut-être ? » Il fixait intensément les yeux de Mark. Au lieu d'aller vers la gauche, le côté *mémoire*, comme quand il avait répondu à la question sur le sandwich, ils oscillaient, irrésolus, de droite à gauche, de gauche à droite, puis se fixèrent à droite. Mode *imagination*. Il avait décidé d'opter pour le mensonge.

« C'est possible », répondit-il.

« *Possible*? Aller dans une forêt à minuit, n'est-ce pas quelque chose d'inhabituel, dont vous devriez vous souvenir un peu plus précisément? »

« Ce n'est pas inhabituel pour moi », répondit Mark en prenant son verre, changeant soudain d'attitude. C'était au tour de Grace de se sentir mal à l'aise, de se demander ce qui se tramait. Mark se pencha en arrière, fit tourner son whisky dans son verre et tinter ses glaçons. « Voyez-vous, c'est là-bas que se trouve notre prochain gros projet. Nous avons déposé un permis de construire pour vingt maisons, il y a quelques mois, sur un terrain de vingt mille mètres carrés au cœur de la forêt d'Ashdown. Et maintenant, nous travaillons sur les détails. Les associations de protection de l'environnement nous mènent la vie dure. Je fais des allers-retours sans arrêt, nuit et jour, pour observer les facteurs environnementaux. Une grande partie de mon travail concerne l'impact sur la vie nocturne des animaux sauvages. Je prépare un rapport exhaustif pour défendre le bien-fondé de notre projet. »

Grace sentit son cœur flancher. Il avait l'impression qu'on lui avait coupé, très rapidement, très habilement, l'herbe sous le pied. Il avait gaspillé près d'un millier de livres pour les analyses du sol et il se sentait comme deux ronds de flan. Comment avait-il pu ne pas savoir ça? Comment Glenn et les autres avaient-ils pu ne pas le savoir?

Son cerveau tournait à cent à l'heure. Il essaya de le ralentir et de reprendre le contrôle de ses pensées. Mark Warren avait toujours l'air d'une épave et ne semblait pas s'inquiéter du sort de son associé. Son attitude agressive au mariage trahissait quelque chose, mais Grace ne savait pas quoi.

Puis, pour la troisième fois en dix minutes, il vit les yeux de Mark Warren se diriger irrésistiblement vers un point, à l'autre bout de la pièce, comme si quelqu'un s'y trouvait. Grace fit exprès de faire tomber la housse de son Blackberry par terre et, se penchant pour la ramasser, il jeta un coup d'œil dans la direction que Mark fixait. Mais il ne vit rien de particulier. Juste une chaîne hi-fi haut de gamme, quelques œuvres d'art moderne intéressantes et des placards.

« J'ai appris pour le jeune homme de la morgue. J'ai lu le journal, aujourd'hui. Très triste », dit Mark.

« Ç'aurait pu se passer sur votre terrain », lâcha Grace, pour le tester.

« Je ne sais pas exactement où c'est arrivé. »

Ses yeux rivés aux siens, se souvenant des notes dans la chambre de Davey, Grace dit : « Si vous prenez l'A26 après Crowborough, que vous passez une petite ferme blanche, puis deux grilles, c'est là ? »

Mark n'eut pas besoin de répondre. Grace vit tout ce qu'il avait besoin de voir dans ses yeux affolés, les rides de son front, son repli sur lui-même et le changement de couleur de son visage.

« C'est... possible... oui. »

Et tout devint plus clair pour Grace. « Si vos copains avaient eu l'idée d'enterrer leur pote vivant, dans un cercueil, ç'aurait été logique de le faire sur un terrain qui vous appartient, non ? Un endroit que vous connaissez bien... »

« Je... Je pense. »

« Vous soutenez toujours que vous n'avez jamais entendu parler d'un projet de mettre Michael Harrison dans un cercueil ? »

Ses pupilles oscillèrent dans tous les sens. « Absolument. Jamais entendu quoi que ce soit. »

« Bien. Merci. » Grace regarda son Blackberry. « J'ai aussi un numéro et je me demandais si vous pouviez m'aider, Mark. »

« Je vais essayer. »

Grace lut à haute voix les chiffres qui figuraient à côté du plan.

« 0771 52136 », répéta Mark. Ses yeux obliquèrent instantanément vers la gauche. Mode *mémoire*. « On dirait le numéro de portable d'Ashley. Mais il manque quelques chiffres. Pourquoi me demandez-vous ça ? »

Grace termina son verre d'eau d'un trait et se leva. « Je l'ai trouvé dans la chambre de Davey Wheeler, le garçon assassiné. Ainsi que les indications que je vous ai données. »

« Quoi ? »

Grace se dirigea vers la fenêtre, fit coulisser la baie vitrée et mit le pied sur le revêtement en tek du balcon. S'accrochant à la rambarde en métal, il regarda la rue grouillante, quatre étages plus bas. Ce n'était pas haut, mais suffisamment pour lui. Il avait toujours eu le vertige, n'avait jamais aimé l'altitude.

« Comment ce garçon a-t-il eu le numéro d'Ashley et le plan d'accès à notre terrain ? » demanda Mark.

« J'aimerais beaucoup le savoir moi aussi. »

Mark jeta de nouveau un regard oblique à travers la pièce. Grace se demanda si c'était vers le placard ou quelque chose à l'intérieur. Mais quoi ?

Il les trouvait tellement louches, lui et Ashley Harper, qu'il avait envie de demander un mandat de perquisition pour pouvoir mettre à sac leur domicile et le cabinet. Mais ce n'était pas facile. Il fallait convaincre les magistrats et, pour ce faire, il fallait des preuves. Le bracelet qu'elle lui avait donné ne suffirait pas. Pour le moment, ses soupçons à l'encontre de Mark Warren et d'Ashley Harper n'étaient fondés que sur une intime conviction. Pas sur des preuves.

« Votre terrain est-il facile à trouver ? Les indications – la petite ferme blanche, les deux grilles... »

« Il faut connaître l'entrée du chemin, qui n'est signalée que par quelques piquets – on ne voulait pas attirer l'attention. »

« À mon avis, c'est là-bas qu'il faut chercher votre associé. Et on ferait bien de se remuer, vous ne croyez pas ? »

« Absolument. »

« Je vais transmettre l'information aux policiers de Crowborough, qui fouillent déjà la zone, mais j'ai l'impression qu'il serait indispensable que vous soyez là. Au moins pour leur montrer le terrain. Je demande à quelqu'un de passer vous prendre dans une demi-heure ? »

« Bien. Merci. Et euh... Combien de temps pensez-vous que ça va durer ? »

Grace fronça les sourcils. « Eh bien... J'ai juste besoin de vous pour nous montrer l'entrée – l'endroit où tourner – et où votre terrain commence. Peut-être une heure en tout. À moins que vous ne vouliez vous joindre à nous pour les recherches... »

« Bien sûr, enfin, je ferai ce que je peux. »

71

Mark ferma la porte sur Grace, courut aux toilettes, se mit à genoux et vomit dans la cuvette. Une fois, puis deux. Il se leva, tira la chasse et se rinça la bouche à l'eau froide. Ses vêtements étaient trempés de sueur, ses cheveux plaqués contre son crâne. Avec le bruit de l'eau du robinet, c'est à peine s'il entendit son téléphone fixe sonner.

Il décrocha le combiné juste avant que le répondeur ne se déclenche. « Allô ? »

Une voix d'homme avec un accent australien dit : « Êtes-vous Mark Warren ? »

Quelque chose dans le ton éveilla la méfiance de Mark. « Ce numéro est sur liste rouge. Qui êtes-vous ? »

« Je m'appelle Vic. Je suis avec votre ami, Michael. C'est lui qui m'a donné votre numéro. Et d'ailleurs, il aimerait vous dire quelques mots. Je vous le passe ? »

« Oui. » Mark plaqua le combiné contre son oreille en tremblant. Puis il entendit la voix de Michael, c'était lui, aucun doute, mais Mark n'avait jamais entendu un cri comme celui-là. On aurait dit l'explosion d'une douleur inhumaine, un hurlement de l'âme, une agonie ultime, comme un train émergeant d'un tunnel dans un crescendo insupportable.

Mark dut éloigner le téléphone de son oreille. Le hurlement s'estompa, puis il entendit de nouveau Michael gémir et crier. « Non, je vous en prie, non, non. Non, non, non, non ! »

Puis revint la voix de Vic. « Je parie que tu te demandes ce que je lui fais, à ton pote, hein, Mark ? Ne t'inquiète pas. Tu le sauras demain, ça arrivera avec le courrier. »

« Que voulez-vous ? » demanda Mark en tendant l'oreille, sans toutefois entendre Michael.

« Il faudrait que tu transfères l'argent que vous avez sur votre compte, aux îles Caïmans, sur un compte dont je te donnerai bientôt le numéro. »

« Ce n'est pas possible. Même si je le voulais. Il faut deux signatures pour toute transaction. Celle de Michael et la mienne. »

« Dans le coffre-fort de votre cabinet, vous avez des documents signés de vous deux, qui donne procuration à un notaire aux îles Caïmans. Vous les avez déposés l'année dernière. Vous étiez partis une semaine en mer et espériez conclure une affaire immobilière, qui ne s'est pas faite, aux Grenadines. Vous avez oublié de détruire ces documents. Moi je dis, tant mieux. »

Putain, comment cet homme savait-il tout ça ? se demanda Mark.

« Je veux parler à Michael. Je ne veux pas l'entendre souffrir. J'aimerais juste lui parler, je vous en prie. »

« Tu lui as suffisamment parlé pour aujour-d'hui. Je vais te laisser réfléchir, Mark, on s'en reparle plus tard, tranquillement. Oh, Mark, j'oubliais : pas un mot à la police, ça pourrait m'énerver sérieusement. »

Et la ligne sonna dans le vide.

Mark appuya immédiatement sur la touche rappel, mais sans surprise, un automate dit : « Le numéro que vous demandez n'est pas disponible. »

Il essaya de joindre Ashley une nouvelle fois. À son grand soulagement, elle répondit.

« Alléluia, dit-il. Tu étais où ? »

« Comment ça, j'étais où ? »

« J'ai pas arrêté d'essayer de te joindre. »

« Je me suis fait masser, si tu veux savoir. L'un de nous doit garder la tête froide, OK ? Ensuite, j'ai fait un saut chez la mère de Michael et je rentre chez moi. »

« Tu peux passer par ici, je veux dire tout de suite, dans la seconde ? »

« Ta voix est bizarre. Tu as bu ? »

« Il s'est passé quelque chose, il faut *absolument* que je te parle. »

« On en parlera demain. »

« Ça ne peut pas attendre. »

L'urgence de sa voix la convainquit. À contre-cœur, elle dit : « OK, mais je ne suis pas sûre que ce soit une bonne idée que je vienne chez toi. On pourrait se retrouver dans un lieu public. Qu'est-ce que tu dirais d'un bar ou d'un restaurant ? »

« Génial, pour que tout le monde nous entende ? »

« On parlera doucement, OK ? C'est mieux qu'on ne me voie pas venir dans ton appartement. »

« Mon Dieu, tu es parano ! »

« Moi ? Tu es bien placé pour parler de parano. Choisis un restaurant. »

Mark réfléchit quelques instants. Une voiture de police passerait le prendre dans une demi-heure. Il y avait une demi-heure de route, peut-être juste dix minutes sur place, puis une demi-heure pour revenir. Il était vingt heures, lundi soir. Les restaurants seraient calmes. Il suggéra vingt-deux heures, dans un italien qui avait une grande salle à l'étage et qui serait sûrement vide ce soir, près du théâtre royal.

*
* *

Ce n'était pas le cas. À sa grande surprise, le restaurant était bondé – il avait oublié qu'après le festival de Brighton, la ville était toujours en liesse, ses bars et restaurants pleins à craquer tous les soirs. La plupart des tables à l'étage étaient occupées aussi, et on lui désigna une place exiguë derrière une remuante tablée de douze. Ashley n'était pas encore arrivée. Le lieu était typiquement italien : murs blancs, petites tables avec bougies enfoncées dans des bouteilles de chianti, serveurs énergiques, fond sonore impressionnant.

L'aller-retour à Crowborough s'était passé sans histoire. Deux jeunes officiers, dans une voiture banalisée, s'étaient disputés, à l'aller, durant la majeure partie du trajet à propos de joueurs de foot et avaient discuté cricket au retour. Ils ne lui portèrent aucune attention, sauf pour lui dire qu'ils auraient dû terminer une heure plus tôt et qu'ils étaient pressés de rentrer. Mark le prit comme une bonne nouvelle.

Il leur montra l'entrée du chemin et les deux grilles. Puis ils attendirent l'équipe locale, prévenue par radio. Peu de temps après, plusieurs minibus, derrière une Range Rover de la police, arrivèrent en convoi.

Mark sortit de la voiture, leur expliqua jusqu'où ils devaient aller, mais ne se porta pas volontaire pour se joindre à eux. Il ne voulait pas être là quand ils trouveraient la tombe – ce qu'ils ne manqueraient pas de faire.

*
* *

Il avait désespérément besoin de boire quelque chose de fort, mais il ne savait pas quoi. Il avait soif, alors il commanda une bière Peroni pour se désaltérer et regarda le menu pour se changer les idées. Et Ashley arriva.

« Tu es encore en train de boire ? » le sermonna-t-elle en lieu et place de bonsoir. Sans l'embrasser, elle se glissa en face de lui, jetant un regard réprobateur vers le groupe turbulent qui riait à une blague, puis posa son sac rose Prada clinquant sur la table.

Elle était plus belle que jamais, se dit Mark. Elle portait un chemisier crème très tendance, subtilement ajouré, qui exposait ses seins d'une façon particulièrement érotique, et un petit foulard. Elle avait attaché ses cheveux. Elle semblait fraîche et relaxée. Elle portait un parfum voluptueux qu'il reconnut, mais dont il ne savait pas le nom.

Il sourit et lui dit : « Tu es sublime. »

Elle jetait des regards durs, impatients, à travers la pièce, cherchant des yeux un serveur. « Merci. Toi, tu es dans un état lamentable. »

« Tu vas comprendre pourquoi dans un moment. »

L'ignorant à moitié, elle leva le bras, et un serveur finit par se précipiter vers eux. Sur un ton autoritaire, elle commanda une San Pellegrino.

« Tu veux du vin ? demanda Mark. Je vais en prendre. »

« Je pense que tu devrais te mettre à l'eau. Tu bois beaucoup trop ces jours-ci. Il faut que tu arrêtes, que tu te ressaisisses, OK ? »

« OK. Peut-être. »

Mark glissa sa main vers la sienne, mais elle retira ses deux mains, se cala très droite, les bras croisés.

« Avant que j'oublie, demain, c'est l'enterrement de Pete. Deux heures, église du Good Shepherd, Dyke Road. Mercredi, c'est celui de Luke. Je n'ai pas encore l'heure. Et je ne sais pas encore pour Josh et Robbo. Alors, c'est quoi, ce truc super-important que tu dois me dire ? »

Le serveur revint avec la bouteille d'eau et ils passèrent commande. Quand il fut parti, Mark lui parla du doigt coupé.

Elle secoua la tête et dit d'une voix blanche : « Mark, c'est horrible, c'est pas possible. »

Mark avait remis le doigt dans l'enveloppe matelassée au frigo, chez lui, mais il avait apporté le mot et le lui tendit. Ashley le lut attentivement, plusieurs fois, articulant chaque syllabe sans émettre un son, comme si elle n'en croyait pas ses yeux. Puis une flambée de colère passa dans ses pupilles et elle le regarda d'un air accusateur. « Ne me dis pas que c'est toi ? »

Ce fut à son tour d'être choqué. Il articula le mot en silence avant de le prononcer : « Quoi ? Tu penses que je pourrais séquestrer Michael et lui couper un doigt ? C'est vrai que je ne l'aime pas beaucoup, mais... »

« Tu ne vois aucun inconvénient à le laisser s'asphyxier dans un cercueil, mais tu ne lui ferais pas quelque chose d'aussi abject que lui trancher un doigt ? Attends, Mark, c'est quoi ces conneries ? »

Il regarda autour de lui, alarmé par la façon qu'elle avait eu de hausser le ton, mais personne n'avait remarqué.

Mark n'arrivait pas à croire cette manière qu'elle avait de l'accuser. « Ashley, reviens sur terre, c'est moi, Mark. Mon Dieu, qu'est-ce qui t'est passé par la tête ? On est dans le même bateau, toi et moi. C'est notre contrat, non ? On s'aime. On fait équipe, pas vrai ? »

Elle se radoucit, regarda autour d'elle, puis se pencha en avant, prit sa main et la porta à ses lèvres pour y déposer un doux baiser. « Mon chéri, dit-elle à voix basse. Je t'aime tellement. Je suis juste en état de choc. »

« Moi aussi. »

« J'imagine qu'on gère le choc, le stress, dif- féremment, enfin... »

Il hocha la tête, porta sa main à ses lèvres et l'embrassa tendrement à son tour. « Il faut faire quelque chose pour Michael. »

Elle secoua la tête. « C'est parfait, tu ne vois pas ? On se contente de ne rien faire ! Cet homme – Vic – pense que tu te fais du souci parce que tu es son associé. » Elle sourit. « C'est une opportunité incroyable ! »

« Non. Je ne t'ai pas tout dit. » Il vida sa bière d'un trait et se retourna pour voir si le vin arrivait. Puis il lui raconta le coup de téléphone de Vic et les hurlements de Michael.

Ashley écouta en silence. « Mon Dieu, pauvre Michael. Il... » Elle se mordit la lèvre et une larme roula sur sa joue. « Enfin... Oh merde, oh merde. » Elle ferma les yeux quelques instants, puis les rouvrit et fixa Mark. « Comment... Putain, comment a-t-il fait pour trouver Michael ? »

Mark décida de ne pas mentionner la visite de Grace pour le moment. Ashley était suffisamment bouleversée comme ça. « À mon avis, il a dû découvrir la tombe par hasard. Elle n'était pas particulièrement bien camouflée. Les gars pensaient qu'ils en auraient pour une heure, deux grand maximum, putain. Je l'avais dissimulée un peu plus, mais ce n'était pas difficile... Un promeneur aurait pu la voir facilement. »

« Un promeneur, c'est une chose, dit-elle, maussade. Ce type n'est pas un promeneur. »

« Peut-être qu'il a eu un coup de pot. Il trouve Michael, il comprend, d'après le tapage médiatique, que c'est le mec riche que tout le monde cherche – la chance de sa vie. Il l'enlève, le séquestre et nous envoie une demande de rançon – et la preuve qu'il a Michael. »

Ashley dit d'une voix hésitante. « Comment... Comment est-ce que... Tu... Nous... Qui... Enfin... Comment peut-on être sûr que c'est le doigt de Michael ? »

« Il y a trois semaines environ, Michael et moi sommes allés sur le bateau, pour faire des réparations. Un samedi après-midi, tu te souviens ? »

« Vaguement. »

« Un battant s'était brutalement refermé sur son index. Il avait sautillé partout, en pestant, et l'avait passé sous l'eau froide. Quelques jours plus tard, il m'avait montré qu'il avait une ligne noire sous son ongle. » Il fit une pause. « L'ongle est noir. OK ? »

Une généreuse assiette de mozzarella, tomates et avocats arriva pour Ashley. Un grand bol de minestrone fut déposé devant Mark. Quand le serveur fut parti, Ashley dit : « Tu veux appeler la police, Mark ? Raconter cette histoire à Grace, le fin limier ? »

Mark considéra cette possibilité sous toutes ses coutures, tandis que sa soupe refroidissait et qu'Ashley commençait. S'ils allaient voir les flics et que le type mettait sa menace de tuer Michael à exécution, c'était une élégante solution au problème. Sauf que la douleur inhumaine de Michael le hantait. Jusqu'à présent, rien ne lui avait semblé tout à fait réel. Les garçons morts dans l'accident. Se rendre sur la tombe et retirer le tube respiratoire. Même quand Michael avait crié, dans le cercueil, ça ne l'avait pas affecté. Pas vraiment. Pas comme l'écho de sa souffrance le tourmentait maintenant.

« Michael doit avoir son Palm. S'il s'en sort, il saura que je savais où il était enterré. »

« Depuis l'accident, il n'a jamais été question qu'il s'en sorte », dit-elle. Puis, après une hésitation, elle ajouta un grinçant « N'est-ce pas ? ».

Mark gardait le silence. Lui qui était d'ordinaire si rationnel, si concentré, n'arrivait pas à mettre de l'ordre dans ses pensées. Ils n'avaient jamais voulu faire de mal à Michael, avec la blague de l'enterrement. Ils voulaient juste le faire payer pour tous ses coups foireux. Et dans le plan qu'il avait monté avec Ashley, il n'avait jamais été question de s'en prendre physiquement à lui non plus. Mais était-ce bien sûr ? Ashley devait l'épouser et acquérir la moitié de ses parts dans *Double-M Properties*. Dès que l'encre du tampon serait sèche, Mark et elle auraient eu suffisamment de voix pour prendre le contrôle de la société. Ils auraient voté l'exclusion de Michael du directoire et il serait devenu minoritaire. Il n'aurait pas eu d'autre choix que leur laisser racheter ses parts à un prix dérisoire.

Pourquoi, nom de Dieu, n'avait-il rien dit la nuit où il était rentré de Leeds, dès qu'il avait entendu parler de l'accident ? Pourquoi ? Pourquoi ?

Il le savait, bien sûr. Par jalousie. Il n'avait jamais supporté qu'Ashley parte en lune de miel avec lui – et la solution lui était tombée toute cuite.

« N'est-ce pas, Mark ? » répéta Ashley, brisant son chapelet de pensées.

« N'est-ce pas quoi ? »

« Oh, réveille-toi ! Il n'a jamais été question qu'il sorte vivant, hein ? »

« Non, bien sûr que non. »

Elle le fixait droit dans les yeux, sans ciller.

Il soutint son regard, hanté par l'écho incessant des cris de douleur en se disant : *Ashley, tu ne les as pas entendus.*

72

Michael gisait dans l'obscurité, le noir total. Son cœur cognait comme un gong dans sa poitrine, le sang battait à ses tempes et au bout de son index. Une douleur intolérable lançait dans ses testicules et remontait jusque dans son ventre. Il y avait – il ne savait pas exactement combien de temps – une heure, peut-être plus, peut-être moins, le bâtard à cagoule lui avait accroché des pinces et balancé des électrochocs dans les couilles.

Mais ce supplice n'était rien par rapport à l'angoisse épaisse, froide, qui le hantait. Il se souvenait du film *Le Silence des agneaux* qu'il avait vu il y avait quelques années et qu'il avait récemment revu à la télé avec Ashley. La fille d'un sénateur était séquestrée au fond d'un puits par un serial killer qui dépeçait ses victimes. Il n'arrêtait pas d'y penser. Il tremblait, essayait de ne pas se disperser, déterminé, d'une façon ou d'une autre, à survivre.

À retourner auprès d'Ashley. À l'accompagner devant l'autel. C'était tout ce qu'il souhaitait.

Dieu, qu'il se languissait d'elle !

Il ne pouvait bouger ni ses bras ni ses jambes. Après lui avoir fait avaler du pain et du ragoût en boîte à la petite cuillère, son ravisseur lui avait rescotché la bouche et il devait respirer par le nez, qui était en partie bouché. Il renifla, redoutant soudain qu'il ne soit complètement obstrué. Il continua à renifler plus fort, plus vite, et son cœur s'emballa.

Il essaya de deviner où il se trouvait. L'air était humide, ça sentait le moisi et vaguement l'huile de moteur. Il était allongé sur une surface dure et quelque chose de pointu perforait le bas de sa colonne vertébrale. Il souffrait le martyre et la douleur s'intensifiait à chaque minute.

Il se sentait plus fort, malgré tout, beaucoup plus fort qu'avant. La nourriture faisait son effet. *Je ne vais pas mourir comme ça, putain. Je n'ai pas fait tout ça dans ma vie pour finir ici. Pas question. Absolument pas question, bordel de merde.*

Il se battit contre ses liens. Il inspira à fond, essaya de contracter son corps un maximum, puis expira en forçant contre le ruban adhésif. Il sentit quelque chose céder. Il avait gagné un tout petit peu de mou. Il recommença, contracta ses bras, puis poussa vers l'extérieur. Contracter, pousser. Oh, doux Jésus, il réussit à bouger son bras droit. Très peu, mais il pouvait le bouger ! Il continua à serrer et à gonfler ses muscles et gagna un peu plus de marge de manœuvre autour de son bras droit. Et encore plus !

Il roula sur le côté, puis sur le ventre. Ses narines furent assaillies par une odeur d'huile de moteur. Il avait maintenant le visage dans la substance visqueuse, mais peu importait : la douleur en bas de sa colonne avait cessé.

Il tourna son poignet, fit des moulinets et sa main toucha quelque chose.

OhmonDieu!

C'était le haut de son portable Ericsson!

Il le saisit et le sortit de la poche arrière de son pantalon.

Son cœur battait la chamade. Il avait été immergé, dans le cercueil. Même s'il était censé être waterproof, Michael doutait qu'il fonctionne encore. Il le caressa quand même comme si c'était son meilleur ami, trouva le bouton marche, tout en haut, appuya et tendit l'oreille.

Il y eut un très faible bip. Puis un semblant de lueur, suffisante pour que Michael voie de hauts murs autour de lui et une sorte de trappe au-dessus. Et soudain, il se sentit en pleine possession de ses moyens. Son cerveau fonctionnait à plein régime, il pouvait se concentrer. Il essaya de bouger sa main, de la libérer de son étau et d'approcher le portable de son visage, mais toutes ses tentatives échouèrent. Les liens étaient trop serrés, ses bras trop bien entravés.

Tant pis.

Il fallait qu'il trouve une solution.

Texto.

Il pouvait envoyer un texto.

Réfléchis! Tu allumes ton téléphone et qu'est-ce qui se passe? D'abord, on te demande le code. Comme pour la plupart des gens, le sien était simple : 4444, son chiffre fétiche.

Il effleura le clavier. 4 se trouvait au bout, à gauche, deuxième rang. Il appuya et entendit un bip. Puis un autre à chaque fois. Incroyable! Le

391

truc avait été immergé dans un cercueil et il marchait ! Pourrait-il envoyer un message ?

L'étape suivante était plus difficile. Il allait devoir se souvenir des lettres sur les touches. Sur 1, il n'y avait pas de lettre. Sur 2, il y avait ABC. Il calcula. L'alphabet entier figurait par groupes de trois lettres, sur deux chiffres, il y en avait quatre. Lesquels ? Merde. Il avait envoyé tellement de SMS, ça devait être incrusté dans sa mémoire. Si seulement il pouvait y accéder...

Ça devait être les lettres les moins utilisées, comme le Q et... le X ou le Z ?

Il prit son temps, compta très soigneusement et essaya de se souvenir de la marche à suivre. Le bouton *menu* était en haut à gauche. En appuyant une fois, on arrivait à *messages*. En appuyant une deuxième fois, c'était *écrire un message*. La troisième fois, *écran vide*. Puis il tapa ce qu'il espérait être les bonnes lettres. *Vivant. Appelle police.*

Le clic suivant, s'il se souvenait bien, correspondait à *envoyer*.

Celui d'après : *numéro*.

Il composa celui d'Ashley.

Encore un clic pour *envoyer*.

Il appuya et à son immense soulagement, il entendit un bip de confirmation : le message était parti !

Puis il paniqua. Même si elle le recevait, que pourrait-elle faire, elle ou la police ? Comment pourraient-ils le retrouver, avec un message ? Il fut submergé par un désespoir plus noir que les ténèbres qui l'entouraient.

Mais il refusa d'abandonner. Il devait y avoir un moyen. *Réfléchis ! Réfléchis !*

Ses doigts effleurèrent le clavier. Il compta 123456789. Il composa le numéro des urgences, puis appuya sur *appeler*. Il entendit une faible sonnerie, puis une voix féminine, très lointaine.

« Ici les urgences, quel service ? »

Il essaya désespérément de parler, mais ne put émettre qu'un vague grognement. Il entendit la voix dire : « Allô ? Il y a quelqu'un ? Allô ? Est-ce que tout va bien ? Pouvez-vous me dire qui vous êtes ? Allô ? Vous avez besoin d'aide ? Vous m'entendez ? » Silence.

Puis : « Allô ? Vous êtes toujours là ? »

Il raccrocha, refit le numéro et entendit une autre voix féminine lui dire presque les mêmes mots. Il raccrocha de nouveau. À force, ils finiraient par comprendre. Ils comprendraient, n'est-ce pas ?

73

Dans la partie calme du pub, Grace commanda, pour Cleo Morey, une deuxième vodka cranberry Polstar et, pour lui, un Coca light. Le double Glenfiddich qu'il avait pris suffisait – il allait devoir retourner à la salle opérationnelle le soir même et devait garder les idées claires. Ils étaient assis à une table d'angle, sur des sièges rembourrés. Avec moins d'une douzaine de personnes, l'endroit n'était pas très animé. Une machine à sous racolait, comme une vieille péripatéticienne, un peu perdue, sur un trottoir battu par le vent.

Cleo était splendide. Ses cheveux lâchés, tout juste lavés, brillaient sur ses épaules. Elle portait une petite veste en daim très classe sur un débardeur beige, un pantacourt en jean blanc tendance qui laissait voir ses chevilles fines et des mules blanches toutes simples. Grace avait foncé de l'appartement de Mark Warren à la salle opérationnelle pour faxer le schéma de Davey à l'équipe, puis avait filé directement au pub, ce qui ne l'avait pas empêché d'avoir une heure vingt de retard. Bien sûr, il n'avait pas eu le temps de se changer, ni même de se rafraîchir. Il portait le costume bleu marine qu'il avait mis, tôt ce matin, au cas où il aurait eu à comparaître, une chemise blanche et une cravate bleu marine – qui était maintenant desserrée et en berne, dernier bouton de chemise ouvert. À côté d'elle, il se trouvait négligé.

« Je ne t'avais jamais vue en civil », plaisanta-t-il.

« Tu aurais préféré que je vienne avec mon tablier vert et mes bottes en plastique ? »

« Je pense que ça aurait eu un certain je-ne-sais-quoi... »

Elle lui adressa un grand sourire et leva son verre. « Tchin ! »

Elle était incroyablement belle. Il adorait ses yeux bleus, son joli petit nez, sa bouche presque en cerise, sa fossette au menton, son corps élancé. Et elle sentait merveilleusement bon aussi, comme si elle s'était baignée dans un parfum très élégant. Rien à voir avec les relents de désinfectant qui lui étaient habituellement associés. Ce soir, elle rayonnait de féminité, ses yeux étincelaient de joie de

394

vivre et tous les hommes du pub la reluquaient du coin de l'œil. Grace se demanda s'ils le feraient s'ils savaient à quoi elle passait ses journées.

Il versa son deuxième Coca sur les glaçons et la rondelle de citron, et leva son verre en retour. « Je suis content de te voir. »

« Moi aussi. Alors, raconte-moi ta journée. »

« Tu n'as pas envie d'entendre ça, crois-moi. »

Elle se pencha en avant. Son langage corporel indiquait que tous ses voyants étaient au vert. Un peu plus et elle se blottissait contre lui. Il se sentait vraiment bien, très à l'aise, là, avec elle, et pendant quelques instants, tous ses soucis s'éclipsèrent. « J'insiste, dit-elle. Je veux un rapport détaillé, minute par minute ! »

« Et si je te faisais un résumé ? Je me suis levé, j'ai pris une douche, je suis sorti et j'ai rejoint Cleo au pub. Ça te va ? »

Elle rit. « OK. C'est un bon début. Maintenant dis-moi ce qui s'est passé entre. »

Il lui fit un bref résumé, conscient qu'il n'avait pas beaucoup de temps. Il était neuf heures et quart. Dans une heure, il devait être de retour à la salle opérationnelle. Il n'aurait pas dû honorer ce rendez-vous. Il aurait dû l'annuler comme tout ce qui figurait dans son agenda. Mais que diable ! N'avait-il pas le droit de faire un break de temps en temps ?

« Ça doit être dur d'interroger une personne endeuillée, dit-elle. En sept ans, j'aurais dû m'habituer à voir des gens qui viennent d'apprendre, souvent une heure auparavant, qu'un être cher est décédé, mais non : je redoute toujours chacun de ces moments. »

« Ça peut sembler cynique, dit Grace, mais voir les personnes en deuil dans les premières heures est le meilleur moyen de les faire parler. Quand les gens apprennent la mort de quelqu'un, ils sont sous le choc. Tant qu'ils sont dans cet état, ils parlent. Mais douze heures plus tard environ, quand la famille et les proches se rassemblent autour d'eux, ils commencent à se fermer, comme des huîtres. D'après mon expérience, pour avoir des informations importantes, il faut voir les gens dans les premières heures. »

« Tu aimes ce que tu fais ? » demanda-t-elle.

Il sirota son Coca. « Oui. Sauf quand des collègues manquent d'ouverture d'esprit... »

Cleo piqua dans son verre avec un cure-dent en plastique, comme si elle voulait pêcher quelque chose. Pendant quelques secondes, l'intensité de son regard rappela à Grace son attitude au travail, dans la salle d'autopsie, quand il l'avait vue prélever un échantillon de peau. Il se demanda comment ce serait, s'ils faisaient un jour l'amour ensemble. Son corps nu lui rappellerait-il la nudité des cadavres qu'il avait vus avec elle ? Serait-il rebuté par l'idée que sous sa peau magnifique se trouvaient les mêmes organes internes hideux, gluants, enrobés de graisse, que dans tous les organismes – ceux des humains et des mammifères ?

« Roy, il y a quelque chose que je voulais te demander depuis longtemps. Et bien sûr, j'ai lu ce truc dans les journaux la semaine dernière. Comment en es-tu venu à t'intéresser au surnaturel ? »

Ce fut son tour de sonder son verre. Il écrasa la tranche de citron et le jus se mêla au Coca.

« Quand j'étais petit, mon oncle – le frère de mon père – vivait sur l'île de Wight, à Bembridge. J'y passais une semaine chaque été. J'adorais. Ils avaient deux fils, l'un légèrement plus âgé que moi, l'autre un peu plus jeune. J'ai en quelque sorte grandi avec eux à partir de l'âge de six ans, à peu près. Je ne sais pas si tu es déjà allée à Cowes... »

« Oui. Papa m'a souvent amenée faire de la voile pendant la régate. »

Imitant son accent pointu, Grace dit : « Ow, gentil papa. »

Cleo rougit et lui donna un petit coup amical sur le bras en souriant. « Ne te moque pas de moi, continue ton histoire ! »

« Ils avaient une minuscule ferme mitoyenne, mais juste en face, il y avait une superbe maison, un hôtel particulier à quatre étages. Deux vieilles dames adorables vivaient là. Elles étaient tout le temps assises derrière une grande baie vitrée, au dernier étage. Elles nous faisaient signe de la main à chaque fois qu'on les voyait. J'avais quatorze ans quand mon oncle et ma tante ont vendu la maison pour émigrer en Nouvelle-Zélande et, pendant huit ans environ, je n'y suis pas retourné. Puis l'été où Sandy et moi nous sommes mariés, je l'ai emmenée faire une tournée du genre *les lieux de mon enfance*. Je trouvais ça chouette de lui montrer Cowes et l'endroit où j'avais passé tant de vacances heureuses. »

Il fit une pause pour allumer une cigarette et vit Cleo froncer les sourcils, surprise. « Quand nous sommes arrivés devant la maison de mon oncle, la superbe demeure en face était sur le point d'être démolie – pour en faire un immeuble d'habitation. J'ai demandé aux ouvriers ce qu'il était advenu des deux vieilles dames et ils m'ont présenté au promoteur immobilier. Il avait passé toute sa vie à Cowes et connaissait absolument tout le monde. Il m'a dit que la maison était inoccupée depuis plus de quarante ans. »

Grace marqua un temps d'arrêt pour tirer sur sa cigarette. « Il y avait eu deux vieilles dames, des sœurs. Toutes les deux avaient perdu leur mari pendant la Première Guerre mondiale, m'expliqua-t-il. Elles étaient devenues inséparables, mais chez l'une d'elles, on avait diagnostiqué un cancer. L'autre n'avait pas voulu continuer seule. Elles s'étaient toutes les deux suicidées au gaz dans cette pièce, au dernier étage, assises devant la baie vitrée. C'était en 1947. »

Cleo ne dit rien pendant quelques instants, elle réfléchissait. « Tu n'as jamais vu les vieilles dames dehors ? »

« Non. J'étais jeune, j'étais gosse. À l'époque, je ne me suis jamais demandé pourquoi elles étaient toujours à l'intérieur. Je me disais que certaines vieilles personnes ne sortaient jamais. »

« Et ton oncle et ta tante ? »

« Je leur en ai parlé après. Je les ai appelés en Nouvelle-Zélande. Ils m'ont dit qu'ils faisaient signe à cette fenêtre vide juste pour se prêter à notre jeu. Ils pensaient que ces vieilles dames étaient nos amies imaginaires. »

« Et pour toi, elles existaient vraiment ? »

« J'ai regardé dans les archives des journaux. Il y avait des photos d'elles. Impossible de se tromper.

Pour moi, ça ne faisait aucun doute : c'était les deux vieilles dames à qui j'avais fait signe tous les jours, tous les ans, pendant une semaine, quand j'étais enfant. »

« C'est fascinant ! Ton histoire est plutôt convaincante. Et quelle est ton explication ? »

Il remarqua que son verre était vide. « Une autre ? »

« Oh, pourquoi pas ! dit-elle. Mais c'est moi qui paye. »

« Je t'ai fait attendre une heure vingt, c'est moi qui paye. On ne discute pas. »

« Du moment que tu me laisses t'inviter la prochaine fois... Marché conclu ? »

Les yeux dans les yeux, ils sourirent. « Marché conclu. »

Puis elle tapota la table impatiemment de ses ongles manucurés. « Allez, dis-moi, quelle est ton explication ? »

Grace commanda une troisième vodka cranberry pour Cleo Morey et dit : « J'ai plusieurs théories sur les fantômes. » Il fit une courte pause et ajouta : « Enfin, je crois qu'il existe différents types de fantômes. »

Il fut interrompu par la sonnerie de son téléphone.

S'excusant auprès de Cleo, il répondit avec un « Allô ? » plus sec que d'habitude.

C'était le lieutenant Boutwood. « Désolée de vous déranger, monsieur. Il y a du nouveau. Vous êtes sur le chemin du retour ? »

Il regarda Cleo Morey, déchiré de devoir la quitter, et dit, plus qu'à contrecœur : « Oui, je suis là dans un quart d'heure. »

74

Dans la studieuse atmosphère de la salle opérationnelle, le temps osait à peine se hasarder. Il était vingt-deux heures cinq quand Grace arriva et pratiquement tous les bureaux étaient occupés. Dans la section réservée à l'opération Salsa, Nick piochait dans une barquette de chinois à emporter, Bella mâchait une pomme et Emma-Jane, scotchée à l'écran de son ordinateur, buvait un jus de fruit Ribena à la paille. Pendant un moment, personne ne remarqua sa présence.

« Salut, quoi de neuf ? » lança-t-il.

Tous les trois levèrent simultanément la tête. La bouche pleine, Bella Moy dit : « Glenn a dû foncer chez lui – problème avec la baby-sitter. Il se dépêche de revenir. »

« Super. Et c'est pour me dire ça que vous m'avez fait venir ? »

L'officier Boutwood le considérait avec anxiété. Étant nouvelle dans l'équipe, elle ne l'avait pas suffisamment fréquenté pour savoir quand il faisait de l'humour et quand il était de mauvaise humeur. Elle avait raison de se méfier : à ce moment précis, il était pile entre les deux, et surtout, très fatigué. « Monsieur, ils ont trouvé le cercueil dans une tombe camouflée sur le terrain de *Double-M Properties* – grâce au schéma que vous avez apporté. »

« Génial ! C'est une excellente nouvelle ! »

Puis il se rendit compte que les trois paires d'yeux étaient braquées sur lui et que quelque chose n'allait pas. « Et ensuite ? »

« Je pense que ce n'est pas une si bonne nouvelle, monsieur. Il n'y a personne à l'intérieur. »

« Un cercueil vide ? Dans une vraie tombe ? »

« Si j'ai bien compris, monsieur, c'est ça. » Elle était de plus en plus tendue.

« Est-ce qu'il y avait... Je veux dire, est-ce qu'il y a eu quelqu'un à l'intérieur ? »

« Apparemment, des signes sur le couvercle – à l'intérieur – indiquent que oui, monsieur. »

« Oubliez le *monsieur* et appelez-moi Roy, OK ? »

« Oui, monsieur. Je veux dire... *Roy*. »

Il esquissa un sourire pour la rassurer. « Quel genre de signes ? »

« Des preuves que quelqu'un a essayé de creuser, de gratter pour sortir. »

« Et Michael Harrison, ou celui qui s'y trouvait, aurait réussi ? »

« Le couvercle était ouvert, monsieur – Roy –, mais apparemment, la tombe était recouverte d'une tôle ondulée et quelqu'un avait remis des branches et de la mousse dessus. Comme pour la camoufler. »

Las, Grace posa ses coudes sur la table de travail. « On a affaire à qui, nom de Dieu ? Houdini ? »

« Ça ne tient pas debout », ajouta Nicholl.

« Le gars, Michael Harrison, est connu pour ses blagues. Ça tient parfaitement debout », répliqua Grace, amer. Il commençait à être très fatigué et très grincheux. Il aurait voulu ne pas être là, retourner dans le pub, discuter avec l'adorable, la chaleureuse Cleo Morey.

Réalisant qu'il faisait peut-être une petite hypoglycémie – il n'avait rien mangé depuis son sandwich du déjeuner et mourait de faim –, il sortit de la pièce, descendit dans le couloir des distributeurs, s'acheta un double expresso, une bouteille d'eau et un Mars.

Quand il revint dans la pièce, en mâchonnant son Mars, Emma-Jane lui tendit le téléphone.

« Ashley Harper. Elle veut absolument vous parler. Elle dit que c'est très urgent. »

Grace avala le caramel qu'il avait dans la bouche et prit le combiné. « Allô, oui, commissaire Grace. »

« C'est Ashley Harper, dit-elle, complètement affolée. Je viens juste de recevoir un texto de Michael. Il est vivant ! »

« Que dit-il ? »

« *Vivant, appelle police.* Je pense que c'est ça. »

« Vous pensez ? »

« L'orthographe est un peu étrange. Les SMS sont parfois écrits bizarrement, vous savez. »

« C'est tout ce qu'il dit ? »

« Oui. »

Réfléchissant très vite, Grace demanda : « Depuis son téléphone portable ? »

« Oui, c'est son numéro habituel. »

Il aurait pu demander à Nick ou à Bella de la rencontrer, mais il décida de la voir en personne.

« Ne bougez pas. J'arrive tout de suite. »

75

Mark fixait son reflet abattu dans le miroir fumé de l'ascenseur qui le menait au quatrième étage du Van Alen. Tout, autour de lui, semblait partir à vau-l'eau. Moins d'une semaine auparavant, il était dans un avion, de retour de Leeds, lisait les tests sur la Ferrari 360 et essayait de se décider entre une rouge ou une gris métallisé, un levier de vitesse de type Formule 1 ou conventionnel.

Maintenant, la voiture filait, sans lui, vers l'horizon.

Comme tout le reste d'ailleurs.

C'était quoi, son problème, à Ashley? Ces derniers mois, ils avaient été incroyablement proches, comme il n'aurait jamais cru que deux êtres humains puissent l'être. Ils partageaient le même humour, les mêmes goûts en matière de plats, de boissons, les mêmes intérêts. Ils étaient fous l'un de l'autre, faisaient l'amour dès qu'ils pouvaient voler de précieuses minutes. À de nombreuses reprises, ils avaient d'ailleurs failli se faire surprendre par Michael. C'était une fille fantastique, intelligente, classe, mais également tendre et attentionnée. Il n'avait jamais rencontré quelqu'un comme elle et n'imaginait plus vivre sans elle.

Alors pourquoi est-ce qu'elle était si désagréable avec lui, maintenant? OK, il avait été con de se saouler au mariage et de malmener ce petit malin de flic. Mais cette discussion sur Michael et son allusion au meurtre l'inquiétaient vraiment. Il n'avait jamais été question de meurtre. Jamais. À présent, elle en parlait comme si c'était ce qui était prévu depuis toujours. Ses mots, à la trattoria, il y avait une demi-heure de ça, résonnaient dans sa tête.

Il n'a jamais été question qu'il sorte vivant, n'est-ce pas?

Oui, il avait accepté le plan d'Ashley. Pas celui de tuer Michael, juste de... de...

Pas de le tuer. C'était certain. De meurtre, il n'en avait pas été question.

Le meurtre, c'est quand on prévoit les choses, n'est-ce pas? Quand il y a préméditation? Tout ça n'était que le fruit des circonstances. L'enterrement de Michael, puis l'accident. Il n'avait jamais eu d'affection véritable pour Michael. Michael avait toujours été le premier en tout, le salaud. À l'école, c'était lui qui détenait le record du cent mètres, lui qui marquait les buts au foot, lui qui avait, dans la bande, perdu sa virginité en premier. Les femmes gravitaient autour de lui. Toujours, depuis toujours. Dans un bar bondé, quand Mark se trouvait à côté de lui et que des jolies filles s'approchaient de Michael, il disait : « Voici mon ami, Mark. » Les filles souriaient et disaient : « Salut, Mark! », et lui tournaient le dos pour le reste de la soirée. Ça n'était pas arrivé une fois, mais des dizaines de fois.

Au début, ça s'était passé ainsi, avec Ashley. Lors du premier entretien d'embauche, il y avait six mois de ça, c'était Michael qui, comme d'habitude, avait fait son petit speech. Elle avait semblé captivée par lui, avait à peine jeté un regard vers

404

Mark. Plus tard, elle lui avait dit que c'était juste une stratégie parce qu'elle voulait le poste à tout prix et qu'on l'avait prévenue que c'était Michael qui contrôlait financièrement le cabinet.

Pendant le premier mois à peu près, Mark avait vu à quel point Michael était intéressé par Ashley. Il connaissait suffisamment son ami pour décrypter son comportement. Michael avait essayé de la séduire en lui racontant des blagues, en lui posant des questions, en la flattant, en lui parlant de lui, exactement comme d'habitude, quand une femme l'intéressait. Mark avait observé son manège avec amusement – et une immense satisfaction. C'était la première fois qu'il avait levé une nana qui plaisait à Michael. C'était une sensation fantastique, libératrice, comme si, enfin, après quinze ans d'amitié, il ne vivait plus dans l'ombre de Michael.

Le plan, c'était Ashley qui en avait eu l'idée. Mark n'avait pas eu d'état d'âme, sauf pour la lune de miel. Dur à avaler. Et c'était pour ça, il le savait intimement, qu'il était allé dans la forêt, jeudi dernier, et avait retiré le tube respiratoire.

Mais de là à laisser ce malade mental mutiler et torturer son ami – à mort ? Il n'était pas sûr d'avoir le cœur suffisamment bien accroché pour ça.

Il ouvrit la porte de son appartement et dès qu'il eut mis le pied à l'intérieur, le téléphone fixe sonna. Il claqua la porte, courut à travers la pièce et regarda l'écran : pas de numéro.

« Allô ? »

La même voix à l'accent australien dit : « Salut, mec. C'est Vic. J'aimerais bien savoir qui c'était, ce flic qui t'a rendu une petite visite tout à l'heure. Je croyais t'avoir demandé de ne pas parler à la police... »

« Je n'ai rien dit, répondit Mark. C'est le commissaire qui enquête sur la disparition de Michael. Je ne savais pas qu'il viendrait. »

« Je ne sais pas si je te crois ou pas, mec. Tu veux discuter avec Michael ou est-ce qu'on la joue cool ? »

Essayant de saisir ce qu'il voulait dire, Mark dit : « On la joue cool. »

« Donc, tu vas faire ce que je te dis ? »

« Je vous écoute. »

« Tu vas aller au bureau, tout de suite, ouvrir le coffre, sortir les documents qui donnent procuration au notaire aux îles Caïmans, Julius Grobbe, signés par Michael et par toi, et les lui faxer. En même temps, tu appelles Julius Grobbe et tu lui dis de transférer un million deux cent cinquante-trois mille sept cent douze livres de votre compte sur le numéro de compte au Panama que je lui ai faxé. Je t'appelle ici dans une heure exactement et tu me diras comment ça s'est passé. Si tu ne décroches pas, ton ami perd une nouvelle partie de son corps et celle-là fera *vraiment* mal. *Capito* ? »

« *Capito.* »

Un million deux cent cinquante-trois mille sept cent douze livres, c'était exactement ce qu'il y avait sur leur compte commun.

76

Roy Grace et Glenn Branson – qui était revenu au moment où Grace s'apprêtait à partir – étaient assis dans le salon minimaliste zen d'Ashley et étudiaient le texto particulièrement mal écrit sur son minuscule téléphone Sony Ericsson.

*viVant. *£ aPellle ponlice*

Assise en face d'eux, Ashley se tordait les mains. Elle était pâle et avait les yeux humides. Elle donnait l'impression d'être sortie, en début de soirée, se dit Grace en remarquant son chemisier crème habilement ajouré, ses cheveux relevés, sa jupe en lin et le parfum capiteux qu'elle dégageait. *Où ? Avec qui ?*

Il aurait dû éprouver de la compassion pour elle, il le savait. Son fiancé avait disparu, son mariage avait été annulé, et au lieu d'être quelque part en lune de miel, elle était chez elle, à Brighton, en train de pleurer. Mais il n'était pas ému, n'y arrivait pas. Tout ce qu'il ressentait, c'était de profonds soupçons.

« Vous avez essayé de le rappeler ? »

« Oui, et je lui ai envoyé un SMS. Son téléphone sonne, puis on tombe sur la messagerie. »

« C'est mieux qu'avant, fit remarquer Grace. Jusqu'à présent, il ne sonnait pas, la boîte vocale se déclenchait immédiatement. »

Branson tripotait le téléphone – il était bien plus à l'aise que Grace avec les gadgets. « Ce message a

été envoyé par Michael Harrison, +44797 134621 »,
annonça-t-il. Puis il appuya sur une touche avec
son pouce, tellement concentré qu'il en aspirait sa
lèvre inférieure. « À 22:28, ce soir. » Grace et Branson regardèrent leur montre simultanément. Ça
faisait un peu plus d'une heure.

Elle avait attendu vingt minutes avant de les
appeler, nota Grace. *Pourquoi avait-elle attendu
vingt minutes ?*

Glenn Branson composa le numéro et porta le
téléphone à son oreille. Grace et Ashley l'observèrent avec attention. Quelques secondes plus
tard, Branson dit : « Bonjour, Michael Harrison, ici
le commandant Branson de la PJ du Sussex. Je fais
suite au texto que vous avez envoyé à Ashley
Harper. Rappelez-moi, ou envoyez-moi un SMS,
au 0789 965018. Je répète : 0789 965018. » Et il
raccrocha.

« Ashley, est-ce que Michael a l'habitude de
vous envoyer des messages ? »

Elle haussa les épaules. « Pas énormément, mais
oui... Vous savez, des petits mots d'amour, ce
genre de choses. » Elle sourit, et, soudain, son
visage s'éclaira, sa beauté se réanima et Grace réalisa qu'elle pouvait faire fondre quasiment
n'importe quel cœur.

Branson sourit. « Est-ce qu'il écrit toujours aussi
mal ? »

« Non, pas d'habitude. »

Grace regarda de nouveau les mots : *viVant. *£
aPellle ponlice*

On aurait dit ceux d'un enfant, pas d'un adulte.
Sauf s'il était pressé ou au volant.

« Quelles informations pouvez-vous tirer de ce message ? » demanda Ashley.

Grace faillit lui dire la vérité, puis se ravisa. Il donna discrètement un coup de jambe à Branson pour qu'il ne le contredise pas. « Très peu, je le crains. C'est une bonne nouvelle en un sens, puisque nous savons qu'il est vivant, mais c'est une mauvaise nouvelle, car il est de toute évidence en danger. Sauf si ça fait partie d'un canular. »

Grace, qui observait attentivement son langage corporel depuis qu'elle leur avait ouvert, vit les yeux d'Ashley s'agiter. Jusqu'à présent, tout, chez elle, était mesuré et réfléchi, rien n'était spontané.

« Est-ce que vous continuez à croire que Michael fait un canular ? » s'exclama-t-elle, incrédule. Grace remarqua quelque chose de forcé dans sa façon de le dire. Il lui raconta, dans les détails, la découverte du cercueil.

« Donc il s'est échappé, c'est ce que vous pensez ? »

« Peut-être, dit Grace. Ou alors, il n'a jamais été à l'intérieur. »

« Ah, d'accord. Et il aurait fait exprès de gratter le couvercle ? »

« Je pense que c'est un scénario plausible, oui. Ce n'est pas forcément le bon. »

« Oh, réveillez-vous ! Ce texto est un SOS et vous êtes là à me sortir une théorie de merde sur les canulars ? »

« Ashley, nous sommes tout à fait réveillés, lui répondit Grace calmement. Nous avons une équipe au centre opérationnel, une centaine de policiers sont sur le terrain, en train de chercher

Michael Harrison, et tous les médias du pays ont été alertés. Nous faisons absolument tout ce qui est en notre pouvoir. »

Elle eut soudain l'air contrit, comme une petite fille perdue, effrayée. Elle regarda docilement les deux officiers, les yeux grands ouverts, et essuya ses larmes avec un mouchoir. « Je suis désolée, murmura-t-elle. Je ne voulais pas vous agresser. Vous avez été tellement remarquables, tous les deux. Je suis juste... juste... » Elle se mit à trembler et à contracter son visage pour refouler un torrent de larmes.

Grace se leva d'un air gêné et Branson en fit autant.

« C'est bon, dit Grace, on va y aller, ne bougez pas. »

77

Il donna le coup de fil. Mais il lui fallut cinq tentatives pour envoyer ce foutu fax. La première fois, dans la précipitation, il avait mis la lettre de travers et avait provoqué un bourrage. Il avait perdu dix précieuses minutes à débloquer la machine sans déchirer la feuille.

Il avait pris sa voiture, ce qui était stupide vu qu'il avait bu, mais c'était trop loin pour qu'il y aille à pied et qu'il revienne à temps. Et il n'avait pas voulu prendre le risque de ne pas trouver de taxi.

À présent, ouvrant à toute volée la porte de son appartement, moins de trois minutes avant l'heure limite, il se dirigea directement vers le bar, se servit trois doigts de Balvenie et les avala cul sec. Il sentit la brûlure dans son gosier, grimaça quand le liquide attaqua férocement son estomac et ferma les yeux.

Son portable bipa. Nouveau message.

Il le sortit de sa poche et fixa l'écran.

Bien joué, mec ! Pile poil à l'heure.

Le téléphone tressautait dans sa main tellement il tremblait. Putain, il était où, ce Vic ?

Il appuya sur *options* pour voir d'où venait le SMS. C'était un numéro qu'il ne connaissait pas. Maladroitement, il répondit : *On est quitte, maintenant ?* Puis il appuya sur *envoyer*. Un faible bip lui indiqua que le message était parti.

Le whisky ne faisait pas son effet, du moins pas sur ses nerfs. Il se dirigea d'un pas mal assuré vers le bar, mais avant qu'il l'ait atteint, le téléphone bipa de nouveau. Message arrivé.

Va sur ton balcon, mec, et regarde en bas, dans la rue !

Mark se dirigea vers la baie vitrée, l'ouvrit, avança sur le balcon, contourna deux chaises longues, posa ses mains sur la balustrade et regarda en bas. De la musique pulsait d'un club gay un peu plus bas dans la rue et il distingua les crânes glabres des deux videurs. Un couple marchait bras dessus bras dessous. Trois filles ivres titubaient, se bousculaient en rigolant. Un flot continu de voitures se déversait.

Il regarda tout au bout de la rue, se demandant si c'était là-bas que Vic voulait dire, mais ne vit qu'un couple en train de se bécoter. Tenant le téléphone dans la paume de sa main, il écrivit : *Je ne vous vois pas.* Il envoya le message et scruta de nouveau la rue.

Quelques secondes plus tard, il y eut un nouveau bip. La réponse disait : *Je suis juste derrière toi !*

Mais avant qu'il ait pu se retourner, une main empoigna fermement l'arrière de sa ceinture et une autre le col de sa chemise. Une fraction de seconde plus tard, ses deux pieds ne touchaient plus le sol. Il lâcha son téléphone pour essayer désespérément de se cramponner à la balustrade, mais il était trop haut et ses doigts n'agrippaient que le vide.

Avant qu'il ait eu le temps de crier, il était lancé comme un javelot et plongeait vers le trottoir.

Il atterrit à plat sur le dos, l'impact brisa sa colonne vertébrale à sept endroits et fracassa son crâne comme l'aurait fait une masse sur une noix de coco.

L'une des filles saoules poussa un cri.

78

Grace et Branson entendirent l'annonce faite sur la radio de la police, dans la voiture, quelques minutes avant d'arriver à la Sussex House. Quelqu'un s'était apparemment suicidé en sautant du Van Alen, sur Kemp Town.

Ils échangèrent un regard. Grace sortit le gyrophare de la boîte à gants, le fixa sur le toit et appuya sur l'accélérateur. Il se fit flasher pour excès de vitesse, mais s'en foutait : celui-là, il pourrait le faire sauter.

Sept minutes plus tard, il fut obligé de ralentir à l'approche de la Marina Parade. Devant eux clignotaient une myriade de lumières bleues. Une foule avait envahi les lieux et deux ambulances venaient d'arriver.

Il se gara en double file, tous deux surgirent de la voiture et se frayèrent un passage parmi les badauds. Ils arrivèrent devant deux officiers en uniforme qui tendaient un ruban « Police, ne pas dépasser ».

Exhibant leurs cartes, ils entrèrent dans le périmètre de sécurité et virent deux urgentistes debout, inutiles, à côté du crâne déformé d'un homme étendu au sol. Une flaque de sang sombre et des traînées jaunâtres coulaient au niveau de la tête, une autre, plus large, plus foncée, au niveau du torse.

Sous la lumière ambrée des réverbères, Grace vit le visage de l'homme : c'était Mark Warren, aucun doute. Luttant contre la bile qui lui montait à la gorge, il se tourna vers l'un des officiers et lui montra sa carte.

« Qu'est-ce qui s'est passé ? »

« Je... Je ne sais pas, monsieur. J'ai juste parlé à un témoin. Elle passait par là avec ses amies quand il a atterri quasiment à ses pieds. Elle est dans l'ambulance du fond, très choquée. »

Grace jeta un coup d'œil vers Branson, qui n'avait pas l'air dans son assiette, puis vers le corps de toute évidence sans vie. Mark Warren avait les yeux grands ouverts, comme en état de choc.

Bon sang. Il y avait quelques heures seulement, il discutait avec le bonhomme. Mark sentait l'alcool et semblait au bout du rouleau. Grace pensa soudain à Cleo. Elle aurait du boulot, dans une heure environ, à la morgue, à essayer de le rendre présentable pour des proches qui viendraient l'identifier. Il ne l'enviait pas une seconde.

« Est-ce que quelqu'un connaît cet homme ? » demanda-t-on.

« Ouais, je le connais, répondit une voix. À mon étage. C'est mon voisin ! »

Grace entendit une sirène approcher. « Je le connais aussi. Enfin, le connaissais », rectifia-t-il.

Robert Allison, un commandant dur à cuire – et ancien champion de billard de la police du Sussex –, que Grace connaissait bien, émergea de la porte d'entrée du bâtiment. Grace et Branson allèrent à sa rencontre.

« Roy ! Glenn ! les salua Allison. Qu'est-ce que vous faites là, les couche-tard ? »

« On a eu envie de respirer l'air du large », dit Grace.

« C'est pas prudent, par ici, dit le commandant en inclinant la tête vers le cadavre. Lui aussi était sorti sur son balcon pour prendre l'air. » Un médecin légiste était arrivé, ainsi qu'un photographe de la police. Allison leur dit quelques mots, puis revint vers Grace et Branson.

« Vous avez des infos sur ce qui s'est passé ? » demanda Grace.

« Pas encore. »

« Je le connais, dit-il. Je l'ai interrogé en début de soirée. Vers huit heures. C'est l'associé du jeune homme qui a disparu – l'enterrement de vie de garçon – les quatre gars tués la semaine dernière. »

Allison hocha la tête. « Je vois. »

« On peut monter dans son appartement ? »

« J'en viens. Le concierge a une clé. Vous voulez que je vous accompagne ? »

« Bien sûr, pourquoi pas ? »

Quelques minutes plus tard, Grace, Branson et le commandant Allison entraient dans l'appartement. Le concierge, baraqué, la cinquantaine, short et tricot de corps, attendit à l'extérieur.

Grace traversa à grands pas le salon, qu'il commençait à connaître, et se dirigea vers le balcon, sur lequel il s'était rendu quelques heures auparavant. Il sortit et regarda en bas. Il vit la foule, les deux ambulances, les voitures de police, les flashes du photographe de la police, le ruban de sécurité qui entourait la silhouette déformée de Mark Warren et les taches sombres, comme des ombres, qui coulaient de son corps et de son crâne.

Il se souvint du mariage : Mark l'avait abordé d'une manière si agressive. Puis de ce soir : il était ivre, en vrac. Grace savait par expérience que ceux qui survivaient à des accidents étaient souvent rongés par la culpabilité, que certains pouvaient être broyés. Mais Mark Warren avait-il sauté de son balcon pour cette raison ?

La nuit où il était rentré tard, avec de la boue sur sa voiture, avait-il fait un pèlerinage sur le lieu de l'accident dans lequel il aurait dû mourir avec ses amis, pour se repentir ? Possible. Mais pourquoi l'avait-il agressé au mariage ? Cette pièce-là ne trouvait pas sa place dans le puzzle. Il n'avait pas eu un bon feeling avec Mark Warren. Un témoin du marié qui ne connaît pas le programme de l'enterrement de vie de garçon – comment pouvait-il être crédible ?

Il rentra pensivement dans l'appartement. « Prenons quelques minutes pour faire le tour », dit-il en se dirigeant vers le placard que Mark fixait quelques heures plus tôt. Mais celui-ci ne contenait que des vases poussiéreux et une boîte vide de cigares Cohiba Robuste. Sans relâcher son attention, il passa en revue chaque placard, ouvrit chaque porte et chaque tiroir. Glenn Branson fit de même, tandis qu'Allison les regardait. Puis Grace se dirigea vers le frigo, dans la cuisine américaine, et l'ouvrit. Jetant un coup d'œil à travers les packs de lait écrémé, les pots de yaourt, les jolis cœurs de salade et les nombreux bourgognes blancs et champagnes, il faillit ne pas voir l'enveloppe à bulles sur la troisième étagère.

Il la sortit et regarda à l'intérieur en fronçant les sourcils. Puis il saisit du bout des doigts le petit sachet en plastique et le posa sur le plan de travail en marbre noir.

« Bon sang », fit Grace en fixant la phalange.

« OK, dit Robert Allison. Je commence à comprendre. J'ai trouvé un mot sur la victime quand je cherchais ses papiers d'identité », poursuivit-il en sortant de sa poche une feuille A4 qu'il tendit à Grace.

Grace et Branson le lurent ensemble.

« Si tu fais analyser l'empreinte digitale par la police, tu découvriras que c'est celle de ton ami et associé. Toutes les 24 heures, je couperai un morceau toujours plus important de son corps. Jusqu'à ce que tu fasses exactement ce que je te dis. »

Grace lut une deuxième et une troisième fois. « À mon avis, ça nous dit deux choses », conclut-il.

Les deux officiers étaient pendus à ses lèvres, mais ils durent patienter quelques secondes avant que Grace ne finisse par dire : « Premièrement, je pense que nous n'avons pas affaire à un suicide. Deuxièmement, si ce que je crois se vérifie, ce serait un miracle de retrouver Michael Harrison vivant. »

79

Le téléphone sonnait de nouveau ! Pour la troisième fois ! À chaque fois, il avait tripoté l'appareil, pour essayer de l'éteindre au cas où Vic l'entendrait. Puis il s'était débrouillé pour composer le 888, mais la voix féminine n'avait pas été fichue de lui dire autre chose que : « Vous n'avez pas de nouveau message. »

Mais cette fois, elle disait autre chose : « Vous avez un nouveau message. » Puis il entendit : « Bonjour, Michael Harrison, ici le commandant Branson de la PJ du Sussex. Je fais suite au texto que vous avez envoyé à Ashley Harper. Rappelez-moi, ou envoyez-moi un SMS, au 0789 965018. Je répète : 0789 965018. »

Michael n'avait jamais entendu musique aussi douce à ses oreilles.

Il essaya de nouveau, à l'aveugle, de répondre par texto, cerné par cette humide obscurité. *Jsu88s enf$me*

Puis une lumière éclatante l'aveugla.

Vic.

« Tu as un téléphone et tu ne m'as rien dit, Mikey ? Le vilain garçon... Je pense qu'il vaut mieux que je te le confisque avant que tu ne t'attires des ennuis. »

« Urrrr », fit Michael à travers le ruban adhésif.

Puis son téléphone lui fut arraché des mains. Et la voix de Vic s'éleva, lourde de reproches.

« Tu ne joues pas fair-play, Mike, je suis très déçu. Tu aurais dû me dire, pour le portable. C'est vraiment pas bien, ça... »

« Urrrr », marmonna Michael, pris par la danse de Saint-Guy. Il voyait les yeux briller dans les fentes de la cagoule, à quelques centimètres de son visage, de grands yeux verts comme ceux d'un chat sauvage.

« Tu veux que je te torture de nouveau ? C'est ça que tu veux, Mikey ? Voyons voir qui tu appelais, d'accord ? »

Michael entendit, au loin, la voix de l'officier, à travers le haut-parleur du téléphone.

« Si c'est pas mignon..., dit l'Australien. Il appelait sa fiancée. Mignon, mais vilain. Je pense que c'est l'heure de la punition. Tu préfères que je te coupe un autre doigt ou que je te pince les couilles ? »

« Noorrrr. »

« Désolé, mec, mais il faut que tu fasses un effort pour articuler. Dis-moi ce que tu préfères. Moi, ça m'est égal. Au fait, ton copain Mark est super mal élevé. Il faut que tu saches qu'il ne dit jamais au revoir. »

Michael plissait les yeux dans la lumière. Il ne comprenait pas de quoi Vic voulait parler. Mark ? Il se demanda vaguement où Mark pouvait être allé.

« Je te propose de réfléchir à ce million deux que tu as mis à gauche aux îles Caïmans. C'est un beau pécule, tu trouves pas ? »

Michael se demanda ce que cet homme savait sur lui et sur sa vie. Que voulait-il ? S'il le libérait, il pouvait l'avoir, cet argent, jusqu'au dernier penny. Il essaya de le lui dire.

« Urrrrr. Vuuuuupvaaaarrrr. »

« C'est gentil, Mikey. Je ne comprends pas ce que tu essaies de me dire, mais j'apprécie grandement les efforts que tu fais. Mais je t'explique : le problème, c'est que je me suis déjà servi. Ce qui veut dire que je n'ai plus besoin de toi. »

80

Peu avant minuit, Grace entra dans le parking de la Sussex House et fit un signe las au gardien. Grace et Branson n'avaient pas dit grand-chose depuis le Van Alen. Ils étaient tous les deux plongés dans leurs pensées.

Grace se gara et Branson bâilla bruyamment. « Tu crois qu'on peut rentrer se coucher, dormir un peu ? »

« Batteries à plat, jeunot ? » le gronda Grace.

« Parce que toi, tu es en pleine forme ? Tu pètes le feu, c'est ça ? J'ai entendu dire qu'à partir d'un certain âge, on a besoin de moins de sommeil. Ce qui n'est pas plus mal puisque, de toute façon, tu passes la moitié de la nuit à aller pisser. »

Grace sourit.

« Il ne me tarde pas d'être vieux, dit Branson. Toi oui ? »

« Pour être franc, je n'y pense pas. Quand je vois un gars comme Mark Warren, disloqué, la cervelle sur le trottoir, alors que je discutais avec lui quelques heures auparavant, je ne crois qu'en une seule chose : vivre au jour le jour. »

Branson bâilla de nouveau.

« J'y retourne, dit Grace. Mais tu peux te défiler si tu veux. »

« Tu peux être une vraie chienne quand tu veux », lâcha Branson en le suivant à contrecœur. Ils entrèrent, montèrent les escaliers et passèrent devant l'exposition de matraques.

Dans la salle opérationnelle, il n'y avait plus qu'Emma-Jane Boutwood, chemisier rose et un cardigan blanc sur les épaules. Grace s'approcha d'elle et demanda en brassant l'air : « Ils sont passés où, tous les autres, EJ ? »

Elle se pencha vers son écran, comme pour lire quelque chose d'écrit petit et répondit négligemment : « Je pense qu'ils sont rentrés chez eux. »

Grace vit ses traits tirés et lui donna une petite tape amicale sur l'épaule. Il sentit sous ses doigts la douceur de la laine. « Je pense que vous devriez y aller aussi. La journée a été longue. »

« Accordez-moi une minute, Roy. J'ai quelque chose qui, je crois, va vous intéresser tous les deux. »

« Quelqu'un veut un café ? demanda Grace. De l'eau, un Coca ? »

« C'est toi qui régales ? » demanda Branson.

« Non, les contribuables du Sussex, cette fois. S'ils veulent qu'on bosse pour eux à minuit, ils peuvent nous payer le café. Celui-là, c'est note de frais. »

« Je veux bien un Coca light, dit Branson. Oh et puis non, un Coca normal. J'ai besoin d'un coup de fouet. »

« Un café, très volontiers », dit Emma-Jane.

Grace sortit et se dirigea vers la zone de repos, le coin cuisine et les distributeurs. Fouillant dans sa poche, il sortit quelques pièces, se fit un double expresso, prit un cappuccino pour Emma-Jane et un Coca pour Branson. Il mit le tout sur un plateau en plastique et retourna dans la salle opérationnelle.

Quand il entra, le jeune officier pointait quelque chose sur l'écran de son ordinateur. Branson, derrière elle, lisant par-dessus ses épaules, semblait captivé. Sans bouger la tête, il dit : « Roy, viens voir ça ! »

Emma-Jane se tourna vers Grace. « Vous m'avez demandé de vérifier le passé d'Ashley Harper... »

« Affirmatif. Qu'est-ce que vous avez trouvé ? »

Non sans fierté, elle répondit : « Pas mal de choses, en fait. »

« Dites-moi. »

Elle tourna quelques pages de son carnet couvert de son écriture régulière et dit, en s'appuyant sur ses notes : « Je disposais des informations suivantes : Ashley Harper était née en Angleterre, ses parents étaient morts dans un accident de voiture en Écosse alors qu'elle avait trois ans, elle avait été élevée par des parents adoptifs, à Londres d'abord, puis en Australie. À seize ans, elle était partie au Canada où elle avait été recueillie par son oncle et sa tante. La tante était morte récemment. L'oncle s'appelle Bradley Cunningham. Je n'ai pas le prénom de la tante. »

Parcourant ses notes, elle poursuivit : « Ashley Harper est revenue en Angleterre, son pays d'origine, il y a environ neuf mois. Vous m'avez dit qu'elle avait travaillé dans l'immobilier, à Toronto, et que ses employeurs faisaient partie du groupe Bay. » Elle regarda Grace et Branson pour confirmation.

« Exact », répondit Grace.

« OK, dit-elle. Aujourd'hui, j'ai parlé avec le directeur des ressources humaines du groupe Bay, à Toronto – vous savez sans doute qu'il s'agit d'une des plus grandes chaînes de magasins au Canada. Ils n'ont pas de filiale immobilière et Ashley Harper n'a jamais travaillé pour eux. J'ai approfondi mes recherches et découvert qu'il n'y a pas d'agence immobilière, au Canada, comportant le mot Bay. »

« Intéressant », dit Branson en décapsulant son Coca dans un pschitt strident.

« Ça va devenir encore plus intéressant, dit-elle. Il n'y a pas de Bradley Cunningham dans l'annuaire de Toronto, ni dans celui de l'Ontario. Je n'ai pas encore pu vérifier pour le Canada, mais... » Elle fit une pause pour tremper ses lèvres dans la mousse cacaotée de son cappuccino. « J'ai une amie journaliste au *Glasgow Herald*. Elle a vérifié dans les archives des principaux journaux écossais. Quand une petite fille de trois ans devient orpheline à la suite d'un accident de voiture, les quotidiens en parlent, non ? »

« En général, oui », dit Grace.

« Ashley prétend avoir vingt-huit ans. J'ai demandé à mon amie de remonter vingt-cinq ans en arrière, puis cinq ans de plus et cinq ans de moins. Le nom Harper n'apparaît nulle part. »

« Elle a peut-être pris celui de ses parents adoptifs », dit Branson.

« Possible, acquiesça Emma-Jane Boutwood. Mais ce que je vais vous montrer réduit sérieusement les probabilités. »

Grace regardait le jeune officier avec admiration. Elle semblait littéralement s'épanouir sous ses yeux. Emma-Jane correspondait exactement au

423

sang neuf dont la police avait tant besoin : des jeunes intelligents, bosseurs, déterminés.

« J'ai entré le nom d'Ashley Harper dans le réseau Holmes, comme vous me l'avez demandé », dit-elle en s'adressant à Grace.

Holmes-2 était la seconde version de la base de données électronique relative aux crimes, qui reliait tous les bureaux de police de Grande-Bretagne et Interpol et, depuis peu, d'autres réseaux de police à l'étranger.

« Rien n'apparaît sous le nom d'Ashley Harper, dit-elle. Mais c'est maintenant que ça devient intéressant. Quand on prend les initiales AH et qu'on les associe à la catégorie " immobilier ", Holmes propose ceci. Il y a dix-huit mois, une jeune femme du nom d'Abigail Harrington épouse Richard Wonnash, un riche promoteur immobilier à Lymm, dans le Cheshire. La passion du mari, c'est la chute libre. Trois mois après le mariage, son parachute ne s'ouvre pas et il meurt. Il y a quatre ans, à Toronto, au Canada, une femme qui se fait appeler Alexandra Huron épouse un promoteur immobilier du nom de Joe Kerwin. Cinq mois après le mariage, il se noie en faisant de la voile sur le lac Ontario. Il y a sept ans, Ann Hampson se marie à Julian Warner, promoteur immobilier à Londres. C'est un riche célibataire en vue qui détient des parts importantes dans le quartier des Docks, à Londres, au moment des premiers crashs immobiliers, au début des années 1990. Six mois et deux jours après son mariage, il se suicide au gaz dans un parking souterrain, à Wapping. »

Elle sirota de nouveau son cappuccino.

424

« Mêmes initiales, dit Branson, mais qu'est-ce que ça prouve ? »

« Les escrocs de haut vol gardent souvent les mêmes initiales quand ils changent de nom, dit-elle. J'ai lu un article sur le sujet quand j'étais à l'école. Ça ne prouve rien en soi, mais voilà où ça devient passionnant. » Elle tapota sur son clavier et la photo noir et blanc d'une jeune femme, cheveux bruns coupés très court, extraite d'un journal, apparut. C'était le visage d'Ashley Harper – ou de son double.

« C'est l'article du *Evening Standard* sur la mort de Julian Warner », dit-elle.

Grace et Branson étudièrent longuement la photo en silence. « Merde, fit Branson. On dirait vraiment elle. »

Sans rien dire, Emma-Jane tapa quelques lettres sur son clavier. Une autre photo, en noir et blanc également, surgit. Il s'agissait d'une femme cheveux mi-longs, blonds. Son visage ressemblait encore plus à celui d'Ashley Harper. « C'est extrait du *Toronto Star*, il y a quatre ans, au sujet de la mort de Joe Kerwin. »

Grace et Branson ne dirent rien. Ils étaient tous les deux abasourdis.

« La prochaine est extraite du *Cheshire Evening Post*, il y a dix-huit mois. Elle illustre un article sur la mort de Richard Wonnash : Abigail Harrington, la belle veuve en deuil. » Une nouvelle photo apparut, en couleurs. La femme, rousse, avait une élégante coupe au rasoir. Le visage était pourtant, de nouveau, presque sans l'ombre d'un doute, celui d'Ashley Harper.

« Bon sang de bonsoir ! » s'exclama Branson.

Grace fixa le visage longuement, pensivement, puis dit : « Bien joué, Emma-Jane. »

« Merci, Roy. »

Grace se tourna vers Glenn Branson. « Bon, fit-il. Il est une heure moins vingt. Quel magistrat aurais-tu le courage de réveiller ? »

« Pour un mandat de perquisition ? »

« Tu as trouvé ça tout seul, mon grand ? » Ignorant la grimace de Branson, Grace se leva. « Emma-Jane, rentrez vous coucher. Dormez un peu. »

Branson bâilla. « Et moi, j'ai pas le droit d'avoir sommeil ? »

Grace lui mit une main sur l'épaule. « Désolé, mon ami, mais ta journée ne fait que commencer. »

81

Quelques minutes plus tard, Grace était en ligne avec une assistante de justice très endormie qui lui demandait si ça ne pouvait pas attendre le lendemain.

« Nous enquêtons sur ce qui se présente comme un enlèvement, c'est vraisemblablement une question de vie ou de mort, l'informa Grace. Il me faut un mandat de perquisition et ça ne peut malheureusement absolument pas attendre. »

« OK, dit-elle à contrecœur, le magistrat de permanence est madame Quentin. »

Grace sourit intérieurement. Hermione Quentin était un juge pour lequel il n'avait aucune affection. Il avait eu une prise de bec avec elle quelques mois plus tôt à propos d'un suspect pour lequel elle n'avait pas voulu prolonger la garde à vue. Elle faisait partie de la pire race des juges, selon lui. Mariée à un riche courtier, elle habitait une maison tape-à-l'œil et vulgaire. À cinquante ans, elle jouait les mondaines glamour. Elle n'avait aucun contact avec la vraie vie, mais s'était mis martel en tête de changer la façon dont la police considérait les criminels. Il prendrait un immense plaisir à la tirer de son lit pour lui faire signer un mandat au beau milieu de la nuit.

Grace et Branson passèrent les dix minutes suivantes au téléphone à composer une équipe pour cinq heures du matin. Rendez-vous à la Sussex House. Puis, s'apitoyant sur le sort de Branson, Grace le renvoya chez lui pour un roupillon de quelques heures.

Il appela ensuite Nicholl, s'excusa pour le dérangement et lui demanda de se poster immédiatement devant la maison d'Ashley Harper et de surveiller tous ses faits et gestes.

À deux heures, le mandat de perquisition signé en main, il rentra chez lui, programma son réveil pour 4:15 et sombra.

Grace éteignit l'alarme de son réveil et sauta automatiquement de son lit. Les premiers gazouillis de l'aube lui rappelèrent, tandis qu'il fonçait sous la douche, que même si l'été n'avait pas commencé, il restait moins d'un mois avant le jour le plus long, le 21 juin.

À cinq heures du matin, il était de retour à la Sussex House et se sentait incroyablement dispos, malgré ses deux heures et quelques de sommeil. Bella et Emma-Jane étaient déjà là, ainsi que Ben Farr, un officier au visage rond, barbu, la quarantaine bien entamée, qui devait venir d'un laboratoire de police scientifique, et Joe Tindall. Glenn Branson arriva quelques minutes plus tard.

Grace les briefa au milieu de tasses de café. Puis, peu après cinq heures et demie, équipés de gilets pare-balles, ils s'installèrent dans une fourgonnette de la police et une voiture sérigraphiée : Branson prit le volant, Grace le siège passager.

Arrivés dans la rue d'Ashley, Grace demanda à Branson de s'arrêter à côté de l'Astra banalisée de Nick et baissa sa vitre.

« Tout est calme », l'informa Nicholl.

« T'as assuré, petit », dit Grace en remarquant que l'Audi TT d'Ashley Harper était à sa place habituelle, devant la maison. Il demanda à Nicholl de couvrir la rue de derrière et ils s'approchèrent de la maison.

Comme il n'y avait pas de place libre, ils se garèrent en double file à hauteur de l'Audi. Grace laissa à Nick Nicholl quelques minutes pour se mettre en place puis, dirigeant le groupe, il avança vers la porte d'entrée et sonna. Le jour était complètement levé à présent.

Personne ne répondit.

Il sonna de nouveau, puis une troisième fois, une minute plus tard. Il fit un signe de tête à Ben

Farr, qui retourna vers le Transit et prit le bélier, de la taille d'un gros extincteur. Il le leva, le cogna violemment et la porte céda.

Grace entra en premier. « Police, cria-t-il. Il y a quelqu'un ? Police ! »

Le silence et les lumières clignotantes de la chaîne hi-fi le saluèrent. Suivi par le reste de son équipe, il monta les escaliers et marqua un temps d'arrêt sur le seuil du premier étage. « Il y a quelqu'un ? cria-t-il. Mademoiselle Harper ? »

Silence.

Il ouvrit une porte qui donnait sur une petite salle de bains. La porte suivante était celle d'une minuscule chambre d'ami, terne, qui semblait n'avoir jamais été utilisée. Il hésita, puis poussa la dernière porte, qui donnait sur une grande chambre avec un lit double dans lequel, de toute évidence, personne n'avait dormi. Il trouva l'interrupteur – plusieurs spots au plafond s'allumèrent. L'endroit donnait l'impression d'avoir été abandonné, comme une chambre d'hôtel avant ses prochains occupants. Il y avait une couette immaculée sur un lit king size, un écran plat, un radio-réveil ainsi que quelques reproductions de piscines de Hockney aux murs.

Pas d'Ashley Harper.

Où pouvait-elle bien être ?

Pris de panique, Grace échangea un regard avec Glenn Branson. Ils savaient tous les deux qu'à un moment ou à un autre, elle avait lu dans leur jeu. Mais quand ? Et comment ? Pendant quelques secondes, il ne pensa qu'au savon que lui passerait Alison Vosper s'il s'avérait qu'il avait réveillé un juge pour rien, au milieu de la nuit.

Et il pouvait y avoir toutes sortes de bonnes raisons pour qu'Ashley Harper ne soit pas là. L'espace d'un instant, il en voulut à son ami. Tout était de sa faute. C'était Glenn qui l'avait entraîné dans ce bourbier. Lui n'avait rien à faire là, ce n'était pas son problème. Et maintenant, il était responsable de cette foutue enquête et il pédalait dans la semoule.

Il essaya de faire le point, d'imaginer comment il sauverait ses fesses si N° 27 le convoquait. Il y avait la mort de Mark Warren. Le mot. Le doigt dans le frigo. Ce qu'Emma-Jane avait découvert. Il y avait des tonnes de trucs qui ne tenaient pas debout. Mark Warren, tellement offensif à la réception. Bradley Cunningham, si doucereux, trop bien habillé au mariage.

« En réalité, ce futal me serre à mort... loué chez votre merveilleux tailleur, Moss Bros, mais la taille ne doit pas être la bonne ! »

Grace savait par expérience qu'un homme distingué, même pour faire un bon mot, n'aurait jamais employé « futal », ni « à mort ». Ça lui avait immédiatement mis la puce à l'oreille : Bradley Cunningham n'était pas celui pour lequel il voulait se faire passer.

Mais il ne fallait pas rêver : Alison Vosper ne serait pas particulièrement sensible à cette nuance sémantique.

« Retournez-moi cet appartement, dit-il d'une voix lasse à son équipe. Remuez ciel et terre, trouvez à qui appartient cet endroit, à qui appartiennent les téléviseurs, la chaîne hi-fi, l'Audi dehors, les tapis, les prises murales. Je veux tout

430

savoir sur Ashley Harper. Je veux en savoir plus qu'elle n'en sait sur elle-même. Tout le monde a bien compris ? »

*
* *

Après deux heures de recherche, personne n'avait rien trouvé. C'était comme si Ashley Harper avait passé un aspirateur surpuissant dans son appartement. Il n'y avait plus que le mobilier, un pot de yaourt bio dans le frigo, un peu de lait de soja, une botte de radis et une bouteille d'eau minérale écossaise Sainsbury à moitié vide.

Glenn Branson s'approcha de Grace, qui était occupé à lever le matelas du lit dans la chambre d'ami. « Mec, c'est bizarre, c'est comme si elle savait qu'on allait débarquer, tu vois ce que je veux dire ? »

« Et pourquoi on savait pas qu'elle allait filer ? » répondit Grace.

« Et voilà, tu réponds encore par une question. »

« Oui, dit Grace, que la fatigue commençait à rendre irritable. Peut-être parce que tu me poses toujours des questions au lieu de me donner des putain de réponses. »

Branson leva une main. « Je ne voulais pas t'offenser, mec. »

« Je ne suis pas offensé. »

« Où elle est, putain ? »

« Pas ici. »

« Celle-là, j'aurais pu la trouver tout seul. »

« Roy, regarde ! Je ne sais pas si ça peut t'intéresser... » Nicholl fit irruption dans la pièce avec un petit morceau de papier qu'il tendait à Grace.

431

C'était un reçu du magasin Century Radio, sur Tottenham Court Road. Le ticket indiquait : AR5000 Cyber Scan – 2 437,25 livres.

« Il était où ? » demanda Grace.

« Dans une poubelle au fond du jardin », répondit fièrement Nick.

« Deux mille quatre cent trente-sept livres pour un scanner ? s'étonna Grace. Quel genre de scanner coûte autant ? Un scanner pour ordinateur ? » Puis, il ajouta : « Pourquoi avoir jeté le ticket de caisse ? Même s'il n'y a pas moyen d'en faire une note de frais, n'importe qui le garderait au cas où il y aurait un problème, pour l'échanger, non ? »

« Perso, jamais je l'aurais jeté », confirma Branson.

Grace regarda la date. Mercredi dernier. Heure d'achat : 14:25. Le mardi soir, son fiancé disparaît, et, le mercredi, elle va s'acheter un scanner à deux mille cinq cents livres ? Ça ne tenait pas debout. Pas pour le moment. Selon sa montre, deux heures s'étaient écoulées – il était un peu plus de huit heures.

« Je ne sais pas à quelle heure ouvre Century Radio, mais il va falloir se renseigner sur le scanner », dit-il.

« Tu as ta petite idée ? » lui demanda Branson.

« J'en ai plein, répliqua Grace. J'ai trop, beaucoup trop d'idées. » Puis il ajouta : « Je dois être à dix heures moins le quart au tribunal, à Lewes. »

« Pour ton cher ami Suresh Hossain ? »

« Il ne faudrait pas que je lui manque... Et si on prenait un petit déj ? Des œufs, du bacon, des saucisses, la totale ? »

« Pense à ton cholestérol, mec, c'est pas bon pour ton cœur. »

« Tu sais quoi ? En ce moment, tout est mauvais pour mon cœur. »

82

Quand il entra dans l'élégant tribunal de Lewes, dans la grande salle d'attente bruissante, où patientaient les personnes impliquées dans trois procès différents, Grace possédait une confortable avance. Il mit son téléphone en mode silencieux. La bonne nouvelle, c'était que Claudine semblait avoir reçu le message et avait arrêté de le relancer.

Il bâilla. Il avait l'impression que son corps était lesté : le petit déjeuner roboratif qu'il venait d'avaler lui pompait son énergie au lieu de le booster. Il rêvait d'une chose : s'allonger et piquer un somme. C'est bizarre, se dit-il. Il y avait une semaine, ce procès régissait sa vie et occupait chacune de ses pensées. Maintenant, il était secondaire. Tout ce qui comptait, c'était retrouver Michael Harrison.

Mais il n'en était pas moins important. Il l'était pour la veuve et les enfants de Raymond Cohen, l'homme battu à mort avec un bâton clouté, soit par Hossain, soit par l'un de ses hommes de main ; il l'était pour tous les honnêtes citoyens de Brighton et Hove, parce qu'ils avaient le droit d'être protégés contre des monstres comme Hossain ; et pour

Grace, il en allait de sa crédibilité. Il fallait qu'il oublie sa fatigue et qu'il se concentre.

Il trouva un coin tranquille, s'assit et rappela Eleanor, qui s'occupait de son courrier et de ses mails. Puis il ferma les yeux, reconnaissant du bienfait instantané, massa son crâne du bout des doigts et tenta une petite sieste, en essayant de faire abstraction de la valse des portes qui s'ouvraient et se fermaient, du badinage enjoué des bonjours, du cliquetis des attachés-cases et des murmures entre clients et avocats.

Puis il respira profondément à deux reprises et l'apport d'oxygène lui procura un coup de fouet, certes momentané, mais immédiat. Il se leva et jeta un coup d'œil circulaire. Il n'allait pas tarder à savoir si sa présence était requise ou pas aujourd'hui. Il espérait être libre et retourner à la Sussex House. Il chercha des yeux Liz Reilly, la représentante du parquet, qui le lui dirait.

Il y avait une centaine de personnes dans la pièce, dont plusieurs avocats et clercs, et il repéra Liz à l'autre bout. La petite trentaine, elle était habillée élégamment, de façon conservatrice, tenait une écritoire à pinces et était en grande conversation avec un avocat qu'il ne connaissait pas.

Il s'approcha d'elle, intercepta son signal lui indiquant qu'elle serait à lui dans quelques instants et attendit. Quand sa conversation fut enfin terminée, elle se tourna vers Grace avec enthousiasme. « On a peut-être un nouveau témoin ! »

« Vraiment ? Qui ? »

« Une call-girl de Brighton. Elle a appelé le ministère public hier soir pour dire qu'elle suivait le procès dans les journaux. Elle dit que Suresh Hossain l'a battue pendant une passe. La soirée en question remonte au 10 février de l'année dernière, et c'était à Brighton. »

La nuit du 10 février avait eu lieu le meurtre pour lequel Suresh Hossain passait devant le tribunal.

« Hossain a un alibi en béton : il dînait à Londres avec deux de ses amis cette nuit-là. Tous deux ont témoigné », fit remarquer Grace.

« Oui, mais ce sont des employés de Hossain. Ce qui n'est pas le cas de cette fille. Mais elle est terrifiée. Elle ne s'est pas manifestée plus tôt parce qu'il l'a menacée de mort. Et il y a un problème : elle ne fait pas confiance aux policiers, c'est pour ça qu'elle nous a appelés nous, plutôt que vous. »

« Elle a quel degré de crédibilité ? »

« Très crédible, dit-elle. Il va falloir lui assurer une protection renforcée. »

« Elle aura tout ce qu'elle voudra. Tout ! » Grace, ragaillardi, se frotta les mains. Il avait envie de prendre Liz Reilly dans ses bras. C'était une excellente nouvelle. Excellente !

« Mais quelqu'un va devoir aller la convaincre que la police ne va pas la boucler pour ses... enfin, son commerce. »

« Où est-elle, là maintenant ? »

« Chez elle. »

Grace regarda sa montre. « Je pourrais passer la voir tout de suite. C'est possible ? »

« Prenez une voiture banalisée. »

« Oui, et j'irai avec une femme agent de police qui restera avec elle. Il ne faut pas que Hossain puisse la menacer. Je vais essayer de la persuader de venir immédiatement. »

« Si vous jouez habilement, l'affaire est dans le sac. »

Grace remarqua soudain qu'il n'était plus fatigué.

83

Il était un peu plus de midi quand Grace arriva à la salle opérationnelle. Shelley Sandler ferait un bon témoin, se dit-il. Vingt-cinq ans, intelligente, bonne expression orale, vulnérable : elle serait parfaitement crédible, au tribunal. Pourvu qu'elle ne panique pas et ne change pas d'avis au dernier moment, comme cela arrivait souvent. Mais elle semblait très déterminée à confondre Hossain. Très très déterminée.

C'était une bonne nouvelle. Après les ratés de la semaine précédente, Grace avait l'impression que le verdict qu'il désirait si ardemment était à portée de main.

L'équipe au complet était réunie, plus deux assistants, un jeune homme et une femme entre deux âges. Grace leur proposa de rester pour le briefing.

Sans hausser la voix pour ne pas déranger les autres groupes qui travaillaient dur sur d'autres enquêtes, Nick Nicholl entama la réunion. « Roy, le reçu qu'on a trouvé chez mademoiselle Harper ce matin, deux mille quatre cent trente-sept livres pour un scanner... »

« Oui ? »

« J'ai les informations de Century Radio. » Il tendit à Grace quelques feuilles imprimées d'un site Internet. « Nous l'avons tous lu. »

Grace parcourut la description.

AR5000 récepteur « Cyber Scan ». Incroyable couverture en fréquences : 10 KHz-2 600 MHz ! Le modèle AR5000 repousse les limites du possible, signal puissant, haute sensibilité et large couverture en fréquences avec microprocesseur, comprend 5 oscillateurs à fréquence variable indépendants, possibilité mémorisation 1 000 canaux, 20 banques de recherche, balayage rapide, capte tous les portables. Vitesse de balayage : 45 canaux par seconde.

Il se tourna vers Branson. « Toi qui es un crack en technologie... Je crois que j'ai compris à quoi ça sert. Tu confirmes ? »

« C'est un scanner radio très performant. Le genre de truc qu'utilisent les fondus de CB pour se faire de nouveaux amis, pour intercepter les communications radio de la police ou les conversations sur portables. »

Grace hocha la tête. Puis demanda à Emma-Jane : « On sait si Ashley Harper, sous cette identité ou sous une autre, s'intéresse aux CB ? »

« Non, on ne sait pas. »

Il regarda la photo couleurs du scanner. Il s'agissait d'une grosse boîte argentée, surélevée par des petits pieds, avec un cadran et une armée de boutons et de bitonios propres aux radios sophistiquées. « Alors, mardi, son fiancé disparaît. Mercredi après-midi, à deux heures et demie, elle se met en route pour Londres et achète un scanner radio pour deux mille cinq cents livres. Pourquoi ? Quelqu'un a une idée ? Et où a-t-elle appris à se servir de cet engin ?

« Par désespoir ? » suggéra Nick Nicholl.

« Je n'y crois pas », trancha Grace.

« Ça prouve qu'elle ne savait pas où il se trouvait », suggéra Bella Moy.

Grace acquiesça distraitement. C'était sensé, mais ça ne le satisfaisait pas.

« Elle devait savoir que Michael Harrison avait un talkie-walkie. Peut-être a-t-elle essayé de communiquer avec lui ? proposa Emma-Jane Boutwood. Ou peut-être voulait-elle écouter si quelqu'un entrait en communication avec lui, qu'est-ce que vous en dites ? »

Grace était impressionné. « Très bonne réflexion. » Il les regarda tous. « D'autres théories ? OK, mettons ça de côté pour le moment. D'autres nouvelles ? »

« Oui, dit Nick Nicholl. Après que vous avez quitté la maison d'Ashley Harper, Joe Tindall a commencé à soulever les lattes du parquet. Nous avons trouvé une enveloppe pleine de reçus derrière une commode. Elle est peut-être tombée accidentellement ou avait été cachée là. La plupart des tickets de caisse sont sans intérêt, sauf celui-ci, que vous devriez regarder. »

Le montant s'élevait à 1 500 £, la société s'appelait Conquest Escorts et se trouvait à Londres, sur Maddow Street. Sous le nom, il y avait la légende

438

suivante : « Escorte, homme ou femme, charmante, discrète, pour toute occasion. » Deux dates figuraient : le samedi, le jour prévu pour le mariage d'Ashley Harper, et le lundi d'avant.

« Tourne-le, Roy, fit Nicholl. Regarde au dos. »

Grace le retourna et vit, écrit au bic, le nom de Bradley Cunningham.

Il se souvint de la conversation qu'il avait eue avec Ashley, chez elle, le vendredi soir. Assise, l'air abattue, elle avait dit de son oncle canadien : « On s'adore... Il a pris une semaine entière juste pour pouvoir assister à la répétition de lundi. »

« Elle a simulé un oncle ? » dit-il, intrigué.

« Elle a simulé beaucoup plus qu'un oncle. EJ va t'expliquer dans quelques instants, fit Branson. Mais regarde ça d'abord. »

Il tendit à Grace une photocopie format A4. C'était un fax envoyé à la Bank Hexta, à Grand Caïman, demandant le transfert de 1 253 712 £ sur un compte de la Banco Aliado, au Panamá. Le document était signé de Michael Harrison et Mark Warren. La date, inscrite en haut, était celle de la veille, l'heure 11:25.

Grace lut le document deux fois et fronça les sourcils. « C'est vingt minutes à peu près avant qu'il ne se jette de son balcon », dit-il à Branson.

« Absolument. »

Grace pensa au mot qu'ils avaient trouvé dans la poche de Mark Warren. « Il est donc allé transférer cette somme pour sauver la vie de son ami, et, ensuite, il s'est suicidé ? »

« Ils étaient peut-être très endettés. Panamá peut être de mèche avec la Colombie, la mafia

439

colombienne... Peut-être étaient-ils dans de sales draps ? Ils épongent leur dette et Mark Warren se suicide ? »

« C'est une théorie qui se tient, concéda Grace. Mais ces deux gars s'en sortaient plutôt bien. Ils ont un gros projet à Ashdown – vingt maisons – qui peut rapporter plusieurs millions. Pourquoi se jeter par la fenêtre pour quelques centaines de milliers de livres – enfin, sa part ? »

« Ou alors, il effectue le transfert et se fait tuer. »

« C'est une théorie qui me plaît beaucoup plus, dit Grace. Je viens de parler à Cleo Morey, de la morgue. Un de leurs médecins légistes est en route. On devrait en savoir un peu plus dans la journée. »

Bella Moy informa Grace que l'opérateur téléphonique lui avait transmis des informations. Vodaphone avait enregistré des appels émis par le portable de Michael Harrison entre 10:22 et 11:00, la veille, dont plusieurs aux urgences. À chaque fois, l'opératrice n'avait rien entendu et personne n'avait répondu à ses questions.

« Et qu'indique l'antenne relais ? »

« J'y arrivais, Roy. Vodaphone a été très coopératif ce matin et nous l'avons déjà localisée », ajouta-t-elle.

« Où est-ce ? »

Son visage se décomposa quelque peu. « Ce n'est pas une si bonne nouvelle. Dans le centre-ville de Newhaven, et l'antenne couvre toute l'agglomération. »

« Bon, c'est déjà pas mal, fit Grace. Vous pensez que c'est une coïncidence que Newhaven soit un port ? »

« J'ai donné l'alerte dans tous les ports »,
précisa-t-elle.

« Sous quelle identité ? »

« Ashley Harper et Alexandra Huron, c'est le
nom qu'elle utilisait au Canada il y a quatre ans. »

Comme elle avait visiblement d'autres choses à
ajouter, Grace la laissa poursuivre.

« J'ai vérifié sa voiture, l'Audi TT. Elle l'a louée
en crédit-bail, sous son nom, à un concessionnaire
d'Hammersmith il y a un an. Tous les paiements
sont à jour, tout est OK. Même chose pour la maison, louée en crédit-bail, mais le contrat expire à la
fin du mois. »

« Ce qui coïncide avec le mariage ? » suggéra
Branson.

« Très possible, dit Emma-Jane. Sur une intuition, j'ai demandé à nos nouvelles recrues de
contacter toutes les sociétés de location de véhicules de la région et de leur donner tous les noms
d'Ashley Harper en plus de celui-là. Rien à signaler sous ce dernier patronyme, mais à minuit dix,
aujourd'hui, une femme s'est présentée sous le
nom d'Alexandra Huron pour louer une Mercedes
à l'agence Avis de l'aéroport de Gatwick. Elle a
réglé avec une carte de crédit Toronto Dominion
Bank of Canada. La personne qui lui a remis les
clés l'a formellement identifiée à partir d'une
photo d'Ashley Harper. »

« Caméra de surveillance, dit Grace. Je veux... »

Glenn Branson leva la main. « On est déjà sur le
coup. On visionne toutes les bandes entre Gatwick
et Newhaven depuis l'heure où elle a pris la
voiture. »

« Elle a quitté son domicile une heure avant que tu n'arrives, Nick », dit Grace à Nicholl.

« Oui. »

« On sait comment elle est allée à l'aéroport ? »

« Non. »

Grace se tut. Pendant quelques instants, il n'eut rien à ajouter. Il essayait d'imaginer l'échelle de temps de la nuit dernière. Il avait vu Mark Warren. Avec Branson, ils avaient rendu visite à Ashley. Mark Warren était allé dans la forêt aider à localiser la tombe. L'argent avait été transféré. Mark Warren était mort. Ashley avait loué une voiture sous une fausse identité.

Il savait maintenant à quel jeu elle jouait. C'était suffisamment clair. Et il savait qu'il fallait qu'il la retrouve. Rien d'autre n'importait à ce moment précis.

Et vite.

Si ce n'était pas déjà trop tard.

84

« Bon sang, Barbie, tes putain de valises... Qu'est-ce qui te prend, Alex ? »

« De quoi tu parles ? »

« Compte pas sur moi pour traîner tes saloperies de valises, voilà de quoi je parle. »

« Eh bien, on prendra un porteur. »

« Et la taxe pour surpoids de bagages, t'en fais quoi ? »

« On voyage en première, Vic. On a de la marge, relax. »

« Tu me dis relax, putain ? Tu peux pas laisser cette merde derrière toi, acheter des trucs neufs à Sydney ? Ils ont des magasins, là-bas, t'es au courant ? »

Ashley, costume Prada en denim et talons hauts, debout devant ses valises dans le salon de la petite maison mitoyenne de Newhaven, les mains sur les hanches, dans une posture de défiance, regardait fixement par la fenêtre. La vue de la maison isolée louée sur une colline embrassait pratiquement toute la ville et la majeure partie du port.

Elle regarda le ferry passer la digue en glissant, direction la Manche. Le ciel était bas, la journée grise et humide. Elle transpirait, ce qui ne faisait qu'aggraver sa mauvaise humeur, et elle n'allait pas tarder à avoir ses règles, ce qui n'arrangeait rien.

Elle se tourna vers lui, de plus en plus acide. « Sans blague ? Ils ont des magasins à Sydney ? Tu veux dire des endroits où tu peux acheter des trucs ? »

« Va te faire foutre, pauvre conne. Et arrête de me parler comme si j'étais ton putain de serviteur. »

« Va te faire foutre, toi aussi ! Pourquoi est-ce que je les laisserais ici ? C'est toute ma vie. »

« Tu veux dire, que ça, c'est ta vie ? »

Avec son mètre soixante-huit, Vic n'avait qu'un centimètre de plus qu'Ashley, mais il lui avait toujours semblé beaucoup plus grand. Il avait le physique, la musculature et le caractère d'un combattant, avec ses bras tatoués, sa coupe en brosse et son visage carré, attirant. Ses vêtements accentuaient son côté militaire. Aujourd'hui, il portait une veste de combat sur un T-shirt noir, un pantalon en toile baggy kaki et des chaussures qui ressemblaient à des bottes de marche, noires.

« Tu veux dire que Michael et Mark, c'est ta vie? Que ces deux salauds ont été ta vie? C'est ça que tu veux dire? J'ai raté un chapitre? Je croyais que c'était moi, ta vie, pouffiasse! »

« Je le croyais moi aussi », dit-elle les lèvres serrées, retenant ses larmes.

« Alors qu'est-ce que ça veut dire, putain? »

« Rien. »

Il la saisit par les épaules et lui fit faire volteface. « Relax, Alex, OK? On y est presque. Retour à la base. On se calme maintenant. »

« Je suis parfaitement calme, dit-elle. C'est toi qui pètes un câble. » Il l'attira vers lui. Plongea dans ses yeux verts. Puis dégagea tendrement quelques mèches égarées sur son front. « Je t'aime, dit-il. Je t'aime tellement, Alex. »

Elle lui passa les bras autour du cou, colla ses lèvres aux siennes et l'embrassa passionnément. « Je t'aime aussi, Vic. Je t'ai toujours aimé. »

« Et tu n'as eu aucun problème à baiser Mark et Michael. Et des tas de mecs avant eux. »

Elle recula, furieuse, et faillit trébucher sur ses valises. « Nom de Dieu, mais qu'est-ce qui t'arrive? »

« Ce qui m'arrive, c'est qu'on a merdé cette fois, voilà. OK? »

« On n'a pas merdé, Vic. On a quelque chose. »

444

« Tu parles ! Un ridicule million deux. Six mois de notre vie pour ça ? »

« Aucun de nous n'aurait pu prévoir ce qui s'est passé – l'accident. »

« On aurait pu la jouer autrement. Tu aurais pu faire sortir Michael, l'épouser, et on aurait eu sa moitié et celle de son associé. »

« Ça aurait pris des mois, Vic. Peut-être des années. Le projet n'était qu'au stade de développement. Là, on a eu un résultat rapide. Et si tu n'avais pas flambé au jeu la moitié de ce qu'on avait, on n'en serait pas là pour commencer, OK ? »

D'un air penaud, il regarda sa montre. « Il faut se mettre en route si on veut attraper l'avion. »

« Je suis prête. »

« Tu n'as pas idée à quel point ça me ronge, Alex. Je supporte pas d'être sur la touche, de savoir que tu baises avec Michael et Mark, cette année, que tu as baisé avec ce con de Richard, dans le Cheshire, sans parler de Joe Kerwin et de Julian Warner. »

« Vic, j'arrive pas à croire que tu me parles de ça. Je l'ai fait parce que c'était ma part dans notre contrat, OK ? »

« Non, pas OK. »

« Tu as toujours eu ta douce revanche, à la fin. C'est quoi, ton problème ? Et cette fois, je t'épargne et je m'épargne une lune de miel avec Michael. »

Il regarda de nouveau sa montre avec inquiétude. « On en reparle dans la voiture, j'ai un dernier truc à régler avant qu'on y aille. » Il traîna les valises d'Ashley dans le hall d'entrée, puis revint dans le salon et tira le canapé à travers la pièce. Il s'agenouilla et souleva un coin de la moquette.

« Vic », dit-elle.

Il leva les yeux. « Quoi ? »

« On peut pas juste le laisser ? »

« Le laisser ? »

« Il n'ira nulle part, pas vrai ? Il ne peut pas sortir, il ne peut même pas parler, tu as dit. »

« Je vais le finir, l'achever. »

« Pourquoi tu ne le laisses pas ? Personne ne le trouvera. »

« Il me faut dix secondes pour lui briser le cou. »

« Mais pourquoi ? »

Il la fusilla du regard. « Tu l'aimes bien, hein, salope ? »

Elle rougit : « Pas du tout. »

« Tu n'as jamais vu d'inconvénient à ce que je me débarrasse des autres. Qu'est-ce qu'il a de particulier, le p'tit Mikey ? »

« Il n'a rien de particulier. »

Vic laissa retomber le coin de moquette, se leva et remit le canapé à sa place. Puis il poussa la table basse devant. « Tu as raison, Alex, il n'ira nulle part. Et pourquoi faire preuve de mansuétude à l'égard de ce petit bâtard en mettant un terme à ses souffrances ? On n'a qu'à le laisser crever dans ses propres ténèbres. T'es contente ? »

Elle hocha la tête. « Tu as vérifié la presse, aujourd'hui ? »

« Non, j'ai rangé la baraque. Mais je l'ai fait hier. On n'a pas de souci à se faire. On lira les journaux à l'aéroport. » Il sourit.

« Et après, fini les soucis, OK ? »

Cinq minutes plus tard, la Mercedes était chargée à bloc avec les quatre valises d'Ashley et le gros fourre-tout de Vic. Il ferma la porte d'entrée et mit les clés dans sa poche.

« Tu crois qu'on devrait les déposer à l'agence ? »

« On a encore cinq mois de location, ma petite chérie ! Tu veux que des gens viennent fouiner ? Parce que je vais te dire : ça va pas sentir bon, dans une semaine ou deux. »

Elle ne dit rien, attacha sa ceinture et regarda la maison une dernière fois. C'était une maison bizarre, parfaite pour ce qu'ils avaient eu à y faire, car isolée – le voisin le plus proche était à quatre cents mètres –, et même doublement parfaite, étant donné ce qui s'était passé la nuit de mardi. Elle n'avait absolument rien de joli ou de stylé. Bâtie dans les années 1930 sur un terrain vague broussailleux – qui n'avait guère changé depuis –, elle donnait l'impression d'être la siamoise d'une maison qui n'aurait jamais été construite. À l'origine, il aurait dû y avoir un garage intégré, mais il y avait quelques années, il avait été reconverti en ce qui était désormais le salon.

Il démarra la voiture. Dans une heure, ils seraient à l'aéroport de Gatwick. Demain ou ce soir – elle avait toujours un problème avec les fuseaux horaires –, ils seraient de retour en Australie. Chez eux. Une bruine crépitait sur le pare-brise, ce qui ne l'empêcha pas de chausser ses nouvelles lunettes noires Gucci. Vic lui avait coupé les cheveux – pas le temps d'aller chez le coiffeur – et, ce matin, elle avait mis une perruque brune, courte. Si son signalement avait été transmis à l'aéroport, ils rechercheraient Ashley Harper. Le risque était infime qu'ils cherchent Alexandra Huron. Mais en regardant le passeport qu'elle avait dans son sac à main, qui était encore valable deux ans, elle sourit. Personne ne s'intéresserait à Ann Hampson.

Vic mit le boîtier automatique sur *drive*, puis s'agita. « Il est où, le putain de frein ? »

« C'est une poignée. Il faut la tirer. »

« Pourquoi ils font des poignées ? Et pourquoi est-ce que tu n'as pas loué une voiture normale, merde ! »

« Plus normal qu'une Mercedes, je ne vois pas. »

« Une avec un vrai frein à main, bordel ! »

« Arrête de râler, par pitié... »

Il baissa sa fenêtre et cria : « Ciao, connard ! Profite bien du peu qu'il te reste ! »

« Vic ? »

« Ouais ? » Il accéléra violemment en descendant la route défoncée que la DDE semblait avoir oubliée. « Qu'est-ce que t'as ? Elle te manque déjà, la queue de ton petit chéri ? »

« Tu sais quoi ? Elle est plus grosse que la tienne ! »

Il la gifla brutalement, la voiture fit une embardée sur le bas-côté, puis revint sur la route et s'enfonça dans un nid-de-poule.

« Ça te fait du bien, de me frapper ? »

« Tu n'es qu'une petite salope. »

Ils arrivèrent à un croisement et tournèrent à droite devant un lotissement moderne en construction – les arbres étaient encore maintenus par des tuteurs.

« Tu n'es qu'une brute, Vic. Un sadique, tu sais ça ? C'est ça qui te soulage, c'est ça qui t'excite, torturer quelqu'un comme Michael ? »

« Et toi, ça t'excite de le baiser en sachant qu'un jour, tu vas le baiser pour de bon ? » Il se tourna pour la foudroyer du regard et s'engagea sur la route principale.

Tout se passa très vite. Elle ne remarqua qu'un changement soudain de luminosité. Il y eut un fracas énorme. Elle sentit une violente secousse. Ses oreilles se bouchèrent. L'habitacle se remplit de quelque chose qui ressemblait à des plumes et sentait le silex frappé. Au même moment, le Klaxon se mit à beugler.

« Merde, merde, merde, merde ! » Vic cognait le volant de ses poings. L'airbag côté conducteur pendait comme un préservatif usagé au niveau du volant et un autre airbag pendouillait à côté de sa tête.

« Tu n'as rien ? » demanda-t-il à Ashley.

Elle secoua la tête en fixant le capot de la voiture, qui était redressé et tordu, et constata que le sigle Mercedes avait disparu. Il y avait une autre voiture, blanche, immobilisée dans une position impossible, au milieu de la route, quelques mètres plus loin.

Vic essaya d'ouvrir sa portière, mais sembla avoir des difficultés. Il se jeta contre, les gonds hurlèrent et la porte céda.

Ashley ouvrit la sienne sans problème. Elle détacha sa ceinture de sécurité, descendit en tremblant, puis se pinça le nez et souffla fort pour se déboucher les oreilles. Elle vit une femme

449

aux cheveux gris, hébétée, au volant de l'autre voiture, une Saab, dont l'avant était en grande partie enfoncé.

Vic inspecta les dégâts sur la Mercedes. La roue avant était écrasée, tordue et encaissée dans le compartiment moteur. Aucune chance de repartir.

« Espèce de connasse ! » hurla-t-il en direction de la Saab, couvrant le beuglement du Klaxon.

Ashley vit une voiture arriver, ainsi qu'une camionnette, de l'autre côté. Un jeune homme se mit à courir vers eux. « Vic, cria-t-elle, affolée, il faut faire quelque chose, bon Dieu ! »

« Ouais, c'est ça, il faut faire quelque chose. Et qu'est-ce que tu proposes, putain ? »

85

Au même moment, dans la salle opérationnelle, Nick Nicholl hurla soudain à Grace : « Roy ! Ligne 7, décroche, décroche ! »

Grace enfonça le bouton et porta le combiné à son oreille. « Allô, ici Roy Grace... »

C'était Mark Tuckwell, un commandant du bureau de police de Brighton. « Roy, la Mercedes que tu recherches, berline bleue, Lima-Juliett-zéro-quatre-papa-Xray-Lima ? »

« Oui. »

« Elle vient d'être impliquée dans un accident à Newhaven. Les occupants, un homme et une femme, ont détourné un véhicule. »

Le téléphone greffé à l'oreille, Grace se redressa brusquement et sentit son taux d'adrénaline exploser. « Ils ont pris des otages ? »

« Non. »

« A-t-on une description de ces deux personnes ? »

« C'est pas très détaillé pour l'instant. L'homme costaud, de type européen, coupe en brosse, quarante-cinq ans. La femme, cheveux courts, brune, trente ans. »

Grace attrapa un stylo et demanda : « Dans quel véhicule ont-ils pris la fuite ? »

« Une Land Rover Freelander verte whisky-sept-neuf-six-Lima-delta-Yankee. »

Notant l'immatriculation à toute allure, Grace demanda : « Un contact a-t-il été établi avec cette voiture pour le moment ? »

« Pas encore. »

« Cet événement remonte à quand, exactement ? »

« Dix minutes. »

Grace réfléchit. Dix minutes. On pouvait faire un bout de chemin en dix minutes. Il remercia le commandant, lui dit qu'il le rappellerait dans quelques minutes et lui demanda de garder cette ligne libre.

Puis il briefa rapidement son équipe. Tendant les détails du véhicule à Nick Nicholl, il dit : « Nick, transmets ces informations à toutes les régions voisines – Surrey, Kent, Hampshire – et également à la police de Londres. Tout de suite ! »

Il réfléchit quelques instants. Les routes à l'est de Newhaven menaient à Eastbourne et Hastings.

Vers le nord, c'était l'aéroport de Gatwick et Londres. Vers l'ouest, Brighton. S'ils gardaient la Land Rover, ils iraient sans doute vers le nord. Se tournant vers le commandant Moy, il dit : « Bella, fais décoller l'hélico. Partons du principe qu'ils quittent cette zone – demande-lui de couvrir les routes entre quinze et vingt-cinq kilomètres au nord de Newhaven. »

« D'accord. »

« Quand ce sera fait, demande de surveiller toutes les caméras dans les gares de cette région, au cas où ils se débarrasseraient de la voiture pour prendre un train. »

Il avala une gorgée d'eau. « Emma-Jane, appelez la police de la circulation et mobilisez des véhicules sur l'A23 pour rechercher la Land Rover immédiatement. Quand ce sera fait, prévenez les polices du port de Newhaven et des aéroports de Gatwick et Shoreham. »

Il vérifia mentalement s'il n'avait rien oublié. *Gares, ports, aéroports, routes.* Il savait que, souvent, les gens qui détournaient un véhicule parcouraient une courte distance, l'abandonnaient et en prenaient un autre.

« Glenn, dit-il, fais surveiller toute la région autour de Newhaven. Il faut être sûr qu'ils ne se sont pas encore débarrassés du 4 × 4. Et demande à nos voitures de se tenir prêtes. »

« Je m'en occupe tout de suite. »

Grace appela l'état-major et les informa qu'il prenait la situation en main. L'officier lui dit qu'il venait d'avoir du nouveau. Un véhicule correspondant à la description venait de doubler dangereusement plusieurs voitures à un feu, en mordant en partie sur le trottoir, pour passer le pont tournant de Newhaven quelques secondes avant qu'il ne s'ouvre. Cette information ne remontait qu'à deux minutes.

86

Vic Delaney écrasa violemment la pédale de frein tandis qu'ils entraient dans un virage à droite plus serré qu'il ne l'avait anticipé, sur cette petite route de campagne sinueuse. Les roues avant se bloquèrent et pendant quelques angoissantes secondes, ils foncèrent tout droit, vers un peuplier, tandis qu'il se battait contre l'énorme volant. Ashley cria : « Viiiic ! »

La voiture fit une brusque embardée vers la droite, les roues avant tournèrent, les roues arrière se bloquèrent, il donna un coup de volant trop fort de l'autre côté et ils foncèrent vers un autre peuplier. Puis ils revinrent dans l'axe et la grosse voiture retrouva son équilibre en oscillant comme un sac de pommes de terre, les bagages se fracassant à l'arrière. Et tout rentra dans l'ordre.

« Ralentis, Vic, je t'en prie ! »

Apparut devant eux un poids lourd qui roulait au pas et qu'ils eurent rejoint en quelques secondes. Impossible de le dépasser. « Putain de merde ! » dit-il en freinant et en martelant le volant de ses poings, frustré.

Tout avait foiré. *C'est donc ça, l'histoire de ma vie*, se dit-il. Son père était mort d'une overdose d'alcool alors qu'il était ado. Peu avant son dix-huitième anniversaire, il avait tabassé l'amant de sa mère parce que c'était un bon à rien et qu'il la traitait mal. Et sa mère n'avait rien trouvé de mieux que de le mettre à la porte, lui, Vic.

Il s'était retrouvé dans l'armée par esprit d'aventure et s'était immédiatement senti chez lui parmi les Marines. Sauf qu'il avait pris goût à l'argent. Ou plutôt, s'était habitué à ce que l'argent coule à flot. Il aimait les fringues, les voitures, le jeu et les putes. Mais ce qu'il préférait, c'était ce qu'il ressentait – et le respect qu'il imposait – quand il entrait dans un casino avec un costume impeccable. Et qu'y avait-il de mieux pour l'orgueil d'un homme que d'être invité par le casino pour un somptueux dîner, une chambre parfois...

Une période de chance au jeu au cours de sa deuxième année dans les Marines lui avait permis d'amasser une belle petite fortune, puis il avait connu une série de déveines et avait tout perdu.

Il avait fait équipe avec Bruce Jackman, un intendant militaire de troisième classe véreux, chargé de l'approvisionnement de l'artillerie, et avait trouvé un moyen rapide de faire de l'argent en revendant des armes et des munitions, entre autres, sur Internet. Quand ils avaient été sur le point de se faire prendre, il avait étranglé Bruce Jackman et l'avait laissé pendu dans sa chambre avec une lettre de suicide. Ça ne l'avait jamais empêché de dormir.

La vie, c'est un jeu : *seuls les plus forts survivent*. Selon lui, les humains avaient tort de faire comme s'ils étaient différents des animaux. Lui ne connaissait que la loi de la jungle.

Ce qui ne voulait pas dire qu'on ne pouvait pas aimer. Il était immédiatement, profondément, irrésistiblement tombé amoureux fou d'Alex. Elle avait tout : une vraie classe, une beauté incroyable, un corps de rêve, et c'était une vraie salope au lit. Elle avait tout ce qu'il attendait d'une fille, voire beaucoup plus. Et c'était la première fois qu'il rencontrait une femme plus ambitieuse que lui. Elle avait un objectif – faire fortune jeune et passer le reste de sa vie à en profiter – et un plan pour l'atteindre. Mortellement simple.

Maintenant, tout ce qu'ils avaient à faire, c'était arriver à l'aéroport de Gatwick et attraper un avion.

L'habitacle du Freelander puait les gaz d'échappement de l'énorme poids lourd qui lambinait à moins de 50 km/h. Il fit un écart pour voir s'il pouvait le dépasser, puis se rangea brutalement tandis qu'un camion les croisait à toute allure. Avec une impatience grandissante, ils suivirent le poids lourd dans un virage en S, qui plongeait majestueusement dans la vallée, passèrent un panneau indiquant une carrière, puis attaquèrent une montée, le camion ralentissant d'autant. Vic glissa sa main gauche sur la cuisse d'Ashley, trouva sa main et la pressa. « Tout va bien se passer, mon ange. »

Elle lui écrasa la main en guise de réponse.

Puis un éclat bleu dans le rétroviseur attira son attention. Et une peur cinglante, glaçante, lui perfora l'estomac.

Il regarda attentivement. Du bitume, de l'herbe et des arbres défilaient dans le rétro. Puis l'éclair bleu, immanquable cette fois. *Merde*. Dans quelques secondes, la voiture de police serait en vue.

Essayant de doubler une nouvelle fois, il vit un panneau en bois indiquant un GR à sa droite et un sentier relativement large. Donnant un coup de volant impromptu, il coupa la route à une camionnette qui venait en sens inverse et s'engagea sur le chemin cahoteux, envahi par les mauvaises herbes. Le Freelander bascula dans un nid-de-poule rempli d'eau d'un côté, puis vacilla de l'autre. Dans le rétro, il vit la voiture de police filer tout droit, bien trop vite, espérait-il, pour les avoir vus.

« Pourquoi est-ce que tu as bifurqué ? »

« Les flics. » Il accéléra, sentit les roues patiner, s'agripper. La voiture dérapa en avant, glissa sur un monticule, puis plongea dans plusieurs ornières successives. Ils passèrent devant la cour d'une ferme, un box à cheval vide, un tracteur à l'arrêt et une structure en tôle ondulée qui abritait des enclos à moutons vides.

« Où ça mène ? » demanda Ashley.

« J'en sais rien, putain ! »

Au bout du chemin, il tourna à gauche vers un chemin empierré. Ils passèrent quelques fermettes, puis arrivèrent sur une route très fréquentée. Dégoulinant de transpiration, Vic baissa sa vitre : « C'est l'A27, elle mène à l'A23, directement à Gatwick, non ? »

« Je sais, mais on ne peut pas prendre la route principale. »

« Je cherche le meilleur moyen... »

456

Tous deux entendirent le claquement des pales d'un hélicoptère. Vic passa la tête à la fenêtre et regarda en l'air. Il vit un engin bleu foncé descendre droit vers eux et décrire un arc de cercle. Le bruit s'intensifia. L'hélico était suffisamment bas pour que Vic puisse lire, en lettres blanches peintes au pochoir sur le cockpit : POLICE.

« Les bâtards. » Le trafic étant incessant, il jugea trop risqué de traverser. Il prit donc à gauche, accéléra violemment devant une Jaguar, qui lui fit un appel de phares et klaxonna. Il l'ignora, les yeux rivés devant lui, son cerveau en mode panique. La circulation était ralentie devant eux. Merde, ils allaient être complètement à l'arrêt ! Déboîtant une fraction de seconde pour voir, il découvrit la cause du bouchon, malgré la haute caravane qui obstruait une partie de la vue.

Une voiture bloquait la route et il y avait une grande barrière bleue marquée « police » de chaque côté du véhicule.

87

« Ils viennent de forcer un barrage de police au rond-point de Beddingham, l'informa Jim Robinson, de l'état-major. Ils se dirigent vers l'ouest, sur l'A27. Dans 1,5 km, ils auront la possibilité de bifurquer, de tourner à droite vers Lewes ou à gauche vers le village de Kingston. »

« Vous avez quelqu'un au rond-point ? »

« Une moto est en route. Elle peut y être juste à temps. »

« Une moto, ça ne sert à rien. Il faut les cerner. Leur voiture n'est pas rapide, on pourra les rattraper, c'est déjà ça. Il nous faut quatre véhicules. Où se trouvent les plus proches ? »

« On en a deux qui se dirigent vers la jonction de l'A23, l'une vient de Lewes, temps estimé quatre minutes, une autre vient de Shoreham, temps estimé trois minutes, deux sont ici, à la Sussex House, prêtes à partir, une autre vient de Haywards Heath, temps estimé deux minutes. »

« L'hélicoptère les a toujours en vue ? »

« Il est juste au-dessus d'eux. »

Grace ferma les yeux un moment, pour visualiser la route. Les malfaiteurs, quels qu'ils soient – et il avait sa petite idée sur l'un d'eux –, avaient fait la grossière erreur de choisir la route qu'il empruntait tous les jours pour aller au bureau, celle qu'il connaissait le mieux au monde. Il savait parfaitement où il était possible de bifurquer. Ils possédaient un véhicule tout-terrain, et même si le sol était relativement mou du fait des récentes et abondantes chutes de pluie, les possibilités de quitter la route étaient nombreuses, s'ils voulaient couper à travers champs.

« On peut mobiliser quelques 4 × 4 en plus ? demanda Grace. Positionnez-les aussi près que possible de la jonction A23/A27. »

Il regarda sa montre. Deux heures moins le quart. Mardi. La circulation serait relativement dense et il fallait prendre en considération les autres automobilistes. La police avait mauvaise presse ces dernières années, à la suite de courses-poursuites risquées qui avaient coûté la vie à des innocents. Il allait falloir être le plus prudent possible, les circonstances étant ce qu'elles étaient.

Les encercler constituait la meilleure solution : une voiture devant, une derrière et une de chaque côté pour les forcer à ralentir. Ce serait le cas d'école idéal.

Sauf qu'il n'avait pas connu beaucoup de *happy end* depuis qu'il était trop vieux pour apprécier les contes de fées.

88

Fonçant sur la file la plus rapide, l'aiguille flirtant avec les 170 km/h, dans une longue pente en courbe, Vic savait que dans une minute environ, ils arriveraient à l'embranchement avec l'A23 et qu'il aurait un choix à faire. Ces dernières minutes, conscient de l'ombre portée par l'hélico, il n'avait pensé qu'à une chose : *si j'étais flic, quels sont les lieux que je ferais surveiller ?*

Les aéroports, il allait falloir faire une croix dessus. Les ports aussi. Mais il y avait une chose à laquelle les flics n'avaient pas pensé – sans doute parce qu'ils ne la connaissaient même pas. Pour y arriver, il fallait qu'il se débarrasse de ce maudit hélicoptère. Il y avait un endroit, à quelques kilomètres, où il pourrait le faire. La double voie montait sévèrement. À droite s'étendait, en plein champ, la campagne vallonnée de Downland, à gauche l'agglomération tentaculaire de Brighton et Hove. Tout droit, à quelques kilomètres, une haute cheminée signalait leur destination finale : le port de Shoreham. Mais ils feraient une petite halte avant ça.

« Pourquoi est-ce que tu n'es pas sorti, Vic ? demanda Ashley avec anxiété. Je croyais qu'on allait à Gatwick. »

Vic ne répondit pas. Un petit vieux lambinait sur la file la plus lente dans une Toyota quatre portes qui devait bien avoir dix ans. Parfait !

Le tunnel serait en vue d'un instant à l'autre. De mémoire, il devait être long de quatre cents mètres, sous les Downs. Ils passèrent le panneau INTERDICTION DE DÉPASSER et entrèrent dans le tunnel faiblement éclairé à une vitesse d'environ 145 km/h. Vic se rabattit immédiatement sur la file la plus lente, écrasa le frein, ralentit à 30 km/h et alluma ses feux de détresse.

« Vic, mais qu'est-ce que tu... »

Il l'ignora. Il fixait le rétroviseur, tandis que des voitures les doublaient à toute allure. Et il vit la Toyota approcher. Tendu, Vic savait que le timing allait devoir être parfait. La Toyota mit son clignotant pour doubler et commença à déboîter quand les appels de phares et le coup de Klaxon d'une Porsche l'obligèrent à freiner et à se rabattre derrière eux.

Merveilleux !

Vic serra le frein à main de la Land Rover aussi fort que possible, sachant que ses feux arrière ne signaleraient pas son ralentissement soudain.

« Accroche-toi ! » cria-t-il en relâchant le frein et en accélérant. Des pneus crissèrent derrière eux, mais au moment où la Toyota les heurta, ils avaient déjà repris de la vitesse. L'impact fut négligeable – une petite secousse qu'il sentit à peine et un bruit de verre brisé.

« Sors ! » hurla Vic en ouvrant sa portière. Il sauta et courut observer les dégâts. Tout ce qui l'intéressait, c'était l'avant de la Toyota. Il avait l'air en état. La calandre était enfoncée, un phare était cassé, mais il n'y avait ni écoulement d'huile, ni fuite d'eau.

« Prends les putain de sacs ! hurla-t-il à Ashley qui marchait vers lui, interdite. Les putain de sacs, allez ! »

Il ouvrit la portière du conducteur de la Toyota. L'homme était encore plus frêle qu'il avait l'air quand ils l'avaient doublé. Il avait quatre-vingts ans bien sonnés, le visage couvert de taches de vieillesse, les cheveux rares et des lunettes avec des verres épais comme des culs de bouteille.

« Eh ! Qu'est-ce que... Mais où vous croyez... » bafouilla le vieil homme.

Vic détacha sa ceinture, conscient que des voitures se garaient derrière eux, et lui enleva ses lunettes pour le désorienter. « Je vais te mettre dans une ambulance, mec. »

« Mais je n'ai pas besoin de... »

Vic sortit le bonhomme, le mit sur son épaule, le déposa sur le siège arrière de la Land Rover et ferma la portière. Sortant d'un monospace Ford qu'il avait garé derrière la Toyota, un homme bedonnant, d'âge moyen, s'approcha de Vic en courant. « Excusez-moi, vous avez besoin d'aide ? »

461

« Oui, le pauvre gars, je pense qu'il a eu une rupture d'anévrisme, il zigzaguait. »

Un poids lourd passa à vive allure. Puis deux motos. Ashley cria : « Nom de Dieu, Vic, aide-moi, je ne peux pas porter ces putain de valises toute seule ! »

« Laisse-les ! »

« Mes papiers sont dans l'une d'elles ! »

Vic vit l'homme bedonnant regarder Ashley avec un air bizarre et décida que la solution la plus rapide était de le mettre KO. Il lui décocha un coup de poing et l'appuya contre le capot de sa Ford. Puis ils chargèrent en hâte le fourre-tout de Vic et les valises d'Ashley dans la Toyota et sautèrent à l'intérieur. Vic trouva la marche arrière, puis, dans un grincement qui venait, se dit-il, de la courroie de ventilateur, il recula de quelques mètres pour se dégager, trouva la fonction *drive* et la voiture vibra. Il jeta un coup d'œil dans le rétro, accéléra, dépassa la Land Rover et prit autant de vitesse que la vieille Toyota au bout du rouleau le permettait. Une luminosité de plus en plus forte indiquait que la fin du tunnel approchait rapidement.

Ashley le regardait fixement, les yeux écarquillés. « Ça, c'est bien joué », dit-elle.

« Tu vois le putain d'hélico ? » demanda-t-il en plissant les yeux quand ils furent en pleine lumière.

Elle se tortilla sur son siège, tendit le cou pour regarder par le pare-brise avant, puis arrière. « Il ne suit pas ! s'exclama-t-elle. Il attend à la sortie du tunnel. Attends... Génial ! Il retourne vers l'entrée ! »

« 20/20 ! »

Vic prit la première sortie, un kilomètre plus loin. Elle menait dans la zone industrielle et urbaine de Southwick, la banlieue qui séparait Brighton et Hove de Shoreham. Ils avaient encore quelques minutes avant que la police n'identifie la voiture, et peut-être, avec un peu de chance, le vieux ne se souviendrait pas de son numéro d'immatriculation, espéra-t-il.

« OK, et où on va maintenant, Vic ? »

« Au seul endroit où la police n'ira pas. »

« C'est-à-dire ? »

« Michael et Mark ont un bateau, tu sais, un vrai yacht. Tu es déjà montée dessus ? »

« Oui, je t'en avais parlé. J'ai fait quelques balades avec eux. »

« Il est assez grand pour traverser la Manche, c'est bien ça ? »

« Le gars qui le leur a vendu a traversé l'Atlantique avec. »

« Très bien. Toi et moi, on sait naviguer. »

« Oui. » Ashley se souvint des nombreuses vacances qu'ils avaient passées ensemble en Australie et au Canada, sur un voilier. Ils louaient un yacht et partaient seuls, sans équipage. C'étaient les rares moments de sa vie où elle avait été heureuse, en paix.

« Bon, maintenant, tu sais où on va. À moins que tu aies une meilleure idée ? »

« On va prendre leur bateau ? »

« On lèvera l'ancre quand il fera nuit. »

Ils se trouvaient à présent sur une route très fréquentée, jalonnée de maisons en mitoyenneté de chaque côté, en retrait. Vic ralentit à l'approche d'un feu rouge. Devant eux, la rue devenait commerçante, sur les deux trottoirs. Il s'arrêta et son visage se décomposa. Des lumières blanches, éblouissantes, inondaient le rétroviseur. Il entendit le son aigu d'une sirène deux tons, vit un éclair bleu et entendit le vrombissement d'un pot d'échappement. Un motard apparut à sa fenêtre et lui fit signe de sortir.

Au lieu de ça, Vic écrasa l'accélérateur et ignora le feu, brûlant la priorité à un camion.

« Oh, merde », dit Ashley.

Quelques instants plus tard, sirène allumée, la moto était de nouveau à ses côtés, le flic lui indiquant sévèrement de s'arrêter. Mais Vic donna un violent coup de volant à droite, renversa délibérément la moto et l'envoya dans le décor. Dans le rétro, il entrevit le flic tomber et glisser sur le flanc.

Malgré sa panique, Vic distingua une boîte aux lettres devant eux et une rue adjacente, qui avait l'air calme. Il s'y engagea précipitamment – les bagages valdinguèrent à l'arrière – puis accéléra sur cette avenue bordée d'arbres. Il s'était remis à pleuvoir. Il tripota tous les boutons jusqu'à actionner les essuie-glaces. Puis ils arrivèrent à un croisement en T, avec une église dans l'axe.

« Tu sais où on est ? »

« Le port ne doit pas être loin », répondit-il. Ils se trouvaient dans un labyrinthe de ruelles résidentielles, calmes, puis arrivèrent soudain dans une rue étroite, animée, très fréquentée. « Là ! » Vic tendit le doigt. « C'est le port ! »

Au bout de cette artère principale se trouvait le croisement avec la route qui longeait la côte jusqu'à Brighton et Hove, passait par le port de Shoreham, puis suivait la rivière Adur.

« Il est de quel côté, le bateau ? »

« Au Sussex Motor Yacht Club, dit-elle. Il faut tourner à gauche. »

Un bus arrivait à vive allure. Vic allait le laisser passer quand une lueur blanche, dans le rétro, capta son attention. Croyant à peine ses yeux, il vit une moto de la police slalomer dans le dense trafic, derrière eux. Était-ce ce satané flic qu'il venait de mettre KO ?

Il tourna devant le bus, dans un crissement de pneus. Et quelques secondes plus tard, sortie de nulle part, apparut, dans son rétro, une BMW noire avec un gyrophare bleu sur le toit et des lumières sur la plage arrière. Elle passa le bus et la Toyota et lui fit une queue de poisson, l'obligeant à piler. Au-dessus du pare-choc arrière clignotaient, en rouge, les mots : POLICE STOP.

Dans son affolement, Vic fit un demi-tour sur route, accéléra dans l'autre direction et slaloma entre les voitures qui roulaient au pas à l'approche d'un rond-point. La moto le talonnait, la sirène hurlait. Vic mit deux roues sur le trottoir, enfonça son Klaxon pour obliger les piétons à s'écarter et doubla la file de voitures, ainsi qu'une camionnette. Arrivé au rond-point, il avait trois possibilités : à droite, il retournerait sûrement dans le labyrinthe des petites rues, tout droit, le trafic était engorgé, à gauche, un pont aux poutrelles métalliques enjambait la rivière.

Il tourna à gauche, la moto collée à son arrière-train, et accéléra autant que la Toyota le permettait. Le ventilateur grinçait, crissait, le bruit empirait à chaque seconde. En contrebas, la mer s'étant complètement retirée, la rivière n'était plus qu'un mince filet d'eau entre deux rives boueuses. Des bateaux gisaient sur leur flanc, la plupart donnant l'impression qu'ils auraient du mal à se remettre à flot à marée haute.

De l'autre côté du pont, la voie était libre. Mais la BMW ne tarda pas à arriver à toute allure derrière eux. La moto les doubla soudain et décéléra pour les forcer à ralentir. « Je croyais t'avoir donné une leçon, connard », grommela Vic en accélérant pour tenter de lui rentrer dedans. Mais le motard fut plus rapide et partit en flèche, comme s'il avait anticipé sa réaction.

Cherchant désespérément une solution, Vic observa le paysage des deux côtés. À gauche se trouvaient un garage, une enfilade de boutiques et quelque chose qui ressemblait à un grand quartier résidentiel. À droite, il y avait les pistes de l'aérodrome de Shoreham, utilisées majoritairement par des avions privés et quelques compagnies aériennes pour les îles anglo-normandes. L'entrée approchait.

Sans prévenir, il tourna à droite, sur la route étroite. Il avait désormais un mur en béton à sa gauche et l'étendue plane des pistes à sa droite. Des hangars, des petits avions et des hélicoptères garés ponctuaient le paysage, ainsi qu'une tour de contrôle blanche Arts déco, qui aurait eu besoin d'un coup de peinture. À ce moment précis, il se dit qu'il pouvait essayer de semer les flics quelques minutes, détourner un coucou – comme celui

466

qui arrivait justement – en fonçant dessus et en éjectant le pilote.

Comme si elle avait lu dans ses pensées, la BMW se mit à leur hauteur et les poussa contre le mur. Ashley hurla quand la voiture heurta le béton. Des étincelles jaillirent sous l'effet du frottement. « Vic, nom de Dieu, fais quelque chose ! »

Concentré, les mains agrippées au volant comme si sa vie en dépendait, Vic était conscient que la Toyota ne pouvait pas lutter contre la BMW et la moto. Un tunnel approchait. Il savait exactement ce que la BMW avait en tête : le doubler et le forcer à s'arrêter. Il écrasa le frein. Prise par surprise, la BMW fila tout droit. Il tourna juste derrière, quitta la route et s'engagea sur la piste à proprement parler.

La moto ne le lâcha pas et quelques secondes plus tard, la BMW était de nouveau derrière lui. Il traversa la pelouse en cahotant, fonça vers les premières rangées d'aéroplanes garés, slaloma dangereusement entre eux, pour tenter de se débarrasser des flics et repérer quelqu'un qui se dirigerait vers un avion ou sortirait d'un hélico. Alors qu'ils allaient passer entre un jet privé Grumman et un Piper Aztec, la BWM leur fonça soudain dedans, les projetant tous deux en avant. Malgré la ceinture de sécurité, Ashley se cogna la tête contre le pare-brise et hurla de douleur.

Il entendit la BMW vrombir. La piste se trouvait droit devant eux. Un bimoteur était en train d'atterrir, à quelques mètres du sol seulement. Vic appuya sur l'accélérateur, traversa la piste dans l'ombre de l'avion. Pendant quelques instants, la

BMW et la moto disparurent de son rétro! Il continua à foncer, la voiture zigzaguait, le bruit du
moteur empirait et une odeur âcre de brûlé se
dégageait à présent. Il roulait droit vers le grillage
de sécurité, droit vers la petite route qui se trouvait juste derrière.

« Il faut qu'on sorte et qu'on se cache, Vic. On ne
pourra jamais les semer avec cette caisse. »

« Je sais », dit-il durement. Ne voyant aucun
passage à travers le grillage, il fut de nouveau pris
de panique. « Elle est où, la sortie, bordel? »

« Fonce dans le grillage. »

Il suivit son conseil, continua à la même allure et
ne ralentit que juste avant l'impact. Dans un fracas
métallique, le fil barbelé se déchira comme du
tissu. Il se trouvait désormais sur la route qui longeait l'aérodrome. La rivière, réduite à l'état de
vase, serpentait à sa droite, la piste s'étendait à sa
gauche. La moto et la voiture se trouvaient juste
derrière lui. Une Mercedes Sport arrivait en sens
inverse. Vic ne ralentit pas. « Dégage, connard! »
Au dernier moment, la Mercedes se serra sur le
bas-côté. Ils arrivèrent à un croisement en T, à une
petite route qui ressemblait plutôt à un chemin. À
gauche, un camion de déménagement déchargeait
des meubles devant une ferme et bloquait complètement la route.

Il tourna à droite et écrasa la pédale, l'œil dans
le rétroviseur. Le chemin était trop étroit pour que
la BMW les dépasse. La moto s'apprêtait à les doubler. Elle allait le faire quand Vic fit un écart pour
l'en dissuader. Ils étaient à cent, cent dix, cent
vingt et approchaient d'un pont en bois qui enjambait la rivière.

Au moment où ils l'atteignirent, deux petits garçons à vélo apparurent à l'autre bout, en plein milieu de la route. « Meeeerde, oh meeeeerde, oh meeerde ! » s'écria Vic en écrasant le frein et en appuyant sur le Klaxon. Mais c'était trop tard. Ils n'arriveraient pas à s'arrêter et il n'y avait pas de place pour passer. Ashley hurlait.

La voiture se déporta vers la droite, vers la gauche, vers la droite. Elle heurta la barrière droite du pont, rebondit, cogna contre celle de gauche, fut renvoyée comme une boule de flipper, puis se renversa sur le toit, rebondit, défonça la barrière de sécurité, puis la structure du pont en bois, éclatant les planches comme des allumettes, et plongea, à l'envers, portes arrière ouvertes, valises éjectées, vers la vase molle et traître comme des sables mouvants.

Le policier descendit de moto. Traînant la jambe à cause de l'accident dont il avait été victime quelques minutes auparavant, il boita jusqu'à l'endroit où le pont avait été éventré et regarda en contrebas.

N'émergeait de la boue que le ventre sale, noir, de la Toyota. Le reste de la voiture avait sombré. Il regarda fixement le dessous du véhicule, le pot d'échappement, le silencieux et les roues, qui tournaient à vide. Puis, sous ses yeux, la boue se mit à faire des bulles, comme un chaudron qui bouillonne. En quelques secondes, le ventre et les roues s'enfoncèrent, et la vase se referma au-dessus du véhicule. Quelques grosses bulles éclatèrent, comme si un monstre sous-marin avait été dérangé dans sa tanière.

Puis plus rien.

89

La marée montante ne facilitait pas leur travail.
Toute la zone où la voiture s'était enfoncée avait
été verrouillée et une toile bloquait partiellement
la vue aux curieux, de plus en plus nombreux, qui
s'étaient amassés sur l'autre rive. Un camion de
pompiers, deux ambulances, une demi-douzaine
de véhicules de police, dont une dépanneuse,
étaient garés le long de la petite route.

Une grue avait été installée sur le pont relativement peu sûr, en dépit des réserves émises quant à
sa résistance. Grace, sur le pont lui aussi, suivait les
opérations. Des plongeurs de la police essayaient
tant bien que mal de fixer des crochets qui se
balançaient au bout du bras de levage à des parties
solides de la Toyota. Le ciel, qui avait hésité entre
pluie et nuages toute la journée, s'était dégagé au
cours de la dernière heure et le soleil tentait une
percée.

La boue épaisse n'avait pas permis aux hommes-
grenouilles de descendre plus profond, et le seul
espoir que les passagers soient vivants reposait sur
l'état des vitres. Si elles étaient restées intactes, il y
aurait peut-être de l'air dans l'habitacle. Mais les
nombreux éclats sur le pont réduisaient cette
hypothèse à une peau de chagrin.

Deux valises avaient été récupérées dans la
Land Rover, mais elles ne contenaient que des
vêtements féminins. Pas un seul bout de papier
qui puisse les renseigner sur Michael. Grace avait

le pressentiment que cette voiture avait quelque chose à leur révéler.

Glenn Branson, qui se tenait à côté de lui, dit : « Tu sais à quoi ça me fait penser ? À *Psycho*, l'original, celui de 1960. Quand ils sortent la voiture du lac, avec le corps de Janet Leigh à l'intérieur. Tu te souviens ? »

« Je me souviens. »

« C'était un superfilm. Le remake était nul. Je me demande pourquoi les gens font des remakes. »

« Pour l'argent. C'est en partie pour ça qu'on a du boulot, toi et moi. Parce que les gens font énormément de choses pour l'argent. »

Quelques minutes plus tard, les crochets étaient en place et le levage pouvait commencer. Étant donné le bruit assourdissant du moteur de la grue, c'est à peine si Grace et Branson entendirent les bruits de succion et autres gargouillis de la boue qui lâchait prise, tandis que la mer continuait à monter.

Lentement, sous leurs yeux, lavée par l'eau, la Toyota couleur bronze s'éleva dans les airs, coffre ouvert, ballant. De la boue suintait de tous les encadrements de fenêtre. La voiture avait subi un choc violent et les châssis étaient tordus. Apparemment, aucune vitre n'avait résisté.

La boue se détachait, tantôt en blocs, tantôt en coulures. Les silhouettes des deux passagers apparurent d'abord, puis, finalement, leurs visages inanimés.

La grue déposa la voiture, à l'envers, sur la rive, à quelques mètres d'une péniche rouillée.

471

Plusieurs pompiers, policiers et ouvriers de la société de levage détachèrent les crochets et remirent lentement la voiture à l'endroit. Quand elle retomba sur ses roues, les deux corps à l'intérieur basculèrent comme des mannequins de crash test.

Grace, très impatient, se pressa vers le véhicule. Branson le suivit. Ils s'accroupirent et regardèrent à l'intérieur. Malgré les traces de boue sur son visage, ses cheveux coupés beaucoup plus court que la dernière fois qu'ils l'avaient vue, ils reconnurent Ashley Harper, cela ne faisait aucun doute. Ses yeux étaient grands ouverts, fixes. Grace frémit de dégoût en voyant un crabe maigre, aux longues pinces, crapahuter sur ses genoux.

« Nom de Dieu », s'exclama Branson.

Mais qui pouvait bien être l'homme à ses côtés, à la place du conducteur ? se demanda Grace. Le type, costaud, aux allures de voyou, les yeux grands ouverts, portait un masque de mort.

« Regarde si tu trouves quelque chose sur elle », dit Grace en ouvrant la portière du conducteur et en fouillant les poches trempées, remplies de boue, de l'homme. Il sortit un gros portefeuille en cuir de sa veste et l'ouvrit. Il y trouva un passeport australien.

La photo était celle de l'homme au volant, aucun doute. Il s'appelait Victor Bruce Delaney et avait quarante-deux ans. Sous la rubrique *personne à contacter en cas d'urgence* figuraient le nom de *Mme Alexandra Delaney* et une adresse à Sydney.

Glenn Branson frotta la boue d'un sac à main jaune, ouvrit la fermeture Éclair et sortit également un passeport, britannique celui-là, qu'il montra à Grace. Il contenait une photo qui était, sans l'ombre d'un doute, celle d'Ashley Harper, mais cheveux bruns, coupés court, et au nom d'Ann Hampson. Sous la rubrique *personne à contacter en cas d'urgence* ne figurait rien.

Il y avait des cartes de crédit dans le portefeuille de l'homme et dans un sac à main, mais rien d'autre. Aucun indice sur leur provenance ou leur destination.

« Houston, on a un problème », dit Branson calmement, sans humour.

« Comme tu dis. » Grace se releva et se tourna. « Et il est tout d'un coup beaucoup plus grave qu'il y a deux heures. »

« Comment est-ce qu'on va retrouver Michael Harrison, maintenant ? »

Grace garda le silence quelques instants, puis dit : « J'ai une idée, mais elle ne va pas te plaire. »

Jetant un coup d'œil gêné vers les passagers de la voiture, Glenn Branson dit : « Il n'y a pas grand-chose qui me plaise en ce moment. »

90

Une heure et demie plus tard, Grace aidait le frêle, mais vigoureux, Harry Frame à attacher sa ceinture de sécurité dans la Ford Mondeo de service qu'il avait prise, avec Branson, cet après-midi.

Queue-de-cheval, bouc, kaftan et salopette, comme d'habitude, le médium, qui sentait l'huile de patchouli, avait étendu une carte de Newhaven sur ses genoux et tenait dans sa main droite un fil au bout duquel pendait un anneau en métal.

Grace avait décidé de laisser Glenn Branson en dehors de tout ça. Il ne voulait pas d'ondes négatives, car il savait Harry Frame éminemment sensible.

« Vous m'avez apporté quelque chose, comme je vous l'avais demandé ? » dit Harry à Grace tandis que celui-ci prenait place au volant. Grace sortit de sa poche une boîte qu'il tendit au médium. Frame l'ouvrit et vit une paire de boutons de manchette en or.

« C'est sûr qu'elles appartiennent à Michael Harrison, je suis passé les prendre dans son appartement avant de venir. »

« Parfait. »

Il n'y avait pas loin, par la côte, de Peacehaven, où habitait Harry Frame, à Newhaven. Tandis qu'ils passaient une enfilade apparemment interminable de boutiques et de restaurants à emporter, Harry Frame serrait les boutons de manchette dans son poing. « Newhaven, vous avez dit ? »

« Une voiture qui nous intéresse a été impliquée dans un accident à Newhaven en début de journée. Et c'est là-bas qu'ont été enregistrés les signaux émis par le portable de Michael Harrison. J'ai pensé que nous pourrions aller sur le lieu de l'accident et voir si vous captez quelque chose. C'est une bonne idée ? »

Avec ferveur, de sa voix haut perchée, le médium dit : « Je capte déjà quelque chose. On n'est pas loin, vous savez. Pas loin du tout. »

Grace suivit les indications qui lui avaient été données et ralentit. Des traces de freinage, des taches d'huile et quelques éclats de verre témoignaient de l'accident. Il tourna à droite dans un lotissement moderne en construction composé de maisons indépendantes et de jardins immatures. Il se rangea sur le bas-côté et s'arrêta.

« OK, dit-il. C'est ici que l'accident a eu lieu ce matin. »

Tenant les boutons de manchette dans sa main gauche, Harry Frame commença à faire osciller le pendule au-dessus de la carte en respirant de plus en plus profondément. Il serra les yeux très fort et dit : « Continuez, Grace, continuez tout droit, lentement. »

Grace obéit.

« On approche ! s'exclama Frame. Je suis formel. Je vois une bifurcation à gauche, plus très loin. Ce n'est peut-être pas une route, juste un chemin. »

Cent mètres plus loin, ils arrivèrent en effet à l'entrée d'un chemin, sur la gauche. Il avait été empierré, il y avait des années de ça, mais se trouvait aujourd'hui dans un état de délabrement généralisé. Il traversait un terrain vague envahi par les broussailles et balayé par les vents, montait sur une colline, et, vu d'ici du moins, semblait ne mener nulle part.

« Tournez à gauche, Roy ! »

Grace jeta un coup d'œil pour voir si le médium ne trichait pas et n'ouvrait pas les yeux subrepticement. Mais s'il regardait quelque chose, c'était la carte, sur ses genoux. Grace s'engagea sur le chemin, parcourut trois cents mètres et une vilaine

475

maison isolée, ramassée, apparut, tout en haut de la colline. Elle offrait une vue dégagée sur Newhaven et le port, mais c'était à peu près tout.

« Je vois une maison isolée. Michael Harrison est dedans », dit Frame avec une voix encore plus aiguë, sous le coup de l'excitation.

Grace s'arrêta. Le pendule faisait de petits cercles rapides et Harry Frame, les yeux toujours clos, vibrait comme s'il avait mis les doigts dans une prise.

« Ici ? »

Sans ouvrir les yeux, Harry Frame confirma : « Ici. »

Grace le laissa dans la voiture, s'arrêta devant la porte et observa la pelouse à l'abandon et les parterres de fleurs qui n'étaient qu'un enchevêtrement de mauvaises herbes. Il y avait quelque chose de bizarre, dans l'allure de cette maison, mais Grace ne savait pas vraiment quoi. Elle donnait l'impression d'avoir été construite dans les années 1930 ou au début des années 1950. Son architecture était étrange, comme de guingois.

Il emprunta une allée faite de blocs de béton dont les jointures étaient envahies par le chiendent et appuya sur la sonnette craquelée de la porte d'entrée. Un bruit strident retentit, mais personne ne vint ouvrir. Il appuya une deuxième fois.

Pas de réponse.

Il fit le tour de la maison en regardant à travers chaque fenêtre. La maison avait l'air abandonnée, négligée, à l'intérieur comme à l'extérieur. Les meubles devaient avoir vingt ou trente ans, tout comme la conception et l'équipement de la cuisine.

Puis il remarqua, à sa grande surprise, un tas de journaux sur la table de la cuisine.

Il regarda sa montre. Il était un peu plus de dix-huit heures. Il savait qu'un mandat de perquisition s'imposait. Mais ça prendrait encore quelques heures de plus et, chaque minute, les chances de retrouver Michael Harrison vivant diminuaient.

À quel point faisait-il confiance à Harry Frame ? Le médium avait vu juste en de nombreuses occasions, par le passé. Mais il s'était trompé dans autant de cas.

Merde.

Il appréhendait la réaction d'Alison Vosper, si elle apprenait qu'il avait fait effraction dans une maison sans mandat de perquisition. Il n'avait pas énormément de faits sur lesquels s'appuyer, mais ceux qu'il avait feraient l'affaire. Le temps était compté pour Michael Harrison.

Il trouva une brique dans le jardin, cassa une vitre de la fenêtre de la cuisine, enveloppa sa main dans son mouchoir, enleva les morceaux de verre coincés dans le mastic, trouva la poignée, ouvrit et se glissa à l'intérieur.

« Il y a quelqu'un ? cria-t-il. Ohé ? Il y a quelqu'un ? »

L'endroit avait l'air miteux et sentait le renfermé. La cuisine était propre, et, à part les journaux datés de la veille, rien n'indiquait que quelqu'un l'ait utilisée récemment. Grace vérifia chacune des pièces du rez-de-chaussée. Le vaste salon était ringard au possible, avec ses paysages marins au mur. Grace remarqua qu'il y avait des traces sur la moquette, comme si quelqu'un avait récemment déplacé le canapé. Il se rendit dans une salle à manger sombre, avec une table en chêne et quatre chaises, tapissée de papier peint floqué, puis dans un petit W.-C. « Dieu bénit cette demeure », brodé au point de croix, était accroché au mur.

Le premier étage était tout aussi peu habité et peu cosy. Il y avait trois chambres – les literies se réduisant à des matelas nus et des oreillers jaunis, sans housse –, une petite salle de bains avec un chauffe-eau, un lavabo sale et une baignoire.

Au-dessus du lit, dans la plus petite chambre, se trouvait une trappe. Grace mit une chaise sur le matelas et, en montant dessus en équilibre instable, il put ouvrir et regarder à l'intérieur. Il fut surpris de trouver un interrupteur – qui fonctionnait – tout au bord. Il alluma et constata qu'il n'y avait rien d'intéressant. Juste un petit ballon d'eau chaude, un vieil aspirateur et un tapis roulé.

Il ouvrit chaque placard, chaque armoire. À l'étage, le linge de maison, draps et serviettes, était plié et rangé. En bas, les placards de la cuisine contenaient des produits de première nécessité – café, thé, quelques boîtes de conserve, mais rien d'autre. Il y avait facilement un an ou deux que la maison était inhabitée. Aucun signe de Michael Harrison. Rien.

Nulle part.

Il vérifia la porte du placard du hall, au cas où elle donnerait sur une cave, même s'il savait que, depuis la période victorienne, peu de maisons disposaient de cave. Il fallait qu'il trouve à qui appartenait cette maison et quels en avaient été les derniers occupants. Peut-être les propriétaires étaient-ils morts ? Peut-être qu'elle était entre les mains d'exécuteurs testamentaires ? Peut-être qu'une femme de ménage venait de temps en temps ?

Une femme de ménage qui lirait tous les quotidiens nationaux ?

Grace sortit par la porte de derrière et se rendit sur le côté de la maison, où se trouvaient deux poubelles. Il souleva le couvercle, et, soudain, il eut une tout autre version des faits. Il y avait des coquilles d'œufs, des sachets de thé usagés, un pack de lait écrémé vide portant comme date limite de consommation celle du jour et une barquette de lasagnes Marks and Spencer marquée d'une date à venir.

Plongé dans ses pensées, il fit le tour de la maison, cherchant de nouveau ce qui n'allait pas au niveau de l'agencement. Puis il comprit. À la place de cette affreuse fenêtre en plastique, à droite de la porte d'entrée, aurait dû se trouver un garage intégré. Tout était clair, maintenant. Les briques n'étaient pas exactement de la même couleur que sur le reste de la maison. À un moment donné, le garage avait été converti en salon.

Il eut soudain un souvenir d'enfance : son père en train de bricoler. Il aimait réparer lui-même sa voiture, la vidanger, changer les garnitures de frein, *échapper aux brigands*, comme il disait des garagistes. Grace se souvint de la fosse, dans le garage, où il avait passé tant d'heures heureuses, enfant, à aider son père à réparer les Ford successives qu'il achetait, à revenir couvert d'huile, de graisse – sans parler des araignées, de temps en temps.

Puis il repensa aux traces sur la moquette, dans le salon, au canapé qui avait dû être déplacé.

Sur une intuition, pas plus, il rentra dans la maison et fonça directement vers le salon. Il poussa la table basse sur le côté, puis déplaça le canapé en suivant les traces sur la moquette verte aux motifs floraux.

Puis il remarqua que le coin de la moquette rebiquait légèrement. Il s'agenouilla, tira et la moquette céda facilement. Beaucoup trop facilement. Et au lieu de trouver de la poussière et des moutons, Grace découvrit un matériau qui n'était pas celui qu'on utilisait généralement sous les moquettes. Il savait exactement ce que c'était : un isolant acoustique.

De plus en plus excité, il regarda par-dessus son épaule, puis souleva le matériau lourd, gris, et découvrit une grande planche de contre-plaqué. Il glissa les doigts sur les côtés, non sans difficulté, la plaque étant aux dimensions exactes du trou, la saisit et la déplaça.

Il fut immédiatement assailli par une puanteur terrible, mélange d'urine et d'excréments. Retenant sa respiration et appréhendant ce qu'il allait trouver, il fixa la fosse qui faisait un mètre quatre-vingts de profondeur et distingua une silhouette floue tout au fond, pieds et poings liés, la bouche entravée par du ruban adhésif.

Il pensa d'abord que le corps était sans vie. Puis les yeux clignèrent. Un regard terrorisé.

Doux Jésus, il était vivant! Grace fut envahi par une joie quasi irrépressible. « Michael Harrison? »

Un « Mnhhhh » étouffé lui répondit.

« Commissaire Grace, PJ du Sussex », fit-il en se glissant dans la fosse, sans plus se soucier de l'odeur, extrêmement inquiet quant à l'état du jeune homme.

S'agenouillant à côté de lui, Grace retira délicatement le ruban adhésif de ses lèvres. « Êtes-vous Michael Harrison? »

« Oui, répondit-il d'une voix rauque. De l'eau, s'il vous plaît. »

Grace lui pressa amicalement le bras. « Je vais vous en chercher tout de suite. Et je vais vous sortir de là. Tout va bien se passer, maintenant. »

Grace se hissa hors de la fosse, se précipita dans la cuisine et fit couler le robinet, tout en appelant une ambulance par radio. Puis il redescendit en serrant un grand verre d'eau.

Il l'inclina vers les lèvres de Michael Harrison qui le but avidement, d'un trait, en ne faisant couler que quelques gouttes sur son menton. Quand Grace releva le verre, Michael le regarda et lui demanda : « Comment va Ashley? »

Grace le considéra un instant, réfléchit rapidement, puis lui sourit gentiment. « Elle va bien », dit-il.

« Dieu merci. »

Grace serra de nouveau son bras. « Vous voulez encore un peu d'eau? »

Michael hocha la tête.

« Je vais vous en chercher, et puis je vous détacherai. »

481

« Dieu merci, elle va bien, répéta Michael d'une voix faible et tremblante. Je n'ai pas arrêté de penser à elle. Elle est, elle est tout... »

Grace se dégagea de la fosse. À un moment donné, il allait devoir tout lui raconter, mais il sentait que ce n'était ni le moment, ni l'endroit.

Et il ne savait pas par où commencer.

La traductrice souhaiterait remercier Barbara Silverstone pour ses précieuses relectures, ainsi que Frédéric Péchénard, contrôleur général à la Direction de la police judiciaire de Paris, et Hervé Lafranque, commissaire divisionnaire à la Direction centrale de la police judiciaire, pour l'intérêt qu'ils ont témoigné et le temps qu'ils ont consacré à « policer » cette traduction.

Achevé d'imprimer par N.I.I.A.G.
en août 2007
pour le compte de France Loisirs, Paris

Nᵒ d'éditeur : 49675
Dépôt légal : septembre 2007
Imprimé en Italie